日本消化器内視鏡学会 専門医学術試験問題

【解答と解説】

第5版

● 監修　一般社団法人 日本消化器内視鏡学会
● 責任編集　一般社団法人 日本消化器内視鏡学会 専門医試験委員会

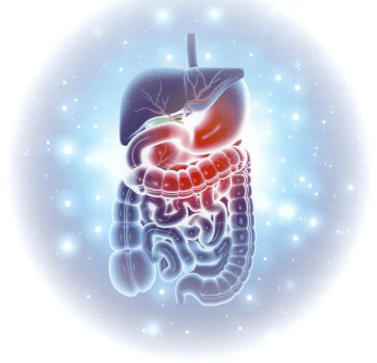

医学書院

日本消化器内視鏡学会専門医学術試験問題 解答と解説

発　　行	1999年5月1日	第1版第1刷
	2003年4月15日	第1版第4刷
	2004年7月1日	第2版第1刷
	2009年6月1日	第2版第6刷
	2009年7月15日	第3版第1刷
	2015年6月15日	第3版第5刷
	2016年5月15日	第4版第1刷
	2020年3月15日	第4版第4刷
	2021年7月15日	第5版第1刷Ⓒ
	2021年9月1日	第5版第2刷

監　　修　一般社団法人　日本消化器内視鏡学会

責任編集　一般社団法人　日本消化器内視鏡学会　専門医試験委員会

発　行　者　株式会社　医学書院
　　　　　　代表取締役　金原　俊
　　　　　　〒113-8719　東京都文京区本郷1-28-23
　　　　　　電話　03-3817-5600(社内案内)

印刷・製本　横山印刷

本書の複製権・翻訳権・上映権・譲渡権・貸与権・公衆送信権(送信可能化権を含む)は株式会社医学書院が保有します．

ISBN978-4-260-04747-0

本書を無断で複製する行為(複写，スキャン，デジタルデータ化など)は，「私的使用のための複製」など著作権法上の限られた例外を除き禁じられています．大学，病院，診療所，企業などにおいて，業務上使用する目的(診療，研究活動を含む)で上記の行為を行うことは，その使用範囲が内部的であっても，私的使用には該当せず，違法です．また私的使用に該当する場合であっても，代行業者等の第三者に依頼して上記の行為を行うことは違法となります．

JCOPY〈出版者著作権管理機構　委託出版物〉
本書の無断複製は著作権法上での例外を除き禁じられています．複製される場合は，そのつど事前に，出版者著作権管理機構(電話 03-5244-5088，FAX 03-5244-5089，info@jcopy.or.jp)の許諾を得てください．

執筆者一覧 (五十音順)

新倉　則和	相澤病院　副院長　消化器病センター
石原　　立	大阪国際がんセンター　副院長補佐　消化管内科
伊藤　　透	金沢医科大学教授・消化器内視鏡学
乾　　和郎	山下病院消化器内科
今泉　　弘	JCHO相模野病院　院長
入口　陽介	東京都がん検診センター　副所長
浦岡　俊夫	群馬大学教授・消化器・肝臓内科学
江﨑　幹宏	佐賀大学教授・消化器内科学
大原　弘隆	名古屋市立大学教授・地域医療教育学
岡　　志郎	広島大学病院消化器・代謝内科　診療准教授
岡　　政志	埼玉医科大学総合医療センター消化器内科・肝臓内科　教授
樫田　博史	近畿大学教授・内科学教室（消化器内科部門）
川嶋　啓揮	名古屋大学医学部附属病院光学医療診療部　部長／准教授
岸野真衣子	東京女子医科大学講師・消化器内視鏡科
北方　秀一	金沢医科大学教授・消化器内視鏡学
窪田　賢輔	横浜市立大学教授・がん総合医科学・内視鏡センター
郷田　憲一	獨協医科大学病院消化器内視鏡センター　センター長／教授
小田島慎也	帝京大学准教授・内科学講座
斎藤　　豊	国立がん研究センター中央病院　内視鏡センター
酒井　裕司	千葉大学医学部附属病院消化器内科
笹平　直樹	がん研有明病院肝・胆・膵内科　部長
佐田　美和	北里大学診療准教授・消化器内科学
島田　英雄	東海大学医学部附属大磯病院　病院長
白井　孝之	東海大学教授・消化器内科学（大磯病院）
炭山　和毅	東京慈恵会医科大学教授・内視鏡医学
竹内　　健	辻仲病院柏の葉消化器内科・IBDセンター　部長／センター長
田邉　　聡	北里大学教授・新世紀医療開発センター
千野　晶子	がん研有明病院下部消化管内科　副部長
辻　　陽介	東京大学医学部附属病院　消化器内科学
永尾　重昭	公立昭和病院　予防・検診センター
長谷部　修	北野病院　副院長　消化器内科
羽生　泰樹	大阪府済生会野江病院消化器内科　部長
引地　拓人	福島県立医科大学附属病院内視鏡診療部　部長／准教授
平澤　　大	仙台厚生病院消化器内科　主任部長
平澤　俊明	がん研有明病院上部消化管内科　副部長
福澤　誠克	東京医科大学准教授・消化器内科
松田　浩二	国立病院機構静岡医療センター　消化器内科　診療部長
松本　主之	岩手医科大学教授・消化器内科消化管分野
溝上　裕士	新東京病院健診部　主任部長・消化器内科
宮岡　正明	東京医科大学八王子医療センター兼任教授・消化器内科
八隅秀二郎	田附興風会医学研究所　北野病院消化器内科　主任部長
柳岡　公彦	国保野上厚生総合病院　院長
横山　　薫	北里大学講師・消化器内科学
吉田　直久	京都府立医科大学講師・消化器内科
吉田　　寛	日本医科大学主任教授・外科学（消化器外科）
和田　友則	三楽病院　院長

第5版の序

　1981年日本消化器内視鏡学会で発足した認定医制度は，2004年より専門医制度となり，従来の認定医は専門医に，認定専門医は指導医に名称が変更され発足よりすでに40年が経過した．当初の認定医試験委員会の責任において，『日本消化器内視鏡学会認定医学術試験問題・解答と解説』として初版が1999年5月に発行されその後，約5年ごとに改訂版が発行されてきた．このたび専門医試験委員会より第5版が出版のはこびとなった．なお，専門医試験委員会は，問題作成，問題選定，試験実施，試験判定の各委員で構成され，試験問題解説小委員会は，作成委員が兼任している．

　第5版では，掲載された従来の問題を全面的に入れ替え，2014年度から2019年度に専門医学術試験に出題された問題の中から厳選し，刷新を行った．総論12題，上部消化管49題，下部消化管47題，胆・膵31題の全問題139題を，学会誌である「日本消化器内視鏡学会雑誌」に掲載された解説文とともに掲載した．

　日本専門医機構により，国民および社会に信頼される専門医制度を確立し，専門医の育成・認定およびその生涯教育を通じて，良質かつ適切な医療を提供することを目指し，新専門医制度が2018年4月よりスタートした．現在，サブスペシャルティ領域の制度設計が進められているが，2022年度の本学会専門医更新対象者より「基本領域の認定資格保有」が必須となる．本学会はすでに，厳格・適切な試験制度および独自の教育カリキュラムに基づく専門医制度を確立しているが，さらなる改革が求められている．本書の出版はこれらを充実させていくうえで重要である．

　消化器内視鏡による診断と治療は，日常の消化器診療に不可欠であり，この医療技術を患者さんに正しく，安全かつ効率的に提供することは，重要な課題である．日進月歩する内視鏡学を，生涯にわたり学習し続けなければならない内視鏡医にとって，専門医学術試験はスタートでありゴールではない．内視鏡学の発展に対応した多くの鮮明な画像や推敲された設問に加え，幅広い解説を取り入れた本書は，受験者のみでなく内視鏡臨床医にも日常診療の座右の書として役立つものと思われる．すでに専門医の資格を取得した内視鏡医も，是非，本書を利用し，研鑽を継続していただきたい．

　最後に，専門医学術試験の問題作成，問題選定，試験実施，試験判定にご尽力いただきました各委員の諸先生方に深謝いたします．また，本書は2021年度の専門医学術試験前の発刊をめざしたため，編集にあたり，ご多忙の中，限られた時間で，問題の収集・分析をいただき，本書の執筆にご協力をいただいた諸先生方に厚く御礼を申し上げます．さらに昨年まで長年にわたり専門医試験委員会の委員長をお務めになられた永尾重昭先生にも感謝申し上げます．

2021年6月

専門医試験委員会　担当理事

塩谷昭子

初版の序

　日本消化器内視鏡学会は，広い知識と錬磨された技能を備えた消化器専門医を養成し，医療水準を高めるとともに消化器内視鏡の進歩をはかることを目的に，1981年認定医制度を発足させた．ついで1995年より，それまで書類審査で実施されていた制度を変革し，新たに認定医学術試験を導入した．そして第1回は249名，第2回は454名，第3回は496名，第4回は705名の合格者を世に送った．

　回を重ねるにつれて受験された諸氏から，またこれから受験しようとする方々から，どのような問題が出題されたのかというお問い合わせをいただくようになった．そしてまた問題についての解説が欲しいという意見も出された．これに応ずるため1997年より「日本消化器内視鏡学会誌 Gastroenterological Endoscopy」に毎月2，3題を掲載し解説を加えることにした．

　今回，日本消化器内視鏡学会卒後教育委員会より『消化器内視鏡ガイドライン』の出版が計画されるとのことで，それと連携して試験問題の解説書を刊行することにした．

　第1回から第4回までに出題された384題のうち164題を選定し解説を加えることにした．特に解説をしていただいた先生方には自験例なども加えて，単なる解答集ということではなく内視鏡学全体が把握できるような内容にして欲しい旨お願い申し上げた．

　学会は試験問題の作成に関して認定医試験委員会を設けている．そしてさらに試験問題作成小委員会，試験問題選定小委員会，試験実施小委員会，試験判定小委員会などが設けられ，各グループの多数の先生方によって問題の作成，選択，受験，採点，評価がなされている．したがって今回の執筆にはこれらに関係していただいた先生方に御依頼申し上げた．

　試験問題は多くの先生方の注意深い目を通して作成されているのであるが，試験が終わってみると不備な点や不適当な所がみえてきて，問題作成の難しさをいつも痛感している．できるだけ厳選したつもりであるがご意見があればお聞かせ願いたいと思っている．

　飛躍的な進歩を遂げる内視鏡学は，その情報も膨大化し，かつ細分化，専門化され，新しい知識を学び取るにも大変な努力がいる時代にきている．試験問題解説書ではあるが，この中には内視鏡学の進歩も織り込まれており，専門家の方々にも十分ご利用いただけるのではないかと思っている．本書が多くの認定医の育成に，また日本の医療の向上に貢献できれば幸いである．

　最後に，忙しい中本書の執筆にご協力いただいた諸先生方に厚く御礼を申し上げる．特に問題の収集と分析に当たっていただいた林田康男先生，峯　徹哉先生に感謝する．

1999年　春

福富久之

目次

第1章 総論（基礎）

- **イントロダクション** 2
    - 問題1　内視鏡検査の前処置・前投薬　5
    - 問題2　特殊光　7
    - 問題3　高周波による内視鏡治療　8
    - 問題4　内視鏡画像　10
    - 問題5　超音波内視鏡（EUS）の基本　12
    - 問題6　偶発症　14
    - 問題7　超音波内視鏡（EUS）の基本　15
    - 問題8　内視鏡前処置　16
    - 問題9　色素内視鏡　18
    - 問題10　内視鏡機器　19
    - 問題11　治療機器　20
    - 問題12　鎮静・鎮痛薬　22

第2章 上部消化管

- **イントロダクション** 24
    - 問題1　食道扁平上皮癌　26
    - 問題2　胃前庭部毛細血管拡張症（GAVE）　28
    - 問題3　食道癌　30
    - 問題4　胃癌　32
    - 問題5　急性胃粘膜病変（AGML）　34
    - 問題6　FAPについて　36
    - 問題7　胃MALTリンパ腫の内視鏡所見　38
    - 問題8　アニサキス症の診断と治療　40
    - 問題9　胃癌　42
    - 問題10　早期胃癌　44
    - 問題11　食道アカラシア　46
    - 問題12　食道静脈瘤　48
    - 問題13　食道NBI　50
    - 問題14　食道癌　52
    - 問題15　悪性リンパ腫　54
    - 問題16　鳥肌胃炎　56
    - 問題17　食道静脈瘤　58

- 問題 18 胃静脈瘤 60
- 問題 19 急性胃粘膜病変(AGML) 62
- 問題 20 小腸出血 64
- 問題 21 胃癌の治療選択 66
- 問題 22 早期胃癌(NBI) 68
- 問題 23 食道ヨード染色 70
- 問題 24 食道早期癌(NBI) 72
- 問題 25 胃前庭部毛細血管拡張症(GAVE) 74
- 問題 26 小腸 GIST 76
- 問題 27 Peutz-Jeghers 症候群 78
- 問題 28 食道静脈瘤 80
- 問題 29 食道血管腫 82
- 問題 30 胃 MALT リンパ腫 84
- 問題 31 早期胃癌診断 86
- 問題 32 サイトメガロウイルス食道炎 88
- 問題 33 食道癌治療 90
- 問題 34 好酸球性食道炎 92
- 問題 35 食道アカラシア 94
- 問題 36 胃粘膜萎縮分類 96
- 問題 37 胃 MALT リンパ腫 98
- 問題 38 Barrett 食道(LSBE) 100
- 問題 39 胃と肝硬変(門脈圧亢進症) 102
- 問題 40 早期胃癌 104
- 問題 41 小腸静脈瘤(小腸カプセル内視鏡とバルーン内視鏡) 106
- 問題 42 食道癌拡大内視鏡所見 108
- 問題 43 アニサキス 110
- 問題 44 *Helicobacter pylori* 除菌後胃粘膜所見 112
- 問題 45 迷入膵 114
- 問題 46 乳頭腫 116
- 問題 47 腐食性食道炎 118
- 問題 48 早期胃癌深達度 120
- 問題 49 出血性胃潰瘍に対する内視鏡処置 122

第3章 下部消化管

- イントロダクション 126
  - 問題 1 小腸 Crohn 病 128
  - 問題 2 大腸(サイトメガロウイルス腸炎) 130
  - 問題 3 小腸癌 132
  - 問題 4 Collagenous colitis 134
  - 問題 5 若年性ポリープ 135
  - 問題 6 下部直腸病変 137

問題 7　潰瘍性大腸炎関連腫瘍　*139*
問題 8　抗菌薬起因性急性出血性大腸炎　*141*
問題 9　大腸早期癌　*143*
問題 10　大腸結核　*145*
問題 11　大腸ポリープ　*147*
問題 12　潰瘍性大腸炎　*149*
問題 13　大腸悪性リンパ腫　*151*
問題 14　大腸 SM 癌　*153*
問題 15　日本住血吸虫　*154*
問題 16　アメーバ赤痢　*157*
問題 17　偽膜性腸炎　*160*
問題 18　Collagenous colitis　*162*
問題 19　子宮内膜症　*164*
問題 20　放射線性直腸炎　*166*
問題 21　大腸癌（拡大観察）　*168*
問題 22　大腸 LST　*170*
問題 23　大腸早期癌　*172*
問題 24　家族性大腸腺腫症（FAP）　*173*
問題 25　直腸潰瘍出血　*175*
問題 26　腸結核　*177*
問題 27　悪性リンパ腫（大腸）　*179*
問題 28　大腸 LST　*182*
問題 29　大腸 SM 癌，治療　*184*
問題 30　虚血性大腸炎　*186*
問題 31　カンピロバクター腸炎　*188*
問題 32　腸間膜静脈硬化症　*190*
問題 33　早期大腸癌深達度　*192*
問題 34　腸管 Behçet 病　*194*
問題 35　カンピロバクター腸炎　*196*
問題 36　潰瘍性大腸炎の基礎　*198*
問題 37　早期大腸癌深達度　*199*
問題 38　若年性ポリープ　*201*
問題 39　エルシニア腸炎　*203*
問題 40　Lynch 症候群　*205*
問題 41　Crohn 病　*208*
問題 42　管状腺腫　*210*
問題 43　放射線性腸炎　*212*
問題 44　憩室出血　*214*
問題 45　Collagenous colitis　*216*
問題 46　腸管嚢胞状気腫症（PCI）　*218*
問題 47　直腸カルチノイド　*220*

第4章　胆・膵

- **イントロダクション**　224
    - 問題 1　良性胆管狭窄・術後胆管狭窄　227
    - 問題 2　膵管内乳頭粘液性腫瘍(IPMN)　229
    - 問題 3　内視鏡的乳頭切除術の適応・手技　231
    - 問題 4　自己免疫性膵炎(AIP)　233
    - 問題 5　膵仮性囊胞ドレナージ　235
    - 問題 6　自己免疫性膵炎(AIP)　237
    - 問題 7　膵石　240
    - 問題 8　被包化膵壊死(WON)　242
    - 問題 9　超音波内視鏡(EUS)　244
    - 問題 10　胆管内乳頭状腫瘍(IPNB)　247
    - 問題 11　胆囊ポリープ　249
    - 問題 12　胆管内乳頭状腫瘍(IPNB)　251
    - 問題 13　十二指腸乳頭部癌　253
    - 問題 14　膵管内乳頭粘液性腫瘍(IPMN)　255
    - 問題 15　自己免疫性膵炎(AIP)　257
    - 問題 16　IgG4関連硬化性胆管炎　259
    - 問題 17　膵胆管合流異常　261
    - 問題 18　膵囊胞性疾患　263
    - 問題 19　自己免疫性膵炎(AIP)　266
    - 問題 20　膵管ステントの知識　268
    - 問題 21　超音波内視鏡下穿刺吸引法(EUS-FNA)の基礎　269
    - 問題 22　胆囊結石と早期癌　270
    - 問題 23　胆管内腫瘍　272
    - 問題 24　自己免疫性膵炎(AIP)　274
    - 問題 25　輪状膵　276
    - 問題 26　十二指腸乳頭腫瘍　278
    - 問題 27　超音波内視鏡下穿刺吸引法(EUS-FNA)　280
    - 問題 28　胆囊癌　281
    - 問題 29　Pancreatic divisum　283
    - 問題 30　Precut　285
    - 問題 31　膵癌　286

索引　288

第 1 章

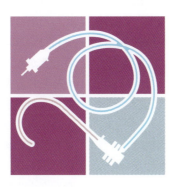

総論（基礎）

イントロダクション

　総論（基礎）は，消化器内視鏡診療を行うにあたり理解しておくべき基本的事項についての設問が，幅広い方面から例年出題されている．内視鏡関連機器の構造・原理や取り扱いに対する基本的知識や検査に対する心構えはもとより，鎮静法や偶発症に関するリスクマネジメントなど，内視鏡医が最低限周知しておくべきすべての検査手技に共通する基礎的知識を十分整理しておく必要がある．

■ インフォームドコンセント

　本邦における消化器内視鏡検査・治療の普及はめざましく，その臨床的有用性は非常に高いものであり，消化器疾患診療においては必要不可欠なものとなっている．一方で消化器内視鏡診療は検診を含めた通常観察検査から高度な精密診断や侵襲性のある先進治療手技までの多岐にわたり，前処置や鎮静時の薬物反応や術中操作による出血，穿孔，急性膵炎などさまざまな偶発症が発生する危険性も常に念頭に置いておかなければならない．したがって，内視鏡検査・治療を施行するにあたっては，その目的，方法，有用性，危険性などを事前に十分に説明し，理解と同意を得たうえで説明内容および説明者と患者の署名を書面で残しておく必要がある．またインフォームドコンセントを行うことにより，内視鏡医や看護師と患者間の信頼関係を構築でき，患者も安心して診療に臨める．万一，その医療行為によって患者の不利益になるような事態が生じ医療訴訟になった場合は，同意書が存在しないと医師側の事前の説明不足を見なされるため，医療行為を施行するにあたって患者側の意思が反映されていないと判断される．

■ 前処置・鎮静法

　内視鏡診療は以前のような観察検査中心から近年ではさまざまな治療手技が発展普及し，その臓器温存の観点から患者のQOL（quality of life）に多大に貢献している．検査の裾野が広まるとともに，通常検査においては以前のように苦痛に耐えながら検査を受けてもらうという考えかたは時代とともに変容しており，検査受診率や満足度の向上のためにも適度な鎮静による苦痛を軽減した検査に対するニーズの増加に医療側も柔軟に対応する必要がある．また高度の治療手技は長時間を要する場合も少なくなく一定の侵襲性を伴うため，適切な鎮静下での施行が原則となっている．しかしながら，鎮静薬や麻薬系鎮痛薬投与後に呼吸抑制や循環抑制，覚醒遅延などの副作用が生じる可能性があり，重篤な偶発症や死亡例の報告も一定数存在するため，各種の薬剤の作用機序や呼吸循環器系への影響，半減期や拮抗薬の有無などの特性を熟知したうえで使用し，十分な患者観察・モニタリングを怠ってはならない．これまでも頻回に出題されている重要な事項である．

　高齢者人口の増加に伴い，血栓塞栓症の予防や治療目的に処方される各種の抗血栓薬は漸増傾向にある．抗血栓薬内服継続による内視鏡関連出血のリスクと，休薬による重篤な血栓症発症のリスクを慎重に判断しなければならない．学会から提示されているガイドラインを参考にして出血危険度による内視鏡手技別の抗血栓薬休薬対応方法を熟知したうえで出題に備える必要がある．

■ 内視鏡関連機器の構造・原理

　電子内視鏡の技術革新は目覚ましいものがあり，その基本原理・構造を理解したうえでその機能を有効活用して診療にあたらなくてはならない．電子画像の色調構成原理などの光学特性，面順次式・同時式の違い，画像記録媒体やその管理法などの基礎知識のほかに，近年急速に発展・普及をとげた画像強調観察（image-enhanced endoscopy：IEE）についての知識を問う出題がなされている．形態や色調の変化に乏しく通常白色

光観察のみでは診断に困難を極めることも多い初期の癌は，粘膜のわずかな形態変化や性状の違いを効果的に強調することでその診断能を向上させることができる．広く普及してきているNBI (narrow band imaging) やBLI (blue laser imaging)，LCI (linked color imaging) などの画像強調法の特性について十分に理解しておく必要がある．一方で色素内視鏡検査の有用性は従来と変わりはなく，その種類や使い分けについても理解しておかなければならない．これらは早期癌診断に不可欠となっている拡大内視鏡観察においても基本となる知識である．超音波内視鏡の原理や機器の構造や使い分けについての設問も頻出されている．また治療手技の際に必須となる高周波装置の原理や各モードの使い分けに関する知識も十分に整理しておく必要がある．各種の検査別の適切な機器選択や検査中の機器の突然のトラブルの対応法に関してもしっかりと理解しておかなければならない．

■ 感染に対する安全対策

内視鏡検査における感染予防の基本である機器の洗浄・消毒に関する知識も重要な事項である．検査ごとの洗浄・高水準消毒が鉄則であり，不適切な消毒や鉗子チャンネル・鉗子起上装置などの汚染は感染の発生原因となるため十分に注意する必要がある．高水準消毒薬の種類や特徴についての知識も必須事項である．

2021年5月現在，COVID-19感染症による未曾有のパンデミックが世界中を席巻しており，内視鏡診療においても検査を介した感染に対する予防策の重要性が強調されている．すべての体液や排泄物，飛沫を感染性と考える標準予防策 (standard precaution) と個人用防御具 (personal protective equipment：PPE) の着用の徹底が，従来にも増して強く求められている．

■ 挿入法

検査手技それぞれにおける適切なスコープや体位の選択，また安全でスムーズなスコープ挿入操作法に関する設問も過去に出題されている．基本的事項であるが挿入時の偶発症予防の観点からも十分に周知しておく必要がある．

■ 内視鏡的止血法

通常検査や治療手技中に緊急止血術を要するケースは日常的に遭遇する．止血術はその止血機序により薬剤注入法，機械的止血法，熱凝固法，薬剤散布法に大別されるが，それぞれの特徴を十分に理解して出血部位や状況に応じた止血法，処置具の使い分けを問う出題に対応できるようにしておく．

■ 緊急内視鏡

消化管出血や急性胆管炎などの救急症例に対応するにあたって，緊急内視鏡の適応や施行のタイミングの判断，適切な前処置の選択についての理解を深めておく必要がある．重篤なショック状態やイレウス，消化管穿孔などにより全身状態が著しく不良の場合で，内視鏡の有用性より危険性が上回ると考えられる場合や腹膜刺激症状を有する症例では，禁忌であると判断する．検査中は十分なモニタリングと全身管理のもと常に愛護的なスコープ挿入・操作を心がけ，その時点で最小限必要とされる処置を効率的に完了させる．

■ 偶発症とその対策

日本消化器内視鏡学会では定期的に偶発症に関する全国調査を行っている．内視鏡関連偶発症は咽頭麻酔や鎮静薬・鎮痛薬，腸管洗浄液内服など検査前処置に関連するものと検査手技自体に関連するものに大別される．いずれも死亡例の報告があり，特に治療件数の増加や長時間にわたる高度な治療手技の普及により治療内視鏡に関連した偶発症発生数は増加傾向にある．内視鏡検査自体がある程度の侵襲性をもった検査手技であり，わずかな気の緩みが偶発症につながる可能性がある．検査前に十分な説明を行って信頼関係を構築し，患者の状態に応じた適切な前処置を行ったのちに検査に臨むべきである．開始後も不注意に起因す

る偶発症や過大な苦痛を生じないように十分に気を配る．また普段から内視鏡手技や偶発症の対応策の習熟に対する努力を怠ってはならない．もし偶発症が生じた場合においても，冷静沈着に最善の対応を行って重篤化の回避に全力で努めることが肝要である．

■ 生検組織診断の基本

内視鏡医が知っておくべき消化管生検検体の取り扱いや病理組織診断に関する基本的事項も出題範囲に含まれている．正確な診断を得るために必要とされる生検検体採取法や検体固定法，消化管各臓器における腫瘍性・非腫瘍性の代表的な病変の組織学的特徴に関する基本的な知識を整理して理解しておくことが望まれる．

〈和田友則〉

問題 1 (2014年度出題)

鎮静薬について正しいのはどれか．
- a．ジアゼパムはフルニトラゼパムより半減期が短い．
- b．フルマゼニルはミダゾラムより半減期が短い．
- c．ミダゾラム使用時は患者が血管痛を訴えることが多い．
- d．プロポフォールは少量で鎮静効果，大量で鎮痛効果が得られるという特徴がある．
- e．プロポフォールの代謝は主に腎臓である．

解説

内視鏡診療において広く鎮静薬が使用されるようになり，鎮静を安全に行うことが求められている．安全な鎮静のためには，鎮静薬の基本的な特徴を熟知しておく必要がある．以下に主な鎮静薬の特徴を示す．

- ジアゼパム：中枢神経系における抑制系神経伝達物質であるGABAの受容体を賦活することにより催眠作用，鎮静作用，抗不安作用，健忘作用，抗痙攣作用，筋弛緩作用を発揮する．半減期は35時間．主に肝臓で代謝される．有害事象には，徐脈，低血圧，呼吸抑制，運動失調，薬疹，血栓性静脈炎，口渇などがある．血栓性静脈炎を予防するため，なるべく太い静脈から緩徐に投与する．
- フルニトラゼパム：作用機序はジアゼパムと同様である．ジアゼパムの約10倍の力値を有し，強力な催眠・鎮静作用を発揮する．半減期は7時間．主に肝臓で代謝される．有害事象には，呼吸抑制，依存性，過鎮静，興奮，前向性健忘などがある．
- ミダゾラム：作用機序はジアゼパムと同様である．半減期は1.8〜6.4時間．主に肝臓で代謝される．有害事象には，嘔気，嘔吐，呼吸異常（一過性無呼吸，舌根沈下による呼吸抑制），血圧低下，心室性頻拍，アナフィラキシーショックなどがある．
- プロポフォール：新しい静脈麻酔薬としてここ数年普及してきた薬剤である．鎮静作用が主体で，鎮痛作用はないか，弱いとされている．鎮静からの覚醒がよく，悪心・嘔吐が少ない．主に肝臓代謝であるが，腎臓や肺にも代謝酵素が含まれており，このような代謝系が覚醒のよさを生んでいる．主な有害事象には，呼吸抑制，循環抑制（徐脈，低血圧），静注時の血管痛がある．

選択肢解説

- a．内視鏡診療における鎮静に関するガイドラインに記載されているが，ジアゼパムの半減期は35時間でフルニトラゼパムの半減期は7時間である．（×）
- b．フルマゼニルは中枢性ベンゾジアゼピン受容体に競合的に結合し，ベンゾジアゼピン系薬物に対して拮抗作用を示す特異的拮抗薬である．フルマゼニルの半減期は約50分と，ミダゾラムより短いため，本選択肢は正しい．ベンゾジアゼピン系薬剤に対する拮抗薬としてフルマゼニルを使用する場合，半減期がより短いフルマゼニルの代謝とともに再鎮静が起こることがあるので注意が必要である．（○）
- c．ミダゾラムの主な有害事象には，嘔気，嘔吐，呼吸異常（一過性無呼吸，舌根沈下による呼吸抑制），血圧低下，心室性頻拍，アナフィラキシーショックがある．血管痛はジアゼパムでみられることが多い．ミダゾラムでも血管痛がみられることはあるが，ほとんどは軽度のものである．（×）

d．プロポフォールは鎮痛作用がないか，弱いとされている．したがって，この選択肢の"大量で鎮痛効果が得られる"との記載は間違いである．（×）

e．プロポフォールの代謝酵素は肝臓代謝以外に腎臓や肺にも含まれており，このような代謝系が覚醒のよさを生んでいる．しかし主な代謝経路は肝臓である．（×）

以上より，正解はb．となる．（**解答 b.**）

〈石原　立〉

問題2

(2014年度出題)

画像強調内視鏡について正しい組み合わせはどれか.

- a．FICE ── 狭帯域光法
- b．AFI ── 蛍光法
- c．i-scan ── インジゴカルミン・コントラスト法
- d．NBI ── 赤外光法
- e．IRI ── 分光推定処理法

解説

近年，さまざまな画像強調内視鏡法が次々と実現し，非常に大きな分野となっている．画像強調内視鏡のうち，主にコンピューター処理を用いて画像強調をする画像強調内視鏡の用語について問われた問題である．これらの画像強調法はそれぞれ，原理によって次のように分けられる．

(1) 通常の白色光源を用いた画像をコンピューター処理することにより，特定の色調を強調するもの．デジタル法のコントラスト法に分類される．FICE (flexible spectral imaging color enhancement, 富士フイルムメディカル社) 法やi-scan (HOYAグループ，ペンタックスライフケア事業部) が該当する．さらにi-scanの中のsurface enhancement, contrast enhancementは輪郭強調を行っている．

(2) 白色光源以外の光源を用いて，その画像をコンピューター処理したもの．狭帯域光法：NBI (narrow band imaging) 法，蛍光法：AFI (auto-fluorescence imaging) 法，赤外光法：IRI (infrared imaging) 法などが挙げられる (NBI, AFI, IRIともにオリンパスメディカルシステムズ社)．

NBIは赤血球中の赤いヘモグロビン (毛細血管内と深部血管内の2種) が認識できるように，2種の狭帯域の光線を当てる方法で，通常の白色光源に405 nm付近の青～紫色フィルターをつけることで画像強調を実現している．ヘモグロビン以外は透過されるので，単なるコンピューター画像処理による強調法に比べて浅部・深部の血管を区別でき，病変の発見・診断に有用である．

AFIは紫外線を対象に当て，その反応で生じる蛍光をみる方法であり，胃の腸上皮化生や腫瘍などは正常粘膜と異なった蛍光を発することで診断が可能となる．

IRIは人間の目でみることができない赤外光の一部はCCDで認識可能であり，その画像を人間の可視光に情報を加えることで通常の白色光の画像ではみられないものを実現する方法である．

選択肢にはないが，富士フイルムメディカル社からレーザー内視鏡が上市され，青色レーザーを用いた狭帯域内視鏡 (BLI) も現在使用可能である．またi-scanの新しい製品には狭帯域光線を使用したものも出てきている．

選択肢解説

- a．FICEは狭帯域光線を使用していない．(×)
- b．AFIは上記の通り，紫外線に反応する蛍光を利用した方法である．(○)
- c．i-scanは上記で述べた通り，白色光にデジタル処理を用いた方法である．なおインジゴカルミン法は色素法に分類され，色素を散布することにより，粘膜面の凹凸を強調するものである．i-scanの"i"はインジゴカルミンとは無関係である．(×)
- d．NBIは上記の通り，狭帯域光法にあたる．(×)
- e．IRIは上記の通り，赤外光法にあたる．(×)

以上より，正解はb．となる．(**解答 b.**)

〈岡　政志〉

第1章 総論(基礎)

問題3 (2015年度出題)

高周波を用いた内視鏡治療で正しいのはどれか.

- a. 対極板の装着部位は処置する部位から遠いほどよい.
- b. 対極板は小さいほうが熱傷が生じにくい.
- c. 凝固電流は切開電流より止血しやすい.
- d. 切開電流は凝固電流より絞扼部で発生する温度が低い.
- e. ペースメーカー装着時にはバイポーラデバイスの使用は禁忌である.

解説

高周波発生装置を用いた内視鏡治療の基本を問う問題である.

電気抵抗がある生体組織を電流が流れると熱(ジュール熱)を発生する. 局所の電流密度が高い状態にすると熱による組織反応が生じる. 高周波発生装置はこの反応熱を用いて切開や凝固処置を可能にする機器である.

切開波は連続的に電流を流すことにより組織の温度を100℃以上に上昇させる. 急激な発熱により細胞組織内に豊富に含まれる水分が水蒸気爆発を起こし, 細胞が連続的に破壊されることによる蒸散効果で切開処置が可能になる.

凝固波は断続的な通電であり, 短時間で高電圧を発生させ大きなスパーク(放電)を起こし組織深部まで電流を流した後, 一定時間通電を休止するという出力波形である. 80℃前後までの比較的緩やかな温度上昇により細胞内の水分は水蒸気爆発までには至らず, 細胞の細かい穴から水蒸気が逃げ細胞が収縮乾燥することにより止血が可能になる. 近年ESD術中出血などを中心に普及しているsoft凝固は, 電圧を従来の凝固波よりもはるかに低電圧に制御することによりスパークが発生せず, 炭化や燃焼が生じることなく効率のよい止血処置を行える.

生体内へ通電を行うためには電流の入り口と出口が存在する必要がある. 広く一般的に使用されているモノポーラ処置具を使用する場合は, 入り口としての処置具のほかに出口としての対極板をもう1つの電極として体表に貼付する必要がある. 通常は筋肉量が多く電流が流れやすい大腿部や臀部に貼付する. 対極板の身体付着にむらがあり付着面積が小さいと, 接触部での電流密度が上昇し熱傷をきたす危険があるため十分な注意が必要である. バイポーラ処置具ではデバイス先端部の2極間を電流が流れるため対極板は不要である. 熱の影響が消化管深部に及ばないため熱傷や穿孔が生じにくいという点が大きな長所であるが, 凝固効果が弱く生切れになりやすいといった短所も存在する. 現状では市販されているバイポーラ処置具の種類は限られている.

選択肢解説

- a. 処置部位と対極板の距離が遠いほど電気抵抗が上昇し切開・凝固の効率は下がる. 逆に近いと抵抗は減少し出力を無駄なく使用でき, より小さい出力で効果的な切開・凝固を得ることができるが, 近すぎると分散電流が集中するため熱傷の危険が増す.(×)
- b. 対極板が小さいと貼付部での電流密度が上昇し熱傷につながる危険性がある. 汗の付着や体動による不完全な貼付や剥がれが生じないよう細心の注意が必要であり, シングルユース対極板の再使用は行ってはならない.(×)
- c. 正しい. 凝固出力を上げることにより深部までの焼灼効果が得られるが, 組織損傷も大きくなるため注意が必要である.(○)
- d. 前述した原理により, 切開電流を通電したスネア絞扼部に生じる局所温度は凝固電流によ

る発生温度より高い．（×）
e． ペースメーカー装着時のモノポーラ処置具の使用は，消化管を貫いて処置具と体表に貼った対極板との間に高周波電流が流れるため，ペースメーカー破損の危険性があり原則禁忌である．やむなき必要時には，十分なインフォームドコンセントのもと循環器科医スタンバイで慎重にモノポーラを用いた処置を行う場合も実臨床の場では存在する．バイポーラ処置具では処置具内の2電極間のみの局所的な通電にとどまるため，ペースメーカー装着例でも全く問題なく使用可能である．（×）

以上より，正解はc．となる．（**解答 c.**）

〈和田友則〉

第1章 総論（基礎）

問題 4 (2000年度出題)

内視鏡画像やビデオなどの電子媒体について正しいのはどれか．<u>2つ選べ</u>．

a．ウイルス感染・個人情報漏洩を防ぐための対策を行う．
b．静止画だけでなく動画も診療記録になり得る．
c．紙媒体での保存も同時に必要である．
d．保存媒体に寿命はないので，メンテナンスは不要である．
e．電子媒体では少なくとも3年間は保存が義務づけられている．

解説

内視鏡画像の電子媒体保存に関する知識を問う問題である．

1994（平成6）年3月の「エックス線写真等の光磁気ディスク等への保存について」に続いて1999（平成11）年4月「診療録等の電子媒体による保存について」が厚生省から通知され，運用管理規定による管理と基準適合規格の機器を用いることを条件に診療録や画像を含めた医療記録全般の電子保存が認められるようになった．以後大規模施設を中心に電子カルテ化が着実に普及してきており，その通信網である院内LANは診療活動の根幹に位置する病院全体の共通インフラ基盤といえる．その安全な運用のためには，十分なセキュリティ対策機能の構築，組織としての運用管理規定，利用者個人のモラルの維持といった項目が厳格に機能しなければならない．

内視鏡診療においては，従来は16 mmフィルムを用いたアナログ画像記録が長年行われてきたが，新旧検査結果の比較参照や患者説明に際しての利便性においてかなりの難があると言わざるをえなかった．近年では電子カルテの普及に一足先行した時期から，過渡的移行期を経ながらデジタルファイリングシステムが広く普及してきている．

デジタル保存にはフィルムに制約されないため多くのコマ数の画像を気軽に撮影できることや収納スペースを必要としないこと，情報の一元管理や画像検索・抽出が容易に可能であり院内すべての診療端末で瞬時に画像閲覧や症例検討が行えることなど多大な利点が存在する．一方で短所として導入コストが高いことや通信ネットワークの断絶（ケーブルが抜けるなどの些細なトラブルを含む）によってシステム全体がダウンする可能性が挙げられる．またウイルス感染や個人情報漏洩などを防止するため，セキュリティへの十分な配慮が必要となる．

選択肢解説

a．電子媒体保存を導入しているすべての医療機関には，ウイルス感染や最もデリケートな個人情報といえる医療情報の漏洩を防止するために万全の対策を講じる義務がある．各施設のシステム環境に合わせたコストパフォーマンスのよいセキュリティ構築を行い，施設全体として系統的な方針，対策，利用規約を策定し，運用管理規定による日々の監視が必要である．さらに，職員や委託業者への個人情報取り扱いに関する定期的な教育，セキュリティ対策の定期的な見直しを怠ってはならない．（○）

b．近年動画保存技術の進歩と記録媒体の低価格化もあいまって外科手術画像の動画保存が広く普及してきている．内視鏡診療においても先進施設を中心に治療手技などの動画記録が日常的に行われている．従来は自己研鑽や学術的な目的を中心に担当医の判断で任意に記録が行われ，担当医自身によりテープやディスクで保管され使用されることが多かった．

これを正式な診療記録として取り扱う場合は保存と管理の主体は病院長となる．膨大な容量のデータのバックアップ作成や動画のトラフィックがほかの診療システムに影響を与えないような工夫も必要になる．細かい対応は各施設ごとに行っているのが現状であり，一定のコンセンサスには至っていない．専門家によるガイドライン作成が求められる．（○）

c．適切な電子媒体保存がなされている場合，紙媒体での保存は必要ない．（×）

d．すべての電子記録媒体には寿命があり，適切な保守管理を怠ると容易にトラブルが発生する．バックアップ作成が必須である．また保存に適した温度・湿度にて常時管理された空間の確保や定期メンテナンスが不可欠となる．（×）

e．診療録は，医師法24条により5年間の保存義務が課されている．また診療録以外の病院日誌，処方箋，手術記録，エックス線写真等は，医療法21条1項9号および同法施行規則20条10号により，2年間の保存義務が課されている．内視鏡画像については後者に該当すると考えられる．（×）

以上より，正解はa．b．となる．（**解答 a. b.**）

〈和田友則〉

問題 5 (2016年度出題)

超音波内視鏡について正しいのはどれか．

a．超音波内視鏡下穿刺(EUS-FNA)にはラジアル走査型を使用する．
b．細径プローブは径5cmの粘膜下腫瘍の評価に適している．
c．周波数が高いほど深部の描出能が高くなる．
d．粘膜下層は高エコー層として描出される．
e．リンパ腫は高エコー性腫瘤として描出される．

解説

　設問は，超音波内視鏡について問う問題である．

　超音波は生体内で音波が散乱・拡散・吸収されるため，距離に応じて減衰するという特徴をもつ．また，周波数が高くなると波長が短くなるため，距離分解能は向上するが，超音波の減衰も大きくなる．

　超音波内視鏡は，超音波内視鏡専用機，もしくは，超音波内視鏡プローブを用いて行われる．超音波内視鏡専用機のうち，ラジアル走査型のエコープレーンは，スコープの軸に対して直角に設定されている(**図1a**)．

　一方，リニア(コンベックス)走査型の場合は，スコープの軸に対して平行に設定されている．そのため，スコープの軸と平行に出てくる穿刺針を縦断面でリアルタイムに描出することが可能である(**図1b**)．

　超音波内視鏡プローブ(細径プローブ)は，鉗子孔から挿入し目視下で走査している部位を観察できる．細径プローブは，周波数が高い(通常は，20MHzか30MHz)ため，表面型の腫瘍の深達度診断や比較的小さな粘膜下腫瘍の診断に適している．一方，超音波内視鏡専用機は，通常，6MHz～20MHzまで変更可能のため，胆膵疾患・進行消化管癌・大きめの粘膜下腫瘍に用いられる．

　超音波内視鏡を用いた場合の消化管壁の構造は，一般的に，以下の五層構造で描出される．
第1層(干渉エコー)…高エコー
第2層(粘膜層)…低エコー
第3層(粘膜下層)…高エコー
第4層(固有筋層)…低エコー
第5層(漿膜下層および漿膜)…高エコー

　超音波内視鏡で描出される代表的な粘膜下病変とエコー輝度は**表1**の通りである．

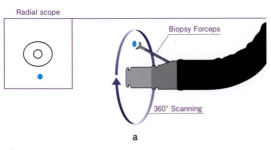
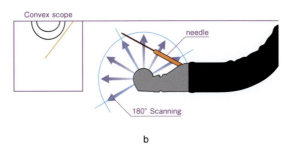

図1　超音波内視鏡のエコープレーン
a：ラジアル走査型のエコープレーン．
b：リニア(コンベックス)走査型のエコープレーン．
画像提供　オリンパス(株)

表1 代表的な粘膜下病変のエコー輝度

無エコー	囊胞・静脈瘤・リンパ管腫
低エコー	GIST・平滑筋腫・神経鞘腫・カルチノイド・リンパ腫・迷入膵・顆粒細胞腫
高エコー	脂肪腫

選択肢解説

a. 超音波内視鏡下穿刺（EUS-FNA）は，穿刺針がリアルタイムで描出されるリネア（コンベックス）走査型を使用する（**図1b**）.（×）
b. 細径プローブは，高周波数であり減衰が強いため，径5 cmの粘膜下腫瘍の評価には，超音波内視鏡専用機が適している.（×）
c. 周波数が高いほど深部の描出能が低くなる.（×）
d. 粘膜下層は高エコー層として描出される．筋層は低エコーと覚えるとよい.（○）
e. リンパ腫は低エコー性腫瘤として描出される.（×）

以上より，正解は d. となる.（**解答 d.**）

〈松田浩二〉

第1章 総論（基礎）

問題 6 (2016年度出題)

大腸腫瘍に対する内視鏡治療の偶発症対策として**間違っている**のはどれか．

a．穿孔が起こることも想定し，良好な前処置のもと，治療を行う．
b．送気における二酸化炭素使用は腹部膨満の軽減に繋がる．
c．心臓ペースメーカー使用者では，バイポーラ方式のスネアが使用できる．
d．筋層の損傷を認めたが，明らかな穿孔がない場合は，縫縮など行わずに様子をみる．
e．EMR後は，後出血などの危険性もあるため，生活指導が必要である．

解説

消化管内視鏡診療における基本的な項目についての問題である．いずれも施設の規模を問わず日常診療で関わりうる内容であり，消化器内視鏡専門医としてぜひ押さえておくべき知識である．

選択肢解説

a．穿孔時の合併症である腹膜炎を予防ないしは少しでも重症化を抑えるために，治療に先立ち良好な前処置を心がけるべきである．（×）
b．二酸化炭素送気にて患者の腹部膨満感の軽減が期待でき，鎮静剤投与も減らすことが可能であったとする前向き試験の報告もある．（×）
c．高周波電流が患者の体の中を経由するモノポーラ方式と比べて，高周波電流が局所だけを流れるバイポーラ方式のほうが心臓ペースメーカー使用者に安全に使用できる．ただし，最近は体内を流れた高周波電流を遮断するように設計されているペースメーカーも多く，バイポーラが必須という状況ではなくなりつつある．（×）
d．筋層が露出している時点で，肉眼的には指摘できない微小な穿孔を起こしている可能性は完全否定できない．また遅発性穿孔を起こす可能性もあり，筋層の損傷を認識した時点でクリップなどによる縫縮を検討するべきである．（○）
e．不適切な食事内容，過度な運動などにてEMR後出血を誘発，助長しうる．EMR後出血の予防として生活指導は必要である．（×）

以上より，正解はd．となる．（**解答 d.**）

〈伊藤　透〉

問題 7 (2017年度出題)

超音波内視鏡について正しいのはどれか．**2つ選べ**．

- a. 超音波内視鏡下穿刺吸引法（EUS-FNA）ではコンベックス走査型を用いる．
- b. 同じ周波数であれば深部の描出能は専用機より細径プローブのほうが優れる．
- c. 固有筋層は低エコーとして描出される．
- d. 細径プローブは径5cmの粘膜下腫瘍の評価に適している．
- e. 脂肪腫は低エコー性腫瘍として描出される．

解説

超音波内視鏡（EUS）の基本的知識を問う問題である．EUSの使用用途は，消化管領域では悪性腫瘍の壁深達度やリンパ節転移診断，治療効果判定，粘膜下腫瘍の質的診断，食道静脈瘤の血行動態や治療効果判定，炎症性腸疾患の診断や治療効果判定など，胆膵領域では癌などの腫瘍性病変の存在診断，質的診断，膵嚢胞性疾患の鑑別診断，総胆管結石や膵管合流異常の診断，閉塞性黄疸や総胆管拡張の原因検索など多岐にわたる．さらに，超音波内視鏡下穿刺吸引法（EUS-FNA）は，腹部腫瘍，リンパ節，縦隔腫瘍，肺癌，胸腹水などの組織診や細胞診の診断に用いられるだけでなく，ドレナージや神経ブロックなど治療面にも用いられている．EUSは消化器領域における重要な検査法の1つであり，正確なEUS診断・治療のためには各機種の特性を十分理解しておく必要がある．

選択肢解説

- a．EUS-FNAでは，穿刺針と対象病変が同一画面上にリアルタイムに描出される必要がある．コンベックス走査型EUSでは超音波ビームの方向が内視鏡軸と平行で90〜180°の超音波画像が得られるため，本法実施に適している．一方，ラジアル走査型では内視鏡軸と直交する断層像が得られる．（○）
- b．超音波内視鏡専用機と異なり細径超音波プローブは光学内視鏡の鉗子孔からの挿入を可能にするため外径が2〜3mmと細い．その結果，同じ周波数でも外径が小さい分，細径超音波プローブの深部感度は低下する．（×）
- c．相部[1]は1984年に消化管壁が5層構造として描出されることを報告した．第1層の高エコー層と第2層の低エコー層は粘膜層，第3層の高エコー層は粘膜下層，第4層の低エコー層は固有筋層，第5層の高エコー層は漿膜下層または漿膜に対応する．均一な筋線維が密に存在する固有筋層は低エコーとして描出される．（○）
- d．細径超音波プローブは専用機に比べて深部感度が劣る．一般的には病変の厚みが10mm以上の場合には細径超音波プローブを用いると減衰により深部の描出が不十分となることが多いため，粗大な病変では専用機使用が望ましい．（×）
- e．脂肪腫は第3層内に局在する境界明瞭な腫瘍として描出され，内部エコーは時に中間エコーを呈することがあるが，通常は第3層と同程度の高エコー性腫瘍として描出される．（×）

以上より，正解はa．c．となる．（**解答 a．c．**）

文献

1) 相部　剛：超音波内視鏡による消化管壁の層構造に関する基礎的，臨床的研究(1)胃壁の層構造について．Gastroenterol Endosc 26：1447-1464, 1984

〈江﨑幹宏〉

問題 8 (2017年度出題)

上部消化管検査の前処置に関する以下の記載のうち，正しいのはどれか．

a．経鼻内視鏡ではリドカインの咽頭麻酔が必須である．
b．リドカインスプレーはリドカインビスカスよりも吸収性が低い．
c．甲状腺機能低下症患者では副交感神経遮断薬を用いない．
d．副交感神経遮断薬禁忌例ではペパーミントオイルを皮下投与する．
e．ジアゼパムはミダゾラムよりも鎮静持続効果が長い．

解説

上部消化管内視鏡検査の前処置や前投薬における重要事項として，胃蠕動運動抑制薬(鎮痙薬)，咽頭麻酔薬，および鎮静薬の種類・特徴と禁忌が挙げられる．鎮痙薬としては，臭化ブチルスコポラミンに代表される副交感神経遮断薬が最も頻用されており，基本的に検査直前に筋肉内ないし静脈内投与が行われる．しかし，交感神経が優位となるため投与の適応は慎重に判断する．グルカゴンも同様のルートで投与される薬剤であり，消化管平滑筋への直接的な弛緩作用を有している．ただし，血糖値上昇をきたすため，褐色細胞腫では禁忌である．近年，メントールを主成分とするペパーミントオイルも鎮痙薬として使用可能となった．本薬は，消化管平滑筋におけるCaチャンネル依存性のカルシウム流入を抑制することで蠕動運動を抑制し，副作用は極めて少ない．

経口内視鏡検査では，咽頭反射を抑制するために咽頭麻酔が必須である．そのために局所表面麻酔薬としてリドカイン塩酸塩が使用される．咽頭麻酔用の剤形として，スプレー(噴霧薬)とビスカス(含嗽薬)の2種類があり，スコープの潤滑薬としてゼリーも用いられる．リドカインはショックを含む過敏症と重篤な中毒症状を惹起する可能性があるので，使用前に問診を十分に行い，投与可能例においても至適かつ少量の投与量となるよう心がける．なお，リドカインは経鼻内視鏡の前処置にも用いられることはあるが必須ではない．

不安の強い患者や長時間の検査が予測される場合，鎮静下に上部内視鏡検査を施行する場合があり，本邦でも鎮静下の検査頻度が増加している．内視鏡検査における鎮静として意識下鎮静が推奨されており，十分な人員・機器を確保のうえ，呼吸・循環状態をモニタリングすることが重要である(詳細は日本消化器内視鏡学会の『内視鏡診療における鎮静に関するガイドライン』[1]参照)．用いられる薬剤はベンゾジアゼピン系薬剤が多く，ジアゼパム，ミダゾラム，フルニトラゼパムなどがある．欧米では静脈麻酔薬のプロポフォールも使用されている．

選択肢解説

a．経鼻内視鏡検査は鼻腔を通じて細径スコープを下咽頭以深に挿入する検査法である．舌根部の刺激が少ないので咽頭反射はないか，あっても軽微である．経鼻内視鏡検査の前処置としてリドカインを使用する場合はあるものの，必須ではない．(×)

b．リドカインビスカスの濃度は2%である．これに対して，スプレーでは8%ときわめて高く吸収性も良好である．このため，リドカインスプレーは急激な血中濃度上昇をきたすので注意が必要である．咽頭麻酔では，ビスカスをゆっくりと嚥下させることが基本であり，十分な効果が得られない場合に少量のスプレーを追加する．(×)

c．副交感神経遮断薬は，頻脈が問題となる甲状腺機能亢進症と虚血性心疾患，および尿閉の危険性のある前立腺肥大症では禁忌である．

甲状腺機能低下症は禁忌ではない．（×）
d．ペパーミントオイルは内視鏡下に胃内腔に直接散布する薬剤であり，皮下投与は禁忌である．（×）
e．ベンゾジアゼピン系薬剤の半減期は，ジアゼパムで35時間，フルニトラゼパムで7時間，ミダゾラムで3時間程度である．ジアゼパムは半減期が長いので，検査後の患者のケアに注意を要する．（○）

以上より，正解はe．となる．（**解答 e.**）

文　献
1) 後藤田卓志，他：内視鏡診療における鎮静に関するガイドライン 第2版. Gastroenterol Endosc 62：1635-1681, 2020

〈松本主之〉

問題 9 （2018年度出題）

色素内視鏡に関する次の記述について**誤っている**のはどれか．**2つ選べ**．

- a．ヨード液には過敏症の毒性がある．
- b．メチレンブルーは色素反応法に分類される色素剤である．
- c．フェノールレッドは酸性下でのみ黄色〜赤色に変色する．
- d．コンゴーレッド法は胃酸分泌領域の鑑別に用いる．
- e．アクリジンオレンジは蛍光法に用いる色素である．

解説

近年では画像強調観察法として狭帯域光法などの光デジタル法が隆盛しているが色素法の知識も重要である．『消化器内視鏡ハンドブック 改訂第2版』[1)]には，色素内視鏡検査法はその機序から大きく，①コントラスト法：色素を散布し，陥凹面への色素液のたまりを利用する．インジゴカルミンやブリリアントブルー，低濃度のメチレンブルーなど粘膜と異なる色調が望ましく青色系の色素がよく用いられる．胃癌の広がり・質的診断，大腸腫瘍の存在・質的診断に利用される．②染色法：粘膜上皮への色素液の浸潤ないしは吸収による生体組織の染色を観察する．高濃度のメチレンブルーは腸上皮化生の診断に利用され，クリスタルバイオレットは拡大内視鏡との併用で pit pattern の診断を可能とし大腸腫瘍の診断に利用される．③色素反応法：色素液がある特定の条件下で特異的に反応することを観察する．代表的なものとして食道癌の診断にはヨード法が，胃酸分泌領域をみるためにはコンゴーレッド法が利用される．④蛍光法：外因性に投与した蛍光物質の取り込み・付着の違いを内視鏡的に観察するあるいは自家蛍光を観察する．フルオレセインやアクリジンオレンジが利用される．⑤その他に分類されると記載されている．

選択肢解説

- a．色素反応法の代表ともいえるヨード液には過敏症の毒性があることに注意が必要である．（○）
- b．メチレンブルーは低濃度(0.05%)でコントラスト法に高濃度(0.2〜1.0%)で染色法に用いられるが，色素反応法としては用いられない．（×）
- c．フェノールレッドは酸性下(pH 6)で黄にアルカリ性下(pH 8)で赤に反応するので選択肢は間違っている．（×）
- d．色素反応法の1つであるコンゴーレッド法は pH 3 で青紫に pH 5 で赤に反応する特性を利用して胃酸分泌領域の診断などに用いられる．（○）
- e．蛍光法に用いられる色素としてはアクリジンオレンジ，フルオレセインが挙げられる．（○）

以上より，正解は b．c．となる．（**解答 b．c．**）

文献

1) 日本消化器内視鏡学会(監修)，日本消化器内視鏡学会卒後教育委員会(責任編集)：消化器内視鏡ハンドブック 改訂版2版．日本メディカルセンター，2017

〈川嶋啓揮〉

問題 10

(2018 年度出題)

内視鏡機器に関して正しいのはどれか．2つ選べ．

- a．ハロゲンランプはキセノンランプより明るい．
- b．CCD の画素数を上げると，データ量を節約できる．
- c．ライトガイドにグラスファイバーが使用されている．
- d．単板同時方式では色ずれが起こりやすい．
- e．面順次方式では CCD を小型化しやすい．

解説

内視鏡機器の基本的構造と撮像原理を問う問題である．

観察用スコープは受光部(CCD)に，ライトガイドを通過した光源からの照明光が観察対象物に当たり反射したものがとらえられ撮像される．現在使用している光源は主にハロゲンランプとキセノンランプである．以前のファイバースコープでは反射光がグラスファイバーを通じて肉眼で視認されていたが，現在の video endoscope は CCD においていったん，電気信号に変換した後に video processor を介して再映像化し，モニターに映し出している．描写される画像の精度に大きく影響するのは，CCD の画素数であり，画素数の大きなもののほうが高精度となるが，同時にデータ量も大きくなる．ライトガイドは現行品でもグラスファイバーが使用されている．CCD は光の明暗のみを感知するため得られた画像は単色の白黒画像である．電子内視鏡はこれを偽色化しカラー画像表示している．カラー画像の作成法は同時式と面順次式に分けられる．前者では赤，緑，青のいずれかのカラーフィルターが各画素の受光面に内蔵されモザイク状に配列されている．一方，後者では光源の白色光の前面に搭載された赤，緑，青の 3 色の回転式フィルターを通じて，各色の光を順次照射する．粘膜からの各色の反射光は単色の CCD で順次とらえられ，プロセッサーで疑似カラー化，映像化される．

選択肢解説

- a．ハロゲンランプはフィラメントに通電することにより発光させるが，キセノンランプはキセノンガスに放電することにより発光させるため，ハロゲンランプより 2 倍以上明るく，消費電力も少なくて済む．（×）
- b．CCD の画素数は前述のように大きいほど画像は精細になるが，情報量も増大する．（×）
- c．前述のように，ライトガイドには現行品もグラスファイバーが用いられ，これを通して光源の光が対象物に照射されている．（○）
- d．色ずれは初期の面順次方式において目立ち，被写体の動きが速いと各色の画像がずれて合成されるために生じる．色割れとも表現される．同時式では，前述したように，予め画素ごとに RGB のフィルターが内蔵されているため，色ずれを回避できる．（×）
- e．面順次方式では 1 つの画素を光源前面の RGB フィルターを一定の速度で回転させ，時間差で次々に発光させるため，同じ画素数の同時式 CCD の 1/3 で済むため，小型化に有利である．（○）

以上より，正解は c．e．となる．（**解答 c．e．**）

〈白井孝之〉

問題 11 (2019年度出題)

高周波発生装置について正しいのはどれか．2つ選べ．

- a．バイポーラ高周波発生装置は対極板を必要としない．
- b．処置部位と対極板の距離が遠いほど電気抵抗は下がる．
- c．対極板の導面全体が身体に密着しないと熱傷の危険性がある．
- d．アルゴンプラズマ凝固法（APC）は凝固深度が深部に及ぶ．
- e．アルゴンプラズマ凝固法（APC）では，アプリケータ先端を出血部位に対して垂直にする．

解説

内視鏡治療において必須の器具である，高周波発生装置について知っておくべき基礎知識を問う問題である．高周波発生装置は，電気抵抗を有する生体組織内に電流が流れる際に生じるジュール熱を利用し，組織の切開や凝固などを起こす装置である．内視鏡的止血，EST，EMR/ESD などさまざまな内視鏡治療の用途において高周波発生装置が使用されている．現在さまざまな高周波発生装置が市販されているが，それぞれの機種において電流の出力特性が異なるため，施設において用いる高周波装置の特性について熟知しておく必要がある．

選択肢解説

- a．処置具の2極の間を電流が流れる方式のものをバイポーラ，処置具から身体表面に貼った電極（対極板）に電流が流れる方式のものをモノポーラと称している．よって，バイポーラ高周波発生装置の使用においては対極板は必要ない．バイポーラ対応のデバイスを用いる際は，電流が生体内を通過しないことから周辺組織損傷の恐れが少ないとされている．（○）
- b．モノポーラタイプのデバイスを使用する際は，対極板を身体表面に貼る必要がある．処置部位と対極板の距離が遠くなると電気抵抗は上がるため，対極板を処置部位の近くに貼るほど切開や凝固の効率はよい．一方で，対極板と処置部位が近すぎると分散電流が集中してしまい皮膚熱傷リスクがある．通常は平坦で循環状態のよい筋肉質の部位が対極板貼付部位として選択されることが多い．（×）
- c．対極板を身体に貼付する際，貼り付いているところと浮き上がっているところが混在する「貼りムラ」ができてしまうことがある．貼りムラがあると，身体との接触部分で電流密度が高くなってしまい，皮膚熱傷を起こす危険があるため，対極板の導電面は身体に全体的に密着させなければならない．（○）
- d．アルゴンプラズマ凝固療法（argon plasma coagulation：APC）は，アルゴンガスを利用した非接触型の高周波凝固療法である．高周波発生装置と組織の間にアルゴンガスを噴射し，そこに強い電圧を加えるとアルゴンガスがイオン化し，電離するために高周波電流が効率的に組織表面に伝わり，結果として組織凝固を起こさせることができる．アルゴンガスは不活性ガスの1つであり，化学反応を惹起しないために安全に本法に用いることができる．APC は比較的均一な凝固深度となることが特徴であり，適切な通電時間であれば深部に凝固が及ぶことは少ないとされている．1秒以下の通電時間では最大凝固深度は3mm以下とされている．とはいえ，過度の通電による穿孔リスクは否定できないため，安全性を過信しすぎないことが大切である．（×）
- e．APC は，組織に対する照射角度によらず，

接線方向を含めてあらゆる方向へ照射が可能という特徴がある．非接触型で接線方向を含めて照射が可能という特性のため，DAVE，GAVEのような広範囲の血管拡張病変，びまん性出血などの止血術に適している．一方，アルゴンガスを噴射するため，ガス塞栓，消化管壁内気腫を引き起こすことがある．これらを予防するためには，アプリケータの先端を直接血管断端や組織に押し付けないこと，アルゴンガスの流量を上げすぎないことが大切である．消化管内視鏡領域ではガス流量は概ね1～2 L/分で設定されることが多い．（×）

以上より，正解はa．c．となる．（**解答 a．c．**）

〈辻　陽介〉

問題 12 (2019年度出題)

鎮静・鎮痛薬に関して誤っているのはどれか．

a．鎮静剤による偶発症の中には，健忘，脱抑制，吃逆がある．
b．鎮静の実施には，モニタリングが必要である．
c．ジアゼパムの半減期は24時間以上である．
d．プロポフォールは，作用持続時間が短い．
e．ベンゾジアゼピン系鎮静薬の拮抗薬は塩酸ナロキソンである．

解説

近年，内視鏡診療において「苦痛のない内視鏡検査」に対する患者側の要望が強くなっている．苦痛のない内視鏡検査を実現するために，鎮静は不可欠である．鎮静の利点として，患者の不安やストレス，ならびに内視鏡検査実施に伴う苦痛や不快感を軽減できる点や，検査に対する被検者の受容性を高める点などが挙げられる．

このような利点がある一方で，内視鏡検査に関連する偶発症のうち重篤なものの一部は鎮静が関連していることが知られており，より安全な鎮静剤の使用が求められている．安全な鎮静のためには各鎮静剤の特徴を熟知する必要があるため，ここではベンゾジアゼピン系薬剤やプロポフォールなどの鎮静剤の作用，副作用，あるいは拮抗剤に関する知識を問う．

選択肢解説

a．鎮静剤の偶発症としては，呼吸抑制，循環抑制，徐脈，不整脈，健忘，脱抑制，吃逆などが挙げられる．特にベンゾジアゼピン系薬剤の健忘は，服用前の記憶は障害されないが，服用後ある一定期間の記憶をなくす前向性健忘が特徴的である．（○）

b．前項の偶発症の中でも，鎮静剤による呼吸循環系への影響は低酸素血症や低血圧症の原因となり，極めてまれではあるが致死的となる．そこで，米国のガイドラインでは，術中，術後のモニタリング，酸素吸入器や救急カートなどの対策が重要であるとされている．（○）

c．ジアゼパムは，中枢神経系における抑制系神経伝達物質であるGABAの受容体を賦活することにより催眠作用，鎮静作用，抗不安作用などを発揮するが，鎮痛作用はない．持続時間（半減期35時間）が長いので検査後の患者のケアにも注意が必要である．（○）

d．プロポフォールは，ここ数年普及してきた薬剤である．覚醒の質がよく，悪心・嘔吐が少ない．半減期は7時間で，ベンゾジアゼピン系薬剤に比べ作用時間が短い．（○）

e．ベンゾジアゼピン系薬剤に対して拮抗作用を示すのは，フルマゼニルである．塩酸ナロキソン（ナロキソン塩酸塩）は，オピオイドの拮抗剤である．（×）

以上より，正解はe．となる．（**解答 e.**）

〈石原　立〉

第2章

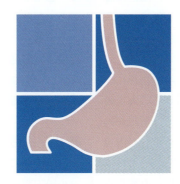

上部消化管

イントロダクション

本章の対象臓器は，食道・胃・十二指腸・小腸である．

これらの臓器に対する内視鏡検査は，上部消化管内視鏡検査，小腸内視鏡検査，カプセル内視鏡検査である．各検査の前処置，前投薬，鎮静に必要な薬剤などの基本事項は，「第1章 総論（基礎）」のイントロダクションを参照していただきたい．

本項では，食道・胃・十二指腸・小腸疾患についての基本的な病態生理，病理知識とその内視鏡診断，治療法についての問題文と解答・解説が掲載されている．これらの問題は，日本消化器内視鏡学会監修『消化器内視鏡ハンドブック』（日本メディカルセンター）[1]にまとめられた内容をもとにして，作成されている．

■ 食道疾患

食道では，食道癌，食道・胃静脈瘤，胃食道逆流症（GERD），Barrett食道，アカラシア，好酸球性食道炎，Mallory-Weiss症候群といった疾患の内視鏡像や病態，診断基準，治療法を学ばなければならない．各疾患のガイドライン，取扱い規約の熟知が必要である[2-7]．また，食道乳頭腫，食道顆粒細胞腫，食道カンジダ症，急性壊死性食道炎などの特徴的な内視鏡像をもつ疾患も知っておくべきである．

■ 胃・十二指腸疾患

胃・十二指腸では，胃・十二指腸潰瘍，急性胃粘膜病変（acute gastric mucosal lesion：AGML）や胃炎に関するさまざまな所見，胃ポリープの鑑別といった基本的な所見，A型胃炎の逆萎縮所見，鳥肌胃炎の所見は頻出所見といえる．また，最近では，*Helicobacter pylori* 感染状況（現感染・既感染・未感染）を反映した胃粘膜の所見を知っておかなければならない．

腫瘍性病変においては，腺腫，癌，悪性リンパ腫，粘膜下腫瘍などの内視鏡像（超音波内視鏡像も含む）の理解は必須であり，良悪性の判断所見，悪性ならば深達度や組織型診断の根拠となる所見の理解と，治療方針の選択基準の知識が必要である．感染症，全身疾患，遺伝性疾患に関連する胃病変の理解も重要である．

その他，アニサキス症，胃梅毒，門脈圧亢進性胃症，胃前庭部毛細血管拡張症，血管拡張症，ポリポーシスなどは臨床像と併せて内視鏡所見を学ぶ必要がある．

■ 小腸疾患

小腸疾患に関しては，カプセル内視鏡，バルーン小腸内視鏡の急速な広がりにより，多くの疾患の所見が明らかとなってきた．特に，上部・下部内視鏡で診断されない原因不明の消化管出血（obscure gastrointestinal bleeding：OGIB）が，これらの検査により診断，治療されることが増え，消化管出血治療が大きく進歩したといえる．したがって小腸出血の原因となる疾患の内視鏡像も明らかになっており，内視鏡医においてはそれらの所見の知識も必須といえる．

■ 悪性腫瘍に関する内視鏡診断法

悪性腫瘍に関する内視鏡診断法は，昨今の光学医療機器の発展により，従来法のみの診断と比較して，その正確さが増した．その分，細分化された所見や診断基準の理解，より専門的な読影力が必要となってきた．具体的には，めざましい普及が認められる画像強調内視鏡（image-enhanced endoscopy：IEE），特に狭帯域光観察（narrow band imaging：NBI），レーザー光を用いたBLI（blue laser imaging）による観察，LCI（linked color imaging）による観察，拡大内視鏡とIEEの併用観察，超音波内視鏡などによる所見の理解が求められている．早期食道癌においては，ヨード染色像，超音波内視鏡像と，NBI併用拡大内視

鏡像による上皮乳頭内ループ状毛細血管(intra-papillary capillary loop：IPCL)の所見(食道学会分類：JES 分類)の理解が必要である．早期胃癌では，良悪性の鑑別，組織型診断に，NBI 併用拡大内視鏡での粘膜上皮の微小血管所見，表面構造の所見，深達度診断として超音波内視鏡所見などの理解が必須である．

悪性腫瘍に対する治療に関しては，内視鏡的粘膜切除術(endoscopic mucosal resection：EMR)から内視鏡的粘膜下層剥離術(endoscopic submucosal dissection：ESD)まで，近年急速に発展し，現在その診療は最新版の各ガイドライン，取扱い規約[2,3,8,9]に基づき，診断，治療適応，根治性評価などがなされている．

■ 上部消化管潰瘍出血に対する内視鏡診療

上部消化管潰瘍出血に対する内視鏡診療に関しては，『非静脈瘤性上部消化管出血における内視鏡診療ガイドライン』[10]に基づいた知識，出血様態の診断分類である Forrest 分類[11]，各種止血法とその特性の理解が必要である．

*

上部消化管は臓器も多く，また各臓器に発生する疾患も多岐にわたり，その内容は盛りだくさんである．しかし，上記に示した内容はいずれも日常の内視鏡診療に必須の知識であることから，取りこぼさず，すべてを学んでいただきたい．

文 献

1) 日本内視鏡学会(監修)，日本消化器内視鏡学会卒後教育委員会(責任編集)：消化器内視鏡ハンドブック 改訂第2版．日本メディカルセンター，2017
2) 日本食道学会(編)：臨床・病理 食道癌取扱い規約 第11版．金原出版，2015
3) 日本食道学会(編)：食道癌診療ガイドライン 2017年版．金原出版，2017
4) 日本門脈圧亢進症学会(編)：門脈圧亢進症取扱い規約 第3版．金原出版，2013
5) 日本消化器病学会(編)：胃食道逆流症(GERD)診療ガイドライン 2021 改訂第3版．南江堂，2021
6) 日本食道学会(編)：食道アカラシア取扱い規約 第4版．金原出版，2012
7) 木下芳一(編)：好酸球性消化管疾患診療ガイド．南江堂，2014
8) 日本胃癌学会(編)：胃癌治療ガイドライン 第5版．金原出版，2018
9) 日本胃癌学会(編)：胃癌取扱い規約 第15版．金原出版，2017
10) 藤城光弘，他：非静脈瘤性上部消化管出血における内視鏡診療ガイドライン．Gastroenterol. Endosc 57：1648-1666, 2015
11) Heldwein W, et al：Is the Forrest classification a useful too for planning endoscopic therapy of bleeding peptic ulcers? Endoscopy 21：258-262, 1989

〈岸野真衣子〉

問題 1 (2014年度出題)

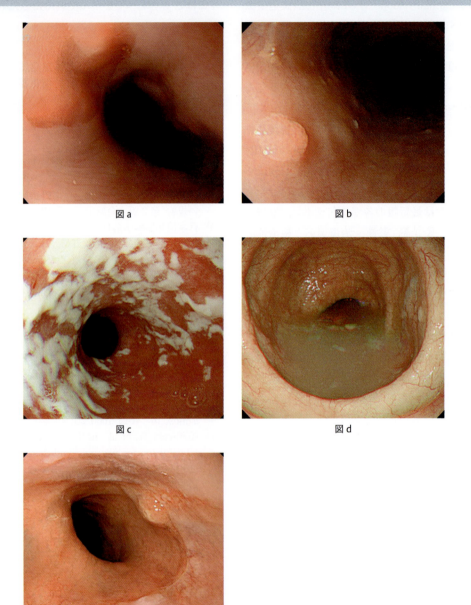

食道の内視鏡像を示す（図 a，b，c，d，e）．扁平上皮癌と関連が深いのはどれか．

- a．図 a
- b．図 b
- c．図 c
- d．図 d
- e．図 e

解説

　内視鏡像から疾患を診断するとともに食道扁平上皮癌の疫学(高危険群・疾患)についての知識を問う問題である．食道扁平上皮癌の危険因子としては，男性，喫煙，飲酒，アルデヒド脱水素酵素 (aldehyde dehydrogenase：ALDH) 2のヘテロ欠損などが，また高率に食道扁平上皮癌を合併する疾患としては，頭頸部癌をはじめ，食道アカラシア，腐食性食道狭窄などが知られている．

選択肢解説

a．正常の食道粘膜(重層扁平上皮で構成されるためやや白色調)の中に類円形・辺縁平滑で，周辺と比べて赤みの強い表面平滑な粘膜が島状に観察され，食道の管腔はやや狭く感じられる．赤みの強い部分は円柱上皮と思われ，異所性胃粘膜が疑われる．異所性胃粘膜は食道下端部，上部食道によくみられるが，写真からは上部食道の異所性胃粘膜が疑われる．扁平上皮癌との関連はない．(×)

b．小さな(3 mm程度か)隆起性病変で表面は細かく分葉したようにみえるが，不規則ではなく，軟らかい印象を受ける．小さな食道の腫瘍性病変として鑑別すべき疾患には，乳頭腫，炎症性ポリープ，食道顆粒細胞腫，表在癌などが挙げられるが，周辺粘膜の所見なども合わせると乳頭腫が最も疑われる．扁平上皮癌との関連はない．(×)

c．食道粘膜上にほぼ全周にわたって乳白色のプラークが多発散在しており，一部は癒合しているようにみえる．特徴的な内視鏡像であり，食道カンジダ症と容易に診断可能である．正常人でも認められることがあるがcompromised hostや糖尿病のコントロール不良例などでよくみられる．プラークが限局して集簇している場合，表在癌と鑑別を要する場合があるが，食道カンジダ症そのものと扁平上皮癌との関連はない．(×)

d．一見して，食道内腔に液体貯留が認められる．粘膜面には大きな異常はなさそうである．食道の部位についての記載はないが，ほかの写真と比較すると食道内腔は拡張しているようにもみえ，この写真のみからは断定できないが，輪状の異常収縮波が観察されているようにもみえる．以上からアカラシアが疑われる．アカラシアは下部食道噴門部の弛緩不全により食物の通過障害をきたす機能性疾患であり，食道扁平上皮癌の発生頻度が正常食道と比較して高率であることが知られている．(○)

e．下部食道の内視鏡像が提示されている．柵状血管が観察される食道下端部の粘膜は重層扁平上皮より赤みが強く，円柱上皮からなると考えられる．したがってBarrett上皮の存在が疑われる．扁平上皮下端部は白濁肥厚していると思われる．2時方向では，周辺よりやや発赤調の強い領域がみられ，粘膜傷害の可能性が疑われる．以上より胃食道逆流症(GERD)とBarrett上皮が疑われる．GERD，Barrett上皮は食道腺癌の危険因子として知られている．2時方向の円柱上皮側には小隆起性病変が観察され，表面はやや不整であり，食道腺癌を疑う必要がある．(×)

　以上より，正解はd．となる．(**解答 d．**)

〈羽生泰樹〉

問題 2 （2014 年度出題）

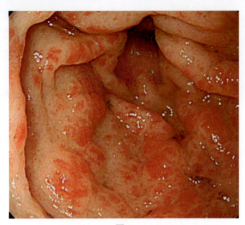
図 a

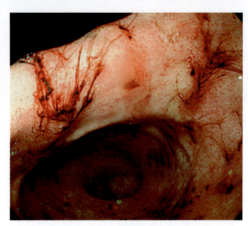
図 b

61 歳の女性．貧血とタール便の精査のため施行した胃内視鏡像を示す（図 a，b）．治療として正しいのはどれか．

- a．除菌治療
- b．純エタノール局注法
- c．アルゴンプラズマ凝固法（APC）
- d．EMR
- e．外科的手術

解説

　内視鏡像から疾患を診断するとともにその治療法を問う問題である．胃前庭部に放射状に走行する発赤を認め，発赤の分布は幽門側ほど密に，胃角部に近づくほど疎に分布しているようにみえる．粘膜出血，塩酸ヘマチンの付着も観察される．特徴的な内視鏡像から，胃前庭部毛細血管拡張症（gastric antral vascular ectasia：GAVE）と診断可能である．

　GAVE は，胃前庭部に放射状に走行する発赤像（毛細血管拡張）を特徴とし，発赤部位からの出血とそれが原因で起こる貧血を呈する消化管の出血性疾患である．胃前庭部のびまん性の発赤像を呈するびまん性胃前庭部毛細血管拡張症（diffuse antral vascular ectasia：DAVE）とは，内視鏡的所見は異なるものの，病理学的に同一の所見を有し，同じカテゴリーに入る疾患と考えられている．

　病因については，
①胃の蠕動運動亢進による機械的な刺激が原因とする説
②肝硬変合併例が多く，門脈圧亢進が関与するとする説
③自己免疫疾患の合併が多く，自己免疫が関与しているとする説
④高ガストリン血症の合併が多く，ガストリンに血管拡張作用があることなどから，高ガストリン血症が関与するとする説
⑤腎不全合併例が多く，腎不全が関与しているとする説

などがあるが，発生機序は不明である．

　本疾患の報告例は高齢の女性に多いとするものと男女差がないとするものがみられる．症状は本

症例でもみられたごとく，消化管出血および貧血である．重症度については，軽度の貧血精査のため内視鏡検査を行った際に診断されるような軽症例から，繰り返す出血のために輸血が必要となるような重症例までさまざまである．

内視鏡所見については，胃前庭部に限局した発赤像が特徴的である．GAVE は，胃前庭部に放射状に走行する発赤像を呈し，これがスイカの表面模様に似ていることから watermelon stomach と，DAVE は胃前庭部にびまん性の点状発赤を呈し，honeycomb stomach と呼ばれることもある．病理組織では，①胃壁の中小（毛細）血管の著明な拡張，②粘膜固有層の毛細血管拡張とフィブリン塞栓の存在，③粘膜の萎縮および粘膜固有層の線維化と線維成分の増量が特徴的な所見とされ，生検でも診断可能とされるが，特徴的な内視鏡像を示し，診断可能な場合が多く，貧血や出血を認めることが多いため，実際に生検が施行されることは少ない．

治療については，貧血に対する鉄剤の投与や酸分泌抑制薬の投与などの保存的治療が行われるが，保存的治療のみでは十分でない場合が多い．以前は幽門側胃切除術などの外科的手術が中心であったが，最近では，より侵襲が少ない内視鏡による治療が第 1 選択となり，よい成績が得られている．内視鏡的治療として，エタノールや HSE（hypertonic saline epinephrine）などの局注法が行われた時期もあったが，現在では熱凝固法が主流であり，なかでもアルゴンプラズマ凝固法（argon plasma coagulation：APC）が，安全性が高く，手技的に簡便で有用である．再発例では，繰り返し治療が行われる場合もある．内視鏡治療で再発を繰り返し，出血のコントロールが困難な場合には，外科的手術が考慮される場合がある．

> 選択肢解説

a．*Helicobacter pylori* 感染は本疾患と直接の関連はなく，除菌治療は本症例の治療としては適切ではない．（×）

b．現在では本症例の内視鏡治療として，局注法が行われることはほとんどない．（×）

c．上述のごとく，APC が第 1 選択の治療法として行われることが多い．（○）

d．EMR は本症例の治療としては適切ではない．（×）

e．内視鏡治療に抵抗し，出血のコントロールが困難な場合に外科的手術が考慮される場合があるが，本症例は内視鏡未治療例と思われ，まずは内視鏡治療が第 1 選択である．（×）

以上より，正解は c．となる．（**解答 c.**）

〈羽生泰樹〉

問題 3 (2014年度出題)

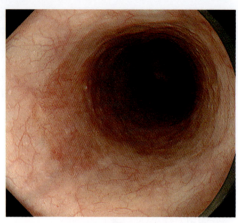
図 a

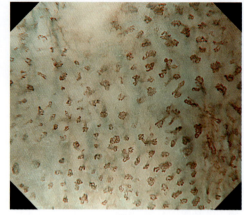
図 b

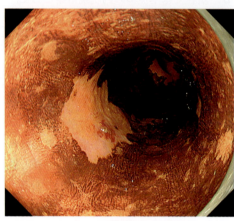
図 c

70歳の男性．生来健康，検診で異常を指摘され受診した．通常内視鏡像（図 a），NBI 併用拡大内視鏡像（図 b），ヨード染色像（図 c）を示す．まず行う治療方針はどれか．

- a．アルゴンプラズマ凝固法（APC）
- b．ESD
- c．内視鏡下筋層切開術
- d．外科的手術
- e．化学放射線療法

解説

通常内視鏡像，NBI 併用拡大内視鏡像およびヨード染色像から，病変の質的診断と深達度診断を求めた設問である．食道に発生した発赤調の病変であるが，NBI 併用拡大内視鏡像で拡張や蛇行，口径不同，形状不均一といった特徴を有するType B 血管（日本食道学会分類）がみられるので，食道癌と診断できる．ヨード染色でも境界明瞭な不染となっているため，食道癌との診断で間

違いなさそうである．

次に深達度であるが，通常内視鏡像ではほぼ平坦な病変で，病変内に隆起や厚み，硬さといった深部浸潤を示唆する所見はみられない．NBI併用拡大内視鏡像でも，ループ構造がありType B1に相当する血管がみられるため深達度はT1a-EPもしくはT1a-LPMの可能性が高い．『食道癌診療ガイドライン』では，T1a-EPもしくはT1a-LPMの食道癌に対する標準治療は内視鏡的粘膜切除術あるいはESD（内視鏡的粘膜下層剝離術）とされている．

> 選択肢解説

a．アルゴンプラズマ凝固法（APC）は，簡便でしかも，食道癌を治癒させる可能性がある治療法である．しかし根治性の面ではESDに比べて大きく劣るため，瘢痕などのため内視鏡的粘膜切除術が困難な食道癌に適応される．（×）
b．深達度がT1a-EPもしくはT1a-LPMの食道癌に対する現在の標準治療としてESDが挙げられる．（○）
c．内視鏡下筋層切開術はアカラシアに対して行われる治療法である．（×）
d．外科的手術は場合によっては広範なT1a-EPやT1a-LPM癌にも適応されることもあるがより深達度の深い食道癌に適応される治療法である．（×）
e．化学放射線療法も場合によっては広範なT1a-EPやT1a-LPM癌にも適応されることもあるがより深達度の深い食道癌に適応される治療法である．（×）

以上より，正解はb．となる．（**解答 b.**）

〈石原　立〉

問題 4 (2014年度出題)

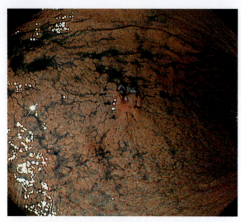
図 a

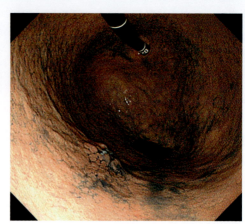
図 b

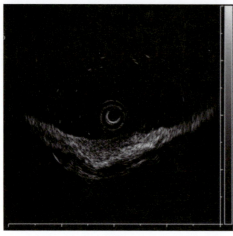
図 c

72歳の男性．検診で胃体中部後壁に異常を指摘され，生検で高分化腺癌と診断された．精密検査内視鏡像を示す（図 a，b，c）．最も適切な治療はどれか．

- a．内視鏡的粘膜切除術（EMR）
- b．内視鏡的粘膜下層剥離術（ESD）
- c．外科的手術
- d．放射線治療
- e．化学療法

解説

内視鏡および超音波内視鏡（EUS）所見から治療法を選択する問題である．内視鏡写真はいずれもインジゴカルミンを散布した色素内視鏡像であり，正面像と側方からの観察像が提示されている．生検により高分化型腺癌が検出されており，花弁状の辺縁隆起を呈する 0-Ⅱc 型の早期胃癌と

診断される．近景の写真がなく，病変の詳細を観察することは難しいが，やや厚みのある病変であることがうかがえる．特に**図b**では十分に伸展した状態においても厚みがみられることより，粘膜下層浸潤を疑う所見と思われる．陥凹内に潰瘍成分を合併しているか否かは不明であるが，白苔様の所見もみられ潰瘍の合併も否定はできない．EUSでは第1〜2層を主座とする低エコー腫瘤で，第3層が一部狭小化しており粘膜下層への浸潤が疑われる．

> 選択肢解説

a．粘膜下層への浸潤が強く疑われる早期胃癌であり，通常は内視鏡治療の適応とはならない．特に粘膜下層浸潤が疑われ，潰瘍形成も否定できない病変であり，内視鏡的粘膜切除術(EMR)での対応は不可能である．(×)

b．内視鏡的粘膜下層剝離術(ESD)を行うことにより，本病変の内視鏡的切除は可能かもしれない．しかし，EUSにて明らかに第3層の狭小化がみられ，粘膜下層浸潤の可能性が非常に高く，通常は外科的切除の適応病変と判断される．もし，EUSにおいて粘膜下層への浸潤所見があるかないか判然としない場合には，第1段階としてESDにより切除を行い，病理学的判定によって追加外科手術が選択される場合もある．EUSを用いても粘膜筋板から500μmの浸潤がみられるSM1の術前診断は困難であるため，ESDが先行される場合もあるためである．(×)

c．内視鏡所見，EUS所見より粘膜下層浸潤が強く疑われる早期胃癌であるので，通常外科的手術が選択される．早期胃癌のリンパ節転移率は，粘膜内癌では約3％，粘膜下層癌では20％前後と報告されている．術前の所見にて粘膜下層癌と診断され，手術が可能であれば外科的手術が選択される．(○)

d．早期胃癌に対する放射線治療のエビデンスはなく，基本的に行わない．(×)

e．通常，粘膜下層癌であっても早期胃癌に対して化学療法を行うことはまずない．ごくまれに，早期胃癌においても遠隔転移をきたす症例が存在するので，このような症例には化学療法が適応される場合もある．(×)

以上より，正解はc．となる．(**解答c.**)

〈田邉　聡〉

問題 5 (2014年度出題)

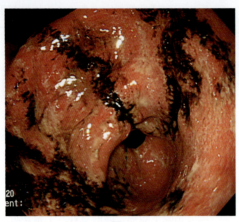
図 a

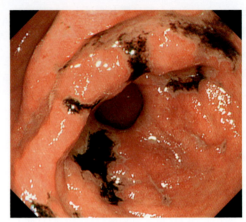
図 b

21歳の男性．腹痛，吐血を主訴に来院した．受診時の上部消化管内視鏡像を示す（図 a，b）．この疾患について正しいのはどれか．

- a．AGML（Acute gastric mucosal lesions）
- b．GAVE（Gastric antral vascular ectasia）
- c．Crohn 病
- d．悪性リンパ腫
- e．胃癌

解説

　内視鏡像から疾患の診断をする問題である．幽門前庭部を中心に凝血塊を付着する地図状の不整形の潰瘍性病変が多発し，周囲粘膜は浮腫状であり，びらんも散見される．臨床症状も加味して典型的な急性胃粘膜病変（acute gastric mucosal lesion：AGML）と診断される．以前と比較して本問のような典型的な AGML に遭遇する頻度は減少している．さまざまな原因によって発症し，非ステロイド性抗炎症薬（NSAIDs）などの薬剤，アルコール，精神的ストレス，頭部疾患，外科的侵襲ストレスなどが挙げられる．以前は内視鏡機器の消毒が不完全であったために，*Helicobacter pylori* の感染に起因する AGML が問題となった．重篤な熱傷に合併する AGML は Curling ulcer，頭部外傷など中枢神経障害に合併する AGML は Cushing ulcer と呼ばれる．急激に発症する心窩部痛や消化管出血に際して，早期に内視鏡検査を施行することにより診断される．内視鏡所見としては，粘膜の発赤，浮腫，びらん，潰瘍形成であり，潰瘍の深さは UL Ⅱ〜Ⅲ の浅い潰瘍が主体である．潰瘍底に露出血管や活動性出血を伴う場合には，内視鏡的止血術の適応となる．本症例は原因を除去することにより比較的早期に治癒する場合が多いが，肝硬変や腎不全などの基礎疾患を合併している場合には治療に難渋することもある．

選択肢解説

a．本問は AGML の典型的な内視鏡像を呈しており，容易に正解可能である．医師国家試験の問題として出題されたとしても，高い正答率が期待できるレベルの問題である．（○）

b．GAVE（gastric antral vascular ectasia：胃前

庭部毛細血管拡張症)は，前庭部を中心に血管拡張を認める病態であり，消化管出血の原因の1つとして注目されている．典型例では前庭部に放射状に縦走する血管拡張を認め，watermelon stomach とも呼ばれる．吐血や下血などの顕性出血をきたすことはなく，貧血症状で発見されることが多い．慢性肝疾患，慢性腎不全などの合併が多くみられる．内視鏡治療が有用であり，安全性，有効性の点からアルゴンプラズマ凝固法(argon plasma coagulation：APC)による焼灼治療が推奨される．(×)

c．Crohn 病の上部消化管病変としては，前庭部にびらんが多発し，一部縦走傾向を示す場合がある．また，噴門部から胃体部小彎の襞と襞を横切る亀裂状の所見(竹の節状外観)がみられる．本問の内視鏡像とは異なる．(×)

d．悪性リンパ腫には，低異型度の MALT リンパ腫とびまん性大細胞型 B 細胞リンパ腫を代表とする aggressive lymphoma に大別される．MALT リンパ腫の多くは早期胃癌や胃炎に類似した表層型の形態を示すが，aggressive lymphoma の多くは進行胃癌に類似した形態を示す．本問の内視鏡像はいずれにも合致しない．(×)

e．胃粘膜の浮腫状所見を呈する胃癌としては，4型進行胃癌が鑑別として挙げられる．しかし，4型進行胃癌では胃壁の硬化，伸展不良を呈する場合が多く，本問の内視鏡像では，浮腫と出血を認めるが伸展性は保たれており，胃癌は否定的と考える．(×)

以上より，正解は a．となる．(**解答 a.**)

〈田邉 聡〉

問題6 (2014年度出題)

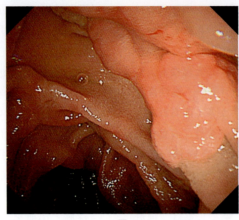

図

30歳の男性．十二指腸の内視鏡像を示す（図）．診断として正しいのはどれか．

- a．異所性胃粘膜
- b．リンパ管拡張症
- c．濾胞性リンパ腫
- d．粘膜下腫瘍
- e．腺腫

解説

十二指腸の内視鏡像から疾患名を問う問題である．十二指腸には多種多様な隆起性病変が発生するが，上皮性良悪性病変として異所性胃粘膜，リンパ管拡張症，腺腫，癌など，非上皮性良性病変として平滑筋腫，脂肪腫，血管腫，リンパ管腫，囊胞，Brunner腺過形成など，非上皮性悪性病変として悪性リンパ腫，平滑筋肉腫，黒色腫，カルチノイド，転移性癌などがある．提示症例では十二指腸下行部に大きさ約10 mm大の扁平隆起性病変が存在し，表面の性状は顆粒状，色調は褪色調であり，比較的特徴的な内視鏡所見により診断可能である．鑑別診断は上皮性良悪性病変となるが，癌では色調は赤色調で表面にびらん，出血を伴うことが多い．

選択肢解説

- a．異所性胃粘膜は胃以外の消化管に発生した胃上皮粘膜であり，食道，小腸（特にメッケル憩室）にも認められるが，十二指腸球部が最も高頻度に発生する．組織学的には約80％が腺窩上皮で構成される．内視鏡像では丈の低い2 mm前後の多発性小結節として観察される．（×）

- b．リンパ管拡張症は粘膜内のリンパ管の奇形や閉塞によりリンパ流の障害をきたしリンパ管が著明な拡張した疾患である．蛋白漏出性胃腸症を併発することが多い．内視鏡像では主に散布性白点，白色絨毛を認める．組織学的には散布性白点は絨毛の中心乳び管拡張によるとされている．（×）

- c．濾胞性リンパ腫は低悪性度B細胞性悪性リンパ腫で，病理組織学的には胚中心由来のcentrocyteとcentroblastが増殖する．内視

鏡像では MLP (multiple lymphomatous polyposis) 型を呈することが多く，広範囲にわたり大小多数の粘膜下腫瘤様隆起が認められる．（×）

d．十二指腸壁内（粘膜下層，固有筋層，漿膜下層など）に存在する腫瘍で間葉系腫瘍が多く，消化管間質腫瘍（GIST），筋原性腫瘍，神経原性腫瘍がある．ほかに脂肪腫，血管腫，リンパ管腫，迷入膵などがある．内視鏡像では隆起部位は正常の周囲粘膜と変わらず，周囲からの襞が病変の上にのりあげる bridging fold が認められ，腫瘍が大きくなると潰瘍化し，クレーターを形成することがある．（×）

e．十二指腸腺腫は頻度は少ないが，検診にて遭遇する可能性のある病変である．十二指腸下行部の内視鏡像にて表面顆粒状で褪色調の扁平隆起性あるいは陥凹性病変を認めれば，腺腫を念頭に置く必要がある．（○）

以上より，正解は e. となる．（**解答 e.**）

〈栁岡公彦〉

問題 7 (2014年度出題)

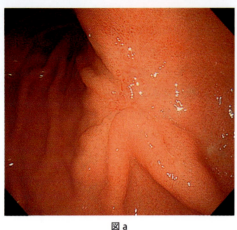

図 a

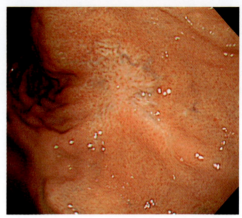

図 b

50歳の男性．検診目的の上部消化管内視鏡における胃内視鏡像（図 a）と1年後の胃内視鏡像（図 b）を示す．正しいのはどれか．

a．1割程度の症例で，胃内に同様の病変が多発する．
b．多くの症例で寛解・再燃を繰り返す．
c．プロトンポンプ阻害薬の長期投与が行われた．
d．*Helicobacter pylori* 除菌療法が行われた．
e．ESD が行われた．

解説

内視鏡像から疾患名を問い，その後その疾患について知識を問う問題である．提示された症例，**図 a** では胃体上部後壁に陥凹性病変が存在し，襞の集中像を認める．**図 b** では同部位の襞集中像，陥凹性病変は消失し，粘膜は白色化し，病変の退縮を認める．内視鏡像から胃 MALT リンパ腫の早期胃癌（Ⅱc）類似型病変あるいは早期胃癌（Ⅱc）を考える．鑑別は陥凹内の粘膜模様の有無，蚕食像の有無，正常粘膜との境界などである．提示症例では蚕食像は認めず，正常粘膜との境界は不明瞭であり，胃 MALT リンパ腫の早期胃癌（Ⅱc）類似型病変と診断．胃 MALT リンパ腫の大部分は表層型の形態を示し，内視鏡所見は，早期胃癌（Ⅱc）類似型，隆起型，胃炎類似型，の3群に大別できる．*Helicobacter pylori* の除菌療法が胃原発 MALT リンパ腫の治療の第1選択であり，多くの場合，一定の時間をかけて病変は退縮する．

選択肢解説

a．MALT リンパ腫は通常，局所に1か所だけに発生するが，胃および唾液腺では近傍のリンパ節腫大も認められることがある．また，長期に経過を観察すると，約30％が骨髄や他の臓器へ浸潤することもある．（×）
b．再燃を認めることがあるが，多くの症例では寛解消失した病変は治癒する．（×）
c．胃 MALT リンパ腫の胃炎類似型のびらん・潰瘍は酸分泌抑制薬を投与すると一時的に白苔が消失し改善したようにみえる時期があり注意を要するが，1年の長期にわたり効果は持続しない．（×）

d. *Helicobacter pylori* の除菌療法が胃 MALT リンパ腫の治療の第 1 選択であり，奏効率は 50〜80％である．（○）
e. 内視鏡的粘膜下層剝離術(ESD)は早期胃癌に対する内視鏡的治療であり，胃 MALT リンパ腫の治療には用いない．（×）

以上より，正解は d. となる．（**解答 d.**）

〈栁岡公彦〉

問題8 (2014年度出題)

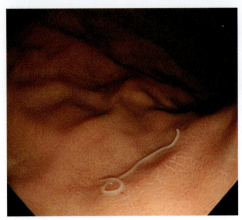

図

34歳の女性．急激な心窩部痛および悪心，嘔吐で来院した．上部消化管内視鏡では図に示すような所見が得られた．この疾患について正しいのはどれか．**2つ選べ**．

- a．把持鉗子を用いて除去する．
- b．メトロニダゾールの内服により治療を行う．
- c．アルゴンプラズマ凝固法（APC）を用いて焼灼する．
- d．食材の冷凍処理（－20℃以下24時間以上）は予防効果が高い．
- e．診断後24時間以内に最寄りの保健所に届け出る必要はない．

解説

急激な心窩部痛，悪心，嘔吐で発症したアニサキス症の症例である．内視鏡写真には白色の虫体がみられ，頭部が胃壁に侵入しようとしている所見がみられる．アニサキスは，サバ，イワシ，カツオなどのいわゆる「青魚」やイカに寄生しており，刺身や寿司などの生食で感染する．アニサキス幼虫は魚が釣られた後には皮下に寄生していることが多く，イカの刺身に細かく包丁の目を入れたり，イカソーメンにしたり，タタキ（表面を火であぶる）にするのはアニサキスを殺すのに有効である．刺身を食べるときに，よく噛んで食べることも有効である．イカなどでは24時間以上冷凍することでアニサキスを殺すことも可能である．一方サバの酢で〆たものは，それのみでは駆虫できない．

アニサキス幼虫を含む食物が胃に入ると，アニサキス幼虫は新たな寄生場所を求めて主に胃内に刺入しようとするが，胃壁は硬いため，食い破ることはできず，頭のみが入っていることが多い．このとき，アニサキス抗原で感作されている場合に，再感染を起こし即時型過敏反応により消化管攣縮と浮腫，肥厚，狭窄などが引き起こされることにより腹痛が起こると考えられている．急激な心窩部痛を起こした患者を診察するときには，魚やイカの生食があったかどうかを聴取することは重要であり，アニサキス症の可能性がある場合は，緊急上部内視鏡を行うべきである．神経に当たっていない場合は，症状なく経過することもある．アニサキス虫体は，把持鉗子などで虫体をつまみ上げて引き抜くことで，容易に治療が可能である．鉗子で把持し採取を行う．

アニサキス幼虫が食道や小腸などに刺入した場

合には，深くまで入り込み，時間が経過すると大きな腫瘤を形成することがあり，入院加療や，手術が必要になることもあるので注意が必要である．1999年12月28日の食品衛生法施行規則の一部改正（厚生省令第105号）により，アニサキスも食中毒原因物質として具体的に例示されるようになり，アニサキスによる食中毒が疑われる場合は，24時間以内に最寄りの保健所に届け出ることが必要となっている．

選択肢解説

a．上記の通り，把持鉗子などで除去することが可能であり，最も簡便である．（○）
b．メトロニダゾールはアメーバ赤痢や*Helicobacter pylori*の2次除菌で使用される．アニサキスには無効である．（×）
c．本症例では焼灼する必要はない．また焼灼することで，無用の粘膜の損傷を起こしうる．（×）
d．上記の通り，冷凍処理はアニサキスを殺すことが可能である．（○）
e．本症例は食中毒の1つであり，保健所に届ける必要がある．（×）

以上より，正解はa．d．となる．（**解答 a．d．**）

〈岡　政志〉

問題 9　　　　　　　　　　　　　　　　　　　　（2015年度出題）

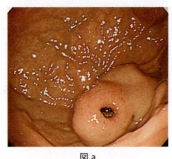
図 a

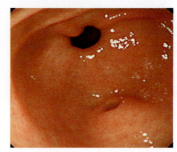
図 b

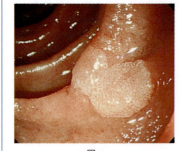
図 c

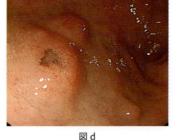
図 d

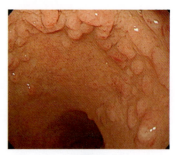
図 e

胃・十二指腸内視鏡像を示す（図 a，b，c，d，e）．悪性化を念頭に置くべき病変はどれか．<u>2つ</u>選べ．

- a．図 a
- b．図 b
- c．図 c
- d．図 d
- e．図 e

解説

　白色光による非拡大内視鏡像から悪性化を考慮すべき胃・十二指腸疾患に対する知識を問う問題である．**図 a〜e** の内視鏡像からそれぞれの疾患を診断することができるか，さらにはその診断したものが悪性の可能性がある疾患か否か鑑別できるかがポイントである．

選択肢解説

a．図 a：胃穹窿部大彎と思われる部位に存在する隆起病変が診断すべき病変である．径は3cm程度であり，表面の粘膜構造は平滑であり，非上皮性病変と判断できる．画像の右奥の隆起の外側から伸びている襞は隆起成分に乗り上がる bridging fold の所見と考えられ，粘膜下腫瘍の診断が得られる．隆起成分はやや凹凸が目立ち，病変の頂部が壊死・脱落し潰瘍が形成されていると推測できる．胃粘膜下腫瘍の悪性所見は腫瘍径＞5 cm，辺縁凹凸不整，潰瘍形成，増大傾向，が挙げられており，これらの所見があった場合は手術

もしくはさらなる検査により診断を確定する必要があるとされている．本症例は頂部に壊死・脱落を伴う胃粘膜下腫瘍であり，悪性病変であるGIST（gastrointestinal stromal tumor）の可能性を疑うべき病変である．そのため今後CT，EUS，EUS-FNABなどによる精査を行うことが推奨される病変である．（○）

b．**図b**：胃前庭部大彎に存在する隆起病変が診断すべき病変である．径は15 mmほどであり，表面の粘膜構造は平滑で，**図a**と同様で非上皮性の粘膜下腫瘍様の病変と判断できるが，隆起の立ち上がりは正常粘膜よりなだらかに移行している．中心にはくぼみも認められる．これらの所見のみをみると**図a**の説明に記載した悪性所見のあるGISTを思い起こす医師もいると思うが，「前庭部大彎」，「立ち上がりなだらかな粘膜下腫瘍様病変」，「中心にくぼみ」の所見で思い起こすべき疾患は迷入膵（異所性膵）である．先天性の解剖学的異常であり，典型例は前庭部大彎に認められるが，他部位にも認められることもある．輸出管の開口部として陥凹を伴うことも多く，本症例は迷入膵の典型例であると考えられる．症例によってはGISTとの鑑別が困難な症例もあるが，本症例は中心に陥凹があるものの，立ち上がりなだらかで，中心に陥凹があるものの隆起成分には凹凸のない半球状の腫瘤であることから第1に迷入膵を考慮すべきである．本疾患は臨床上放置可能であり，悪性化を考慮すべき病変ではない．（×）

c．**図c**：十二指腸下行部と思われる部位に認められる10 mm程度の白色の扁平隆起病変が診断すべき病変である．白色扁平隆起の内部構造は整った表面構造を呈しているが，周囲の正常粘膜とは明瞭な境界をもつ異なった成分で構成されていることがわかり，この病変が粘膜内上皮の増殖隆起であると考えられ，上皮性腫瘍と診断できる．腺腫と癌の鑑別については，腫瘍全体が整った表面構造を保っており，低悪性度の腫瘍である可能性が高いと判断するが，完全に癌の診断や今後の悪性化の可能性を否定することは困難である．そのため本画像のみによる内視鏡診断は低異型度の腺腫とするが，悪性化の可能性は否定できないことから悪性化を念頭に置くべき病変である．（○）

d．**図d**：十二指腸球部と思われる部位に存在する径10 mm程度の隆起病変が診断すべき病変である．表面の粘膜構造は平滑で，**図a，b**と同様で非上皮性の粘膜下腫瘍様の病変と判断できるが，**図b**と同様に隆起の立ち上がりは正常粘膜よりなだらかに移行している．中心にはくぼみも認識でき，これらの所見のみをみると**図a，b**と同様にGISTなどの粘膜下腫瘍を思い起こす医師もいると思うが，「十二指腸球部」にある，「立ち上がりなだらかな粘膜下腫瘍様病変」，「中心にくぼみ」などの所見で思い起こすべき病変は，Brunner腺過形成である．Brunner腺過形成は，十二指腸球部に好発する粘膜下腫瘍様の形態をとることが多い隆起病変で，異型のないBrunner腺が増殖したものである．くぼみは絨毛上の粘膜に覆われているようにみえ，Brunner腺の開口部と考えられる．以上より，この病変はBrunner腺過形成と診断でき，悪性化を考慮する必要がない病変であり，臨床的に放置で可能である．（×）

e．**図e**：十二指腸球部に広がる丈の低い小隆起の集簇が診断すべき病変である．正色調の小隆起が孤立性もしくは集簇して分布する所見は十二指腸の異所性胃粘膜の所見であり，球部に認められることが多い病変である．特殊症例以外では悪性化を考慮する必要がない病変であり，臨床的に放置可能である．（×）

以上より，正解はa，c．となる．（**解答 a，c．**）

〈小田島慎也〉

問題 10 (2015 年度出題)

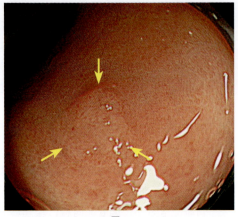

図 a　　　　　　　図 b

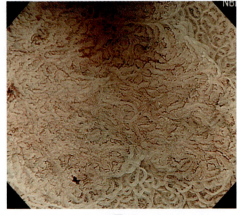
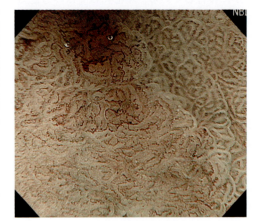

図 c　　　　　　　図 d

60 歳の女性．胃内視鏡像を示す（図 a，b，c，d）．正しいのはどれか．

- a．良性びらん
- b．MALT リンパ腫
- c．カルチノイド
- d．分化型の粘膜内癌
- e．分化型の SM 浸潤癌

解説

胃内視鏡像から疾患名を問う問題である．白色光画像，NBI 拡大（弱拡大，強拡大）画像から早期胃癌の診断ができるかどうかがポイントである．またその白色光画像の肉眼型から深達度を診断できるかどうかも問うている．

画像はやや近接している白色光画像 1 枚（図 a）と，NBI 併用の拡大内視鏡画像〔弱拡大 1 枚（図 b），強拡大 2 枚（図 c，d）〕である．白色光画像から得られる情報は，おそらく観察部位は胃角小彎付近の粘膜と考えられる．周辺粘膜に RAC が

認められないことから *Helicobacter pylori* 感染胃である可能性が考えられるが，明らかな血管透見は確認できず，背景粘膜に萎縮が認められるかの判断は困難である．同部位に矢印の部位に境界をもつ正色調の丈の低い扁平隆起性病変を認める．隆起の大きさは5mm程度と考えられ，隆起内に凹凸変化も認められないが，隆起内の表面構造の詳細な情報は白色光画像では得られない．NBI弱拡大画像では，周囲の背景粘膜は整った絨毛様構造を認め，指摘部位の内部には構造の不整，不明瞭化を認識でき，背景粘膜との境界は観察範囲全域で明瞭に観察できる．病変境界領域のNBI拡大画像ではNBI弱拡大画像同様に整った絨毛様の背景粘膜と明瞭な境界をもった構造の不整，不明瞭化した部位を認め，内部の微小血管は口径の不同で走行の不整が認められ，ネットワークを形成している部位も認められる．

以上より，この病変は高分化型腺癌と診断できる．そのうえで図aの白色光画像をみると，この病変は丈の低い隆起病変であり，肉眼型は0-Ⅱaと診断できる．0-Ⅱaの高分化型腺癌はその内部に結節や深い陥凹・潰瘍があるような特殊な症例以外は粘膜内癌であるため，本症例も径5mmほどの内部に凹凸変化のない0-Ⅱaであることから粘膜内癌と診断できる．

選択肢解説

a．本病変は隆起性病変であり，びらんとの鑑別を要する陥凹病変ではない．またびらんの内視鏡像はその境界が不明瞭化し，内部構造が整っている．そのため本症例はびらんではないと判断できる．（×）

b．MALTリンパ腫の内視鏡像は多彩であり，Ⅱc様の陥凹病変を呈する場合もあるが，本症例のようなⅡa様形態となる腫瘤形成型も存在する．Ⅱaと鑑別が困難な病変も存在するがMALTリンパ腫には異常小血管を認識する症例が多く，鑑別が可能となる場合がある．本症例は高分化型腺癌に特徴的なネットワークを形成する不整な微小血管の存在から鑑別ができる．（×）

c．カルチノイドは粘膜深部領域での腫瘍性増殖によるため，非腫瘍性上皮に覆われた粘膜下腫瘍様形態をとることが多い．また中心に拡張した血管が観察できることもあり鑑別に使用できる．本症例は境界明瞭な上皮性腫瘍と診断できる内視鏡画像からカルチノイドと鑑別が可能である．（×）

d．NBI拡大（弱拡大，強拡大）画像から全周性に境界明瞭な病変で，ネットワークを形成する不整な微小血管を認めることから高分化型腺癌と診断できる．また径5mmの周囲粘膜と同色調の凹凸のない扁平隆起病変であることから粘膜内癌と診断できる．（○）

e．dの説明の通り，高分化型腺癌との診断になるが，白色光の肉眼型所見からSM浸潤はないと判断できる．（×）

以上より，正解はd．となる．（**解答 d.**）

〈小田島慎也〉

問題 11 (2015年度出題)

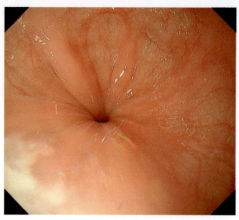

図

30歳の女性．食道胃接合部の内視鏡像を示す（図）．正しいのはどれか．<u>2つ選べ</u>．

a．気管支喘息の原因となる．
b．食道癌のハイリスクである．
c．ロサンゼルス分類 grade B である．
d．β受容体拮抗薬が有効である．
e．食道バルーン拡張の適応である．

解説

　内視鏡像から疾患名を問い，その後その疾患についての知識を問う問題である．内視鏡像は食道胃接合部を示している．全体の柵状血管は観察されず，狭小部への全周性の襞集中像（esophageal rosette）が観察され食道アカラシアの典型的な内視鏡像である．全体像が不明だが残渣も存在するようにみえる．逆流性食道炎に特徴的な粘膜障害は認められず，食道裂孔ヘルニアの所見もないため，診断は容易であろう．2012年6月に改訂された日本食道学会編『食道アカラシア取扱い規約第4版』における上部消化管内視鏡による診断項目として，食道内腔の拡張，食物残渣や液体の貯留，食道粘膜の白色化・肥厚，食道胃接合部の機能的狭窄（送気では開大しないが，スコープは通過．胃内反転による巻き付き，めくれ込みを生じる），食道の異常収縮波の出現が挙げられている．前述の esophageal rosette は取扱い規約上，食道アカラシアを示唆する参考所見として記載されている．

選択肢解説

a．気管支喘息はアレルゲンを特定できない非アトピー性であるが，過労，ストレス，逆流性食道炎で誘発されることもある．食道アカラシアとの関連は報告されていない．（×）
b．食道アカラシアは，食道扁平上皮癌のリスク因子である．（○）
c．ロサンゼルス分類は逆流性食道炎の粘膜障害に関する分類である．（×）
d．食道アカラシアの内科的治療としてカルシウム拮抗薬や亜硝酸剤が挙げられる．これらは LES 圧低下作用を有し，嚥下時つかえ感，食道内貯留液の口腔内逆流，胸痛などの自覚症状を改善しうる．いずれの薬剤も，初回の

症状改善率は50〜90％と報告されているが，長期投与により耐性が生じ効果が減弱する．β作動薬やphosphodiesterase阻害薬，テオフィリン製剤もLES圧を低下する作用を有するが，臨床的有用性は不明である．（×）

e．内科的治療が奏効しない場合はボツリヌス毒素注入療法，内視鏡的バルーン拡張術，内視鏡的筋層切開術（POEM），Heller-Dor手術が適応となる．内視鏡的バルーン拡張術は，症状再発がみられることが多くバルーン拡張術を施行した患者の19％の症例で，その後に手術などほかの治療が必要になったと報告されている．（○）

以上より，正解はb．e．となる．（**解答 b．e．**）

〈吉田　寛〉

問題 12 (2015年度出題)

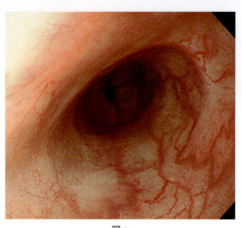
図 a

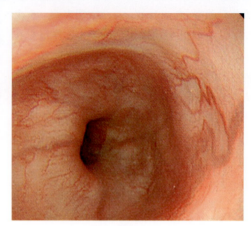
図 b

63歳の女性．3年前に食道静脈瘤硬化療法を施行されている．経過観察の内視鏡で図a, bに示す所見がみられた．適切な記載はどれか．

- a．Li, F1, Cb, RC3, Te
- b．Li, F1, Cb, RC0
- c．Li, F0, RC0, Te
- d．Li, F0, RC1, Te
- e．Li, F0, RC1, S, Te

解説

食道静脈瘤硬化療法後の内視鏡所見を問う問題である．食道静脈瘤内視鏡所見の記載項目は，占居部位(location：L)，形態(form：F)，色調(color：C)，発赤所見(red color sign：RC)，出血所見(bleeding sign：BS)，粘膜所見(mucosal findings：MF)が重要である．

Liは静脈瘤の占居部位が食道下部(inferior：i)に限局しているものであり，すべての選択肢にLiの記載があり占居部位は共通している．ガイドライン(**表1**)に定義されている．

選択肢解説

a．硬化療法後の所見で，静脈瘤の再発はみられず静脈瘤の形態がみられずF0と記載すべきである．よってF1, Cb, RC3の記載は当てはまらない．（×）

b．aの記載と同様で，F1, Cb, RC0の記載は当てはまらない．（×）

c．静脈瘤の形態はみられずF0である．発赤所見(red color sign：RC)はミミズ腫れ(red wale marking：RWM)，チェリーレッドスポット(cherry red spot：CRS)，血マメ(hematocystic spot：HCS)である．本症例の発赤はRCではなく，telangiectasia(Te)である．よって本症例の内視鏡所見はLi, F0, RC0, Teの記載が正しい．（○）

d．RC1ではなくRC0が正しい．（×）

e．粘膜所見に瘢痕(scar：S)は認めない．（×）

以上より，正解はc．となる．（**解答 c．**）

〈吉田　寛〉

表1 食道・胃静脈瘤内視鏡所見記載基準

	食道静脈瘤(EV)	胃静脈瘤(GV)
占居部位 (location) [L]	Ls：上部食道にまで認められる Lm：中部食道にまで認められる Li：下部食道のみに限局	Lg-c：噴門部に限局 Lg-cf：噴門部から穹窿部に連なる Lg-f：穹窿部に限局 (注)胃体部にみられるものはLg-b，幽門前庭部にみられるのはLg-aと記載する．
形態(form) [F]	F0：治療後に静脈瘤が認められなくなったもの F1：直線的で比較的細い静脈瘤 F2：連珠状の中等度の静脈瘤 F3：結節状あるいは腫瘤状の静脈瘤	食道静脈瘤の記載法に準じる
	(注)治療後の経過中にred vein，blue veinが認められても静脈瘤の形態を成していないものはF0とする．	
色調(color) [C]	Cw：白色静脈瘤 Cb：青色静脈瘤	食道静脈瘤の記載法に準じる
	(注) i)静脈瘤内圧が高まって緊満した場合は青色静脈瘤が紫色・赤紫色になることがあり，その時はviolet (v)を付記してCbvと記載してもよい． ii)血栓化された静脈瘤は，Cw-Th(white cordともいう)，Cb-Th(bronze varicesともいう)と付記する．	
発赤所見 (red color sign) [RC]	RCにはミミズ腫れred wale marking [RWM]，チェリーレッドスポットcherry red spot [CRS]，血マメhematocystic spot [HCS] の3つがある．	
	RC0：発赤所見を全く認めない RC1：限局性に少数認めるもの RC2：RC1とRC3の間 RC3：全周性に多数認めるもの	RC0：発赤所見をまったく認められない RC1：RWM，CRS，HCSのいずれかが認められる
	(注) i)telangiectasiaがある場合はTeを付記する． ii)RCの内容(RWM，CRS，HCS)はRCの後に付記する． iii)F0でもRCが認められるものはRC1-3で表現する．	(注)胃静脈瘤ではRCの程度分類を行わない
出血所見 (bleeding sign) [BS]	a)出血中所見 　湧出性出血 gushing bleeding 　噴出性出血 spurting bleeding 　滲出性出血(にじみ出る) oozing bleeding b)止血後間もない時期の所見 　赤色栓 red plug 　白色栓 white plug	食道静脈瘤の記載法に準じる (注)血栓付着のない破裂部もある
粘膜所見 (mucosal finding) [MF]	びらん(erosion) [E]：認めればEを付記する． 潰瘍(ulcer) [Ul]：認めればUlを付記する． 瘢痕(scar) [S]：認めればSを付記する．	食道静脈瘤の記載法に準じる

〔日本門脈圧亢進症学会(編)：門脈圧亢進症取扱い規約 第3版．金原出版，37-39，2013より作成〕

問題 13 (2015年度出題)

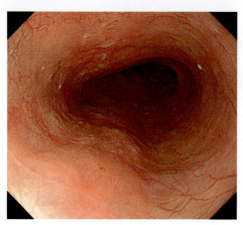

図 a

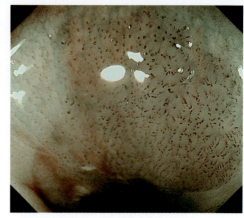

図 b

70歳の男性．食事中のつかえ感を訴えて受診．通常内視鏡像（図 a）と NBI 併用拡大内視鏡像（図 b）を示す．最も適切な治療はどれか．

- a．プロトンポンプ阻害薬による治療
- b．内視鏡的粘膜下層剥離術（ESD）
- c．内視鏡下筋層切開術
- d．外科的手術
- e．化学放射線療法

解説

食道の通常観察および NBI（narrow band imaging）観察所見から早期食道癌の診断と治療法について問う問題である．正常食道は，通常観察で光沢と透明感があり樹枝状血管網が透見される．病変を疑う所見としては，食道粘膜の発赤や白濁，透明感の消失やざらつき感，樹枝状血管網の消失，白色調の低い隆起，軽度の凹凸不整や浅い陥凹所見などが挙げられる．

通常内視鏡像（図 a）では，胸部中部食道の後壁から左前壁側に及ぶ範囲で樹枝状血管網の消失と発赤を伴う浅い陥凹面を認める．陥凹面に微細な顆粒状変化を認めるも，目立つ結節隆起や陥凹，凹凸不整の所見は認めない．通常観察からは粘膜内にとどまる早期食道癌が疑われる所見である．NBI 併用拡大内視鏡像（図 b）では，同部が brownish area として観察される．提示の内視鏡像は弱拡大であるが，「拡張・蛇行・口径不同・形状不均一のすべてを示すループ様の異常血管」に相当する type B1 であり，それらが連続する細かな網目状の所見も観察される．type B1 は深達度が T1a-EP/LPM の扁平上皮癌でみられる所見である．ヨード染色を行えば同部は辺縁不整な領域をもつ辺縁不整な不染帯となり，病巣の範囲診断をより正確に行うことができる．内視鏡所見による診断は T1a-EP/LPM の早期食道癌であり，第1選択の治療法は内視鏡的切除術である．

選択肢解説

a．内視鏡治療前に食道炎が目立つ早期の Barrett 食道腺癌や下部食道の扁平上皮癌症例に対しプロトンポンプ阻害薬が投与されることはある．しかし，プロトンポンプ阻害薬

による治療は，逆流性食道炎に対して行われる治療である．（×）

b．深達度がT1a-EP/LPMの早期食道癌ではリンパ節転移のリスクがきわめて低く内視鏡的切除術が第1選択の治療法である．病巣の大きさにより内視鏡的粘膜切除術（EMR）や内視鏡的粘膜下層剝離術（ESD）が選択され施行される．（○）

c．経口内視鏡的筋層切開術（per-oral endoscopic myotomy：POEM）は，井上らが開発した食道アカラシアに対する内視鏡手術で食道内腔より行う手法である．中部食道から胃噴門側に向けて粘膜下層トンネルを作成して内輪状筋（約食道：10 cm，胃：2 cm）の切開が行われる．（×）

d．食道癌に対する外科手術は通常，リンパ節転移リスクのあるT1b食道癌（stage Ⅰ）または遠隔臓器転移のない進行食道癌（stage Ⅱ/Ⅲ）に対して行われる．（×）

e．化学放射線療法は，通常，外科切除が困難な局所浸潤進行癌で遠隔臓器転移のない症例に対して行われる．（×）

以上より，正解はb．となる．（**解答 b.**）

〈島田英雄〉

問題 14 (2015年度出題)

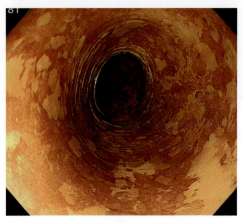

図

70歳の男性．少量の飲酒で顔が赤くなる体質がある．飲酒歴：焼酎2合/日．喫煙歴なし．2年前に胸部中部食道の20 mm大IIcに対して，ESDが施行された．経過観察のために行った内視鏡を図に示す．正しいのはどれか．2つ選べ．

- a．定期的な上部消化管内視鏡が必要である．
- b．頭頸部癌の発生に注意が必要である．
- c．ヨード不染となっている病変は，すべて癌である．
- d．外科的手術が必要である．
- e．放射線治療が必要である．

解説

　食道癌ハイリスク群における食道癌の内視鏡的切除術後の経過観察法を問う問題である．食道癌の代表的ハイリスク群として55歳以上の男性，飲酒，喫煙などが挙げられる．飲酒に関しては，大酒家，濃度が高い酒を飲む習慣，アルコール依存症などが問題となる．飲酒と発癌リスクに関しては，アルコール代謝酵素の遺伝子型との関連が明らかにされている．ALDH2（aldehyde dehydrogenase 2）はアセトアルデヒドの代謝酵素であり，ALDH2の欠損者は少量の飲酒で顔が赤くなる体質（フラッシャー）となる．ALDH2欠損と多量飲酒は同時性・異時性の食道・頭頸部領域におけるField cancerizationの重要なリスク因子となる．食道癌症例では多発癌症例も多く，また頭頸部癌の重複では特に咽頭癌の合併が多い．頭頸部癌を重複しやすい食道癌症例の背景粘膜にはヨード染色を行うと特徴的所見がある．ヨード染色で染色性の異なる小型の多発するヨード不染帯や淡染域を有することが多く，多発ヨード不染食道や"まだら食道"と呼称される．これら多発するヨード不染，淡染部の病理所見に関しては，そのすべてが食道癌ではなく，上皮内腫瘍性病変（intraepithelial neoplasia），炎症，粘膜肥厚，びらんなどが含まれる．大きさに関しては，5 mm以上の明瞭なヨード不染で，ヨード染色後しばらくして不染部がピンク色を呈するpink color sign（PC sign）を認めれば癌の可能性がきわめて高い．病巣形態を損なわないように病巣の中央から生検し病理診断を行う．このような，高率に発癌リスクを有する食道に対する適切な経過観察法，対処

法また根治的治療法などに関する結論は出ていない．現況においては，早期癌のうちに発見し内視鏡的治療で対処するのが適切と思われる．そのためにもハイリスク群では，画像強調法やヨード染色を併用した咽頭・喉頭領域を含む，定期的な上部消化管の内視鏡検査は重要である．

選択肢解説

a．既往歴や病歴また経過観察の内視鏡所見からも食道癌のハイリスク群に発症した食道癌症例である．異時多発癌や重複癌の早期発見の観点からも定期的な上部消化管内視鏡検査が必要である．（○）

b．本症例は多発ヨード不染食道，いわゆる"まだら食道"に発生した食道癌であるため頭頸部癌の高危険群である．そのため頭頸部領域，特に咽頭領域の癌発生に注意しての検査が必要である．頭頸部領域は，ヨード染色が困難なため，画像強調法による観察は早期癌が発見に有用である．（○）

c．ヨード染色で不染となる病変のすべてが癌ではない．癌を強く疑う病巣は5 mm以上の明らかな不染帯でpink color sign（PC sign）を呈する病変である．（×）

d．ヨード不染病巣が癌であっても，大半は早期癌で内視鏡的治療で対応できる．外科手術の適応はない．（×）

e．癌と診断されたヨード不染病巣は，通常，内視鏡的治療で対応できる．放射線治療の必要はない．（×）

以上より，正解はa．b．となる．（**解答 a．b．**）

〈島田英雄〉

問題 15　　　　　　　　　　　　　　　　　　　　　　　　　　　　（2015 年度出題）

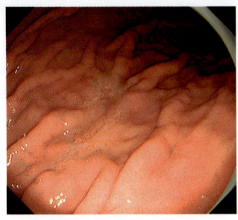
図 a

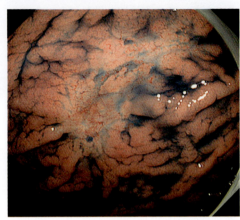
図 b

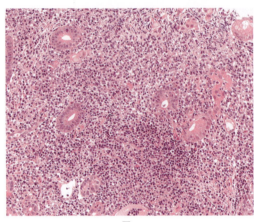
図 c

69 歳の男性．検診異常を主訴に外来受診．上部消化管内視鏡像（図 a，b）と生検組織像（図 c）を示す．本疾患の治療方針として適切なのはどれか．<u>2 つ選べ</u>．

- a．経過観察
- b．*Helicobacter pylori* 除菌療法
- c．内視鏡的粘膜切除術（EMR）
- d．放射線療法
- e．外科的手術

解説

　内視鏡像ならびに生検組織像から疾患名を問い，治療方針を問う問題である．**図 a** では，胃体部大彎に，やや陥凹した不整な粘膜面がみら れ，同部への粘膜襞の集中と途絶所見を認める．しかし，陥凹の辺縁には蚕食像を認めず，境界も不明瞭なことから，0-Ⅱc 型早期胃癌としては典型的ではない．インジゴカルミン散布の**図 b** の内視鏡像では，陥凹面は褐色調を呈しているが，

やはり境界は不明瞭である．ここまでの所見から，鑑別診断として，胃MALTリンパ腫，0-Ⅱc型未分化型早期胃癌，サルコイドーシスの胃病変，限局した萎縮粘膜，などが挙げられる．内視鏡所見とともに病理組織学的所見が重要であり，**図c**の生検組織像で，類円形から多角形のリンパ球がびまん性に浸潤している所見とともに，腺管への浸潤像であるlymphoepithelial lesionがみられる．以上の所見から，胃MALTリンパ腫と診断される．

選択肢解説

a．胃MALTリンパ腫は，悪性リンパ腫の中では，進行が緩徐であるとされている．しかし，進行した場合，全身疾患となる場合がある．また，びまん性大細胞型B細胞リンパ腫へ移行する症例も報告されている．したがって，全身状態が落ち着いている胃MALTリンパ腫症例では，経過観察ではなく，治療の介入が必要である．（×）

b．胃MALTリンパ腫の約90％は，*Helicobacter pylori*（*H. pylori*）感染による慢性胃炎が関与している．また，*H. pylori*除菌治療により70〜90％の症例では寛解に至る．本症例の内視鏡画像から*H. pylori*感染は明らかでないが，感染例では第一選択の治療となる．また，*H. pylori*陰性例でも*H. pylori*除菌治療で治癒をする例も報告されており，治療の低侵襲性や低コストからも，胃MALTリンパ腫の治療は，*H. pylori*除菌治療が第1選択となっている．（○）

c．本症例の胃MALTリンパ腫の深達度は，粘膜内から粘膜下層の浅い層までと推測される．したがって，EMRでの切除は可能であるかもしれない．しかし，境界が不明瞭であること，多発する場合があること，などから，EMRは推奨される治療法ではない．また，大きさが2cm以上であると思われ，EMRでは分割切除となってしまう．胃MALTリンパ腫の診断は鉗子生検での小さな検体では難しい場合があり，その場合の検体採取の手段としてEMRを行うことは許容されるが，診断的治療としても，EMR単独では推奨できない．（×）

d．*H. pylori*未感染例や*API2-MALT*キメラ遺伝子を有する場合，深達度が粘膜下層深層以深である場合には，*H. pylori*除菌治療で寛解をしない症例がある．その場合の二次治療の標準治療は確立されていないが，放射線治療やリツキシマブ抗体療法が施行されている．放射線治療の場合，通常30 Gyの照射で寛解を期待できる．（○）

e．以前は，胃悪性リンパ腫の治療法は，2群リンパ節郭清を伴う胃全摘術が選択されていた．しかし，近年は胃温存治療が主流であり，胃MALTリンパ腫では巨大で穿孔を伴うような場合以外は，手術を施行すべきではない．（×）

以上より，正解はb．d．となる．（**解答 b．d．**）

〈引地拓人〉

問題 16 (2015年度出題)

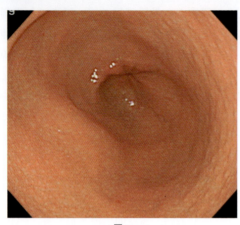
図 a

図 b

内視鏡像を示す（図 a, b）．この所見について正しいのはどれか．

- a．高齢者の女性に多い．
- b．組織学的にはリンパ濾胞の過形成や腫大を認める．
- c．*Helicobacter pylori* 除菌治療は無効である．
- d．分化型胃癌を高率に合併する．
- e．リンパ腫を高率に合併する．

解説

内視鏡像から疾患名を問い，その疾患についての知識を問う問題である．図 a の白色光観察では，胃前庭部に，大きさが均一な顆粒状から結節状の隆起が存在しており，その分布も均一である．図 b はインジゴカルミン散布像であるが，白色光観察でみられた隆起がより明瞭に観察されている．これらの所見は，毛をむしりとった後の鳥（鶏）の皮膚に似ていることから，「鳥肌胃炎」と呼称されている．鳥肌胃炎の本態は，粘膜表層に位置するリンパ濾胞の増生であるが，*Helicobacter pylori*（*H. pylori*）の初感染によって起こる過剰な免疫応答であるとされている．そのほかの内視鏡所見の特徴として，1つひとつの結節の頂部には陥凹した白色斑点がみられる点が必須であるとされている．内視鏡所見上，腸上皮化生と混同される場合があるが，この白色斑点のほかに，隆起の大きさがほぼ均等であること，隆起と隆起が癒合しないこと，背景に高度な萎縮性胃炎を伴わないことが鑑別点である．

選択肢解説

- a．鳥肌胃炎は，*H. pylori* 感染陽性の小児や若年者に好発する胃炎の一形態である．女性に多いとされるが，高齢者でみられることは多くない．（×）
- b．鳥肌胃炎の病理組織学的所見は，粘膜表層に位置するリンパ濾胞の増生である．そのため，「濾胞性胃炎」とも呼ばれている．（○）
- c．*H. pylori* 感染者に生じる胃炎の一形態であるため，除菌治療が有効である．除菌により，結節所見が経時的に消失する．後述する若年者胃癌の高リスク群ともされており，積極的に除菌治療を施行することが望ましい．また，除菌後も経時的に内視鏡検査を行い，

除菌後胃癌の発生に注意する必要がある．（×）
d．鳥肌胃炎は，分化型胃癌よりも，若年者に発生する未分化型胃癌の発生母地として注目されている．（×）
e．鳥肌胃炎はリンパ濾胞の過形成や腫大が本態であるが，胃MALTリンパ腫などのリンパ腫が合併しやすいというデータはない．胃MALTリンパ腫は，高度な萎縮性胃炎の症例で発症する場合がある．（×）

以上より，正解はb. となる．（**解答 b.**）

〈引地拓人〉

問題 17 (2016年度出題)

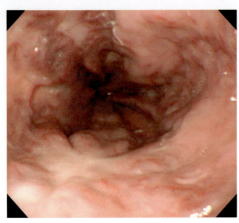
図 a

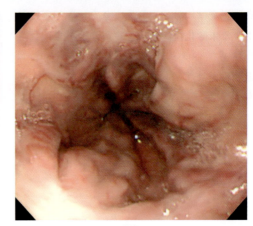
図 b

42歳の男性．食道静脈瘤の治療目的に紹介された．食道内視鏡像を示す（図 a，b）．正しいのはどれか．2つ選べ．

- a．Red color sign 陽性
- b．F1
- c．赤色栓
- d．瘢痕
- e．Cw

解説

食道静脈瘤の内視鏡所見についての問題である．食道静脈瘤では通常，『門脈圧亢進症取扱い規約 第3版』の食道・胃静脈瘤内視鏡所見記載基準（→p49，**表1**参照）を用いて，静脈瘤の程度を評価し所見として記載する．占居部位（location：L），形態（form：F），色調（color：C），発赤所見（red color sign：RC），出血所見（bleeding sign：BS），粘膜所見（mucosal findings：MF）の6つの項目があり，その知識が問われている．

また超音波内視鏡（EUS）診断や3次元CT（3D-CT）angiographyが食道・胃壁内外の門脈血行動態を把握するうえで有用な検査である．

臨床現場で静脈瘤に遭遇した場合，正確な内視鏡所見から的確な方針を決定することが，重要である．破裂による突然の大量出血のみが静脈瘤の症状であるため，出血時の確実な緊急止血処置が要求される．また出血危険因子を伴う静脈瘤に対して待機的な出血予防治療のタイミングを誤ってはならない．

治療適応は，①出血所見を認める静脈瘤，すなわち，活動性出血およびフィブリン栓を認める症例，②出血既往のある静脈瘤，③非出血例でも静脈瘤形態F2以上もしくはRC2以上は出血のリスクがあり，予防的治療の適応である．

治療には主に，内視鏡的硬化療法（EIS）や内視鏡的静脈瘤結紮術（EVL）が用いられる．EISは静脈瘤消失が期待できる最も有効な方法である一方で技術難易度が比較的高く，高度肝障害や腎機能障害など全身状態によっては禁忌となる．EVLは手技も簡便で合併症も少ないため出血時の緊急止血法として有用であるが，供血路塞栓効果が少なくEVL単独では静脈瘤が再発しやすい傾向が

ある．そのため症例により治療法を選択，必要に応じて併用する必要がある．

選択肢解説

a．Red color sign（発赤所見 RC）は，静脈瘤を覆う粘膜が赤色調に変化した所見であり，最も重要な出血危険因子である．ミミズ腫れ（red wale marking：RWM），チェリーレッドスポット（cherry red spot：CRS），血マメ（hematocystic spot：HCS）の3つの所見がある．この画像では，多発するミミズ腫れ所見を認める．（○）

b．形態としては，直線的で細い F1 よりも太く，また結節状または腫瘤状をあらわす F3 ほどではない．F2 と記載される所見である．（×）

c．赤色栓（red plug）は赤色調のフィブリン栓で，止血直後から 2 日後にかけて観察される．この所見を認めた場合には再出血のリスクがあり，直ちに予防的治療が必要である．この画像では認められない．（×）

d．7 時方向に白色の瘢痕を認める．瘢痕の存在は，EVL など以前の静脈瘤治療の既往を表す．（○）

e．色調は Cw：白色あるいは Cb：青色で表される．この画像の静脈瘤では白色とはいえず，Cb である．このようにやや赤紫色がかっている場合には violet（v）を付記して Cbv と記載することもある．（×）

以上より，正解は a．d．となる．（**解答 a．d.**）

〈和田友則〉

問題 18 (2016年度出題)

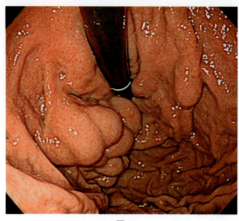

図

48歳の男性．人間ドックで施行した胃内視鏡像を示す（図）．内視鏡所見として正しいのはどれか．

a．Lg-c, F1, Cw, RC0
b．Lg-cf, F1, Cw, RC0
c．Lg-cf, F2, Cw, RC0
d．Lg-f, F1, Cw, RC0
e．Lg-f, F2, Cw, RC0

解説

内視鏡像は噴門部〜穹窿部に連続して正常粘膜に覆われた粘膜下腫瘍様の隆起を認める典型的な胃静脈瘤の所見であり，その記載を問う問題である．

胃静脈瘤は食道と同様に，『門脈圧亢進症取扱い規約 第3版』の記載基準に基づいて記載する．占居部位に関しては，Lg-c（噴門部に限局），Lg-cf（噴門部から穹窿部に連なる），Lg-f（穹窿部に限局）に主として分類される．形態，色調，出血所見，粘膜所見に関しては，食道静脈瘤の記載法に準ずる．発赤所見に関しては，食道ではRC0〜3に分類されるが，胃ではRC0またはRC1である．予防的治療適応として静脈瘤上に発赤所見（RC sign）または潰瘍やびらんを伴うもの，緊満感のある大きな形態（F2・F3）や急速な増大傾向を示すものである．

占居部位により血行動態が異なるため，治療法は占居部位により異なる．供血路はLg-cでは左胃静脈，Lg-cfでは後胃および短胃静脈，Lg-fでは短胃静脈が主である．

Lg-cは食道静脈瘤と交通しているため，食道静脈瘤に対しての食道静脈瘤硬化療法（EIS）で静脈瘤の消失が得られる．Lg-fでは食道静脈瘤との交通が少なく胃腎短絡路を有するため，シアノアクリレート（CA）系薬剤を直接胃静脈瘤に注入する内視鏡的塞栓療法が選択される．CA系薬剤はいわゆる組織瞬間性接着剤できわめて効果的な方法であるが，肺塞栓などの合併症に注意を要する．

巨大な胃腎短絡路を伴うLg-fには，バルーン閉塞下逆行性経静脈的塞栓法（balloon-occluded retrograde transvenous obliteration：B-RTO）が

適応とされる．B-RTO は，大静脈系にカテーテルを挿入し，排血路である胃腎シャントをバルーンで閉塞したうえで，逆行性に硬化剤を注入する治療法である．

経頸静脈的肝内門脈静脈短絡術（transjugular intrahepatic portosystemic shunt：TIPS）は，経皮的に肝内の門脈枝〜肝静脈との間に人工的に短絡路を形成し，門脈圧を下げる治療法であり，主としてほかの方法で治療困難な場合に選択されることがある．

胃静脈瘤に対する EVL は，結紮部潰瘍から術後早期に出血をきたす危険性があるため，通常は行わない．救命のための一時的な止血目的で行うことはある．

選択肢解説

a．静脈瘤の占居部位は噴門部には限局しておらず，穹窿部に連なっている．また，形態も F1 とするほど細くはない．（×）
b．上記と同様に，形態は F1 より太く，F2 と考えられる．（×）
c．噴門部から穹窿部までとする占居部位，形態 F2 とも図に合致する．また，色調も白く，RC sign 陰性と考えられる．（○）
d．占居部位が穹窿部に限局しておらず，また形態も F1 ではない．（×）
e．上記と同様に，占居部位は穹窿部に限局してはいない．（×）

以上より，正解は c. となる．（**解答 c.**）

〈和田友則〉

問題 19 （2016 年度出題）

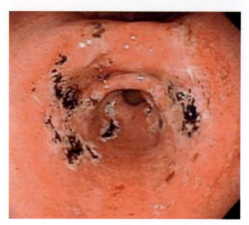

図

24歳の男性．突然の上腹部痛があり精査目的に上部消化管内視鏡を施行した．胃内視鏡像を示す（図）．正しいのはどれか．

a．高齢者に多い．
b．*Helicobacter pylori* 感染は原因とはならない．
c．再燃することが多い．
d．プロトンポンプ阻害薬による治療が奏効する．
e．癌化の頻度が高い．

解説

　病歴・内視鏡像から疾患名を診断し，その疾患についての知識を問う問題である．内視鏡は，胃角から前庭部を観察している像であり，前壁後壁を中心とする広い範囲に凝血塊が付着しているびらんが多発しており，胃角付近を中心に浮腫状の粘膜所見を認める．経過をみると急性発症を示唆しており，内視鏡像と合わせて，急性胃粘膜病変（acute gastric mucosal lesion：AGML）と診断できる．AGML は，複雑かつ多彩な臨床像・病態生理をもつ疾患であるため明確な定義がないが，突然の上腹部痛・悪心嘔吐，吐下血で発症し，内視鏡上に胃・十二指腸に急性胃炎，びらん，潰瘍を観察できる急性疾患である（粘膜を越えて潰瘍を形成することもあることから，「粘膜」を除いた急性胃病変（acute gastric lesion：AGL）とも呼ばれる）．疼痛は非常に強い場合もあり，急性腹症として搬送されてくるなど救急診療でも遭遇する可能性のある疾患である．

　原因としては，NSAIDs などの薬剤，アニサキスや *Helicobacter pylori*（*H. pylori*）などによる感染のほかに，精神的・肉体的ストレス，刺激物などの多量摂取，全身疾患の増悪などが原因として考えられている．

　AGML の治療は，原因と思われる因子を除去することが第 1 ではあるが，通常の胃・十二指腸潰瘍と同様に H_2 受容体拮抗薬，PPI が著効することが多い．また診断時に出血をきたしている場合は内視鏡止血術を要する場合もある．AGMLは治療が著効すれば改善も速やかであり，予後良好な疾患である．またその要因を除去すれば再発は少ないとされる．

> 選択肢解説

a．AGMLの好発年齢を問う設問である．AGMLは40～50歳代の男性に多いとされており，高齢者に少ない．（×）

b．AGMLの原因についての知識を問う設問である．H. pyloriは上記のようにAGMLの原因の1つと考えられており，特にH. pyloriの急性感染によってAGMLが発症することがある．（×）

c．AGMLの再発の有無に関する知識を問う設問である．上記のようにAGMLは，その要因を除去すれば再発は少ないとされている．（×）

d．AGMLの治療に対する知識を問う設問である．AGMLの治療は上記のように，①原因の除去，②PPI，H_2受容体拮抗薬による薬物療法，の2つが基本である．（○）

e．AGMLの治療後の経過に関する知識を問う設問である．上記のようにAGMLは治療が著効すれば速やかに改善する予後良好な疾患である．急性胃炎・潰瘍は胃癌の発症リスクではなく，AGMLが胃癌のリスクであるとする報告はない．（×）

以上より，正解はd．となる．（**解答 d.**）

〈小田島慎也〉

問題 20 （2016年度出題）

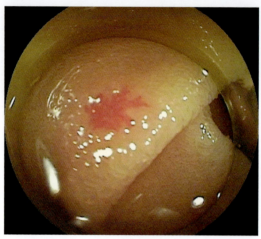

図

65歳の男性．自覚症状なし．貧血（Hb 7.1 g/dL）を認め，消化管出血を疑われた．上下部消化管内視鏡，腹部造影CTにて出血源を認めなかった．小腸内視鏡像を示す（図）．本疾患の治療方針として適切なのはどれか．

- a．経過観察
- b．プロトンポンプ阻害薬
- c．小腸内視鏡による止血術
- d．IVR（Interventional Radiology）
- e．外科的手術

解説

病歴・内視鏡像から疾患名を診断し，患者の経過等からその疾患に対する適切な治療法を判断させる問題である．症例は65歳の男性で，自覚症状なしと記載されていることから，腹痛や明らかな吐下血，血便はなしと考えられる．Hb 7.1 g/dLと明らかな貧血を認め，消化管出血を疑われたと記載があることから，鉄欠乏性貧血と診断されていることが予想される．基礎疾患・自覚症状のない男性の鉄欠乏性貧血では，まずは胃・十二指腸潰瘍や胃癌，大腸癌を念頭に置いて検査を進めていく必要があり，本症例でも上下部消化管内視鏡を施行し，これらの疾患の否定をしている．

食道・胃・十二指腸，大腸疾患が否定された男性の鉄欠乏性貧血症例で次に考慮していく必要があるのが小腸疾患である．粗大な小腸疾患であればCTなどで認識できる場合もあるが，本症例は指摘できておらず，次に行うべき検査としてはカプセル内視鏡とバルーン内視鏡に代表される小腸内視鏡検査である．

本症例はダブルバルーン内視鏡検査を行い，設問の内視鏡画像が得られている．内視鏡像は正常な小腸粘膜の中に5 mmほどの表面平滑で平坦な境界明瞭な鮮紅色領域を認め，小血管異形成に特徴的な画像所見である．

治療法としては，内視鏡による焼灼・凝固術，硬化療法，クリップ止血術や，内視鏡止血が困難な場合には動脈塞栓術に代表されるIVRが挙げられる．これらが無効な場合は外科手術を考慮する場合もある．

選択肢解説

a．本症例は Hb 7.1 g/dL の貧血を認めており，65歳という年齢も考慮すると加療すべき病変と考えられる．高齢の基礎疾患のある方であれば鉄剤投与などで経過観察も考慮されるが，本症例では適切ではない．（×）
b．血管異形成に対して効果的な薬物療法はない．（×）
c．上記のように小腸の血管異形成は内視鏡止血術のよい適応である．（〇）
d．上記のように IVR は小腸血管異形成の治療選択に入る治療法であるが，本症例の画像において，活動性出血は認めていない．そのため IVR を行う際に出血点の認識が困難であり，その有効性は内視鏡止血術に劣るため本疾患の治療方針としては不適切である．（×）
e．上記のように，内視鏡的止血術や IVR などの処置で止血困難な病変の場合外科手術を考慮する場合はあるが，本症例において外科手術が第1選択となることはない．（×）

以上より，正解は c. である．（**解答 c.**）

〈小田島慎也〉

問題 21 (2016年度出題)

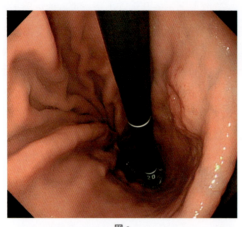

図a　　　　　　　　　　　図b

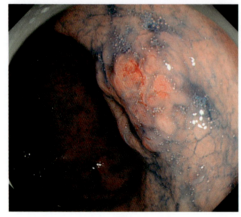

図c　　　　　　　　　　　図d

70歳の女性．内視鏡像とインジゴカルミンによる色素内視鏡像，超音波内視鏡像を示す（図a，b，c，d）．最も適切な治療として正しいのはどれか．

- a．プロトンポンプ阻害薬による薬物療法
- b．ESD
- c．アルゴンプラズマ凝固法（APC）
- d．外科的手術
- e．化学放射線療法

解説

内視鏡像と超音波内視鏡像から疾患を診断し，治療法として適切なものを選択する問題である．

図a，bでは胃体部小彎にbridging foldを伴う粘膜隆起性病変を認め，頂部に潰瘍形成を伴っている．図cの色素内視鏡所見では境界は不明瞭であり，一部発赤を認めている．図dの超音波内

視鏡所見では，第4層から連続した辺縁不整な低エコー腫瘤として描出されている．以上の所見より，悪性の胃 GIST（gastrointestinal stromal tumor）が最も考えられる．

> 選択肢解説

a. プロトンポンプ阻害薬投与は，胃潰瘍，十二指腸潰瘍，吻合部潰瘍，Zollinger-Ellison 症候群，逆流性食道炎などに対して行われる．（×）

b. 内視鏡的粘膜下層剥離術（ESD）は早期癌の根治的一括切除を期待できる内視鏡的治療法であり，早期胃癌を対象として急速に普及している．その適応に関しては日本胃癌学会編『胃癌治療ガイドライン 2018 年 1 月改訂 第 5 版』で示されている．（×）

c. アルゴンプラズマ凝固法（APC）はイオン化されたアルゴンガスを利用した非接触型高周波凝固法である．出血点が不明瞭な静脈性，漏出性出血病変の内視鏡的止血術に使用されるほか，表層性のびまん性出血，毛細血管拡張症に対する焼灼凝固目的，食道静脈瘤治療の地固め目的などに施行される．内視鏡的粘膜切除術（EMR）や ESD に際しての追加焼灼目的の補助的治療として施行されることもある．切除標本の得られない腫瘍焼灼療法であり，根治的治療として選択されない．（×）

d. 日本癌治療学会・日本胃癌学会・GIST 研究会編『GIST 診療ガイドライン 2014 年 4 月改訂 第 3 版』において，切除可能な原発 GIST 治療の第 1 選択は外科治療であるとされている．切除可能な GIST の治療の原則は，肉眼的断端陰性の完全切除であり，偽被膜を損傷することなく外科的に安全な切除断端を確保し完全に切除することが必要である．リンパ節の郭清はリンパ節転移が疑われる場合や明らかなリンパ節転移が証明された場合以外は推奨されない．原則として臓器や臓器機能の温存を目指した部分切除が推奨される．本症例は外科的切除が第 1 選択である．（○）

e. GIST に対し化学放射線療法はエビデンスがない．（×）

以上より，正解は d. となる．（**解答 d.**）

〈吉田　寛〉

問題 22 （2016 年度出題）

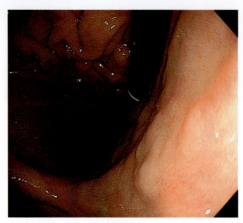
図 a

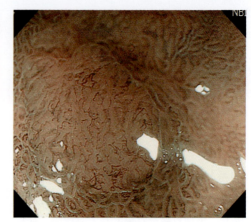
図 b

60 歳の男性．検診で施行した胃内視鏡像を示す（図 a，b）．正しいのはどれか．

- a．腸上皮化生
- b．腺腫
- c．MALT リンパ腫
- d．カルチノイド
- e．粘膜内癌

解説

通常内視鏡像と NBI（narrow band imaging）観察像から疾患を診断する問題である．**図 a** では前庭部後壁に発赤調の扁平隆起病変を認める．**図 b** では個々の微小血管の形態は，開放性ループ状，蛇行状，分枝状と多様な形態であり，形状は不均一，分布は非対称性，配列は不規則であり，irregular microvascular（MV）pattern を呈している．さらに表面微細構造の指標とされる腺窩辺縁上皮の形態が複雑な弧状，類円形であり，互いの形状は均一，分布は非対称性，配列は不規則であり，irregular microsurface（MS）pattern を呈している．さらにこれら微小血管構築像かつ表面微細構造の違いにより，明瞭な境界線 demarcation line が存在している．

VS classification system は，拡大内視鏡に NBI を併用した観察法（magnifying narrow band imaging：M-NBI）により視覚化される解剖学的所見を用い，癌と非癌部の鑑別診断に用いられる．本診断体系は，M-NBI による早期胃癌診断に有用であり，世界中で最も汎用されている．微小血管構築像と表面微細構造は，必ず regular/irregular/absent のいずれかのカテゴリーに分類できる．

regular MV pattern の特徴は，個々の微小血管の形態は閉鎖性ループ状（多角形）または開放性ループ状であり，形状は均一，分布は対称性，配列は規則的であることである．irregular MV pattern の特徴は，個々の微小血管の形態は，閉鎖性ループ状（多角形），開放性ループ状，蛇行状，分枝状と多様な形態であり，微小血管そのものが不整な形状を呈することが多く，形状は不均一，分布は非対称性，配列は不規則である．absent MV pattern は，前述した上皮内に白色不透明物質が存在するために，上皮下の血管が透見

できず，血管が視覚化できない場合である．

regular MS pattern の特徴は，個々の腺窩辺縁上皮の形態は単純な弧状，類円形または円形であり，互いの形状が均一，分布は対称性，配列は規則的である．irregular MS pattern の特徴は，個々の腺窩辺縁上皮の形態は複雑な弧状，類円形であり，互いの形状は均一，分布は非対称性，配列は不規則である．absent MS pattern は，前述した5つの表面微細構造の指標が全く視覚化されない場合である．

拡大内視鏡診断の手順は，まず demarcation line の有無を判定し，次に微小血管構築像と表面微細構造を上記の解剖学的指標を用いて別々に解析し，regular/irregular/absent のいずれかに判定する．そして，irregular MV pattern with a demarcation line かつ／または irregular MS pattern with a demarcation line を満たす場合を癌，それ以外を非癌と診断する．

以上の所見より，粘膜内癌が最も考えられる．

> 選択肢解説

a．NBI 観察所見では light blue crest（LBC）所見がみられる．（×）
b．NBI 観察所見では背景粘膜と類似した模様を呈し，MS，MV はともに regular pattern となることが多い．（×）
c．NBI 観察所見では木の枝状に分岐する異常血管（tree like appearance）が観察される．（×）
d．NBI 観察所見では MS，MV はともに regular pattern となることが多い．（×）
e．正しい．（○）

以上より，正解は e. となる．（**解答 e.**）

〈吉田　寛〉

問題 23 (2016 年度出題)

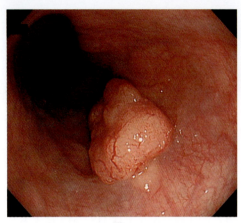
図 a

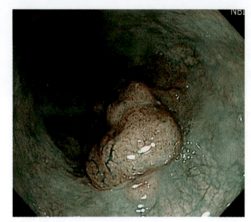
図 b

食道病変の内視鏡像を示す（図 a，b）．最も考えられるのはどれか．

- a．Pyogenic granuloma
- b．平滑筋腫
- c．顆粒細胞腫
- d．扁平上皮癌
- e．悪性黒色腫

解説

通常光観察および NBI（narrow band imaging）観察所見から食道隆起性病変の鑑別診断を問う問題である．病変は，急峻な立ち上がりと辺縁にわずかなくびれを認め，結節状の隆起形態を呈する．腫瘍基部，表面ともに正常粘膜が被覆する所見は認めない．また発赤色調であり，びらんや陥凹面または白苔付着の所見は認めない．腫瘍の周辺粘膜には NBI 観察による明らかな brownish area は認めない．食道隆起性病変で非上皮性腫瘍であれば，平滑筋腫，gastrointestinal stromal tumor（GIST），平滑筋肉腫，食道神経鞘腫のほか顆粒細胞腫などの鑑別が必要となる．上皮性の隆起性病変では占居部位，隆起形態，色調や表面性状から鑑別診断を行う．ポリープ状形態では，癌肉腫や悪性黒色腫との鑑別を要する．目立つ上皮下発育の所見があれば，低分化癌，類基底細胞癌，腺様嚢胞癌，内分泌細胞癌との鑑別を要する．下部食道や Barrett 食道例では食道腺癌などが挙げられる．

選択肢解説

- a．Pyogenic granuloma は，皮膚や口腔領域に好発し，消化管からの発生はまれとされる．後天性血管腫に二次的な炎症を伴うことで肉芽腫様病変を形成するとされる．内視鏡所見で隆起形態は亜有茎性，有茎性で白苔の付着が特徴的なことが診断のポイントとなり，食道扁平上皮癌と鑑別することができる．（×）
- b．平滑筋腫は，食道粘膜下腫瘍のなかで最も多い．粘膜筋板や固有筋層から発生するが内輪状筋由来のものが多い．内視鏡所見の特徴として，正常粘膜で完全に被覆されており，びらんや潰瘍辺縁は伴わない．辺縁はなだらかな立ち上がりで，表面の凹凸不整も目立たな

い．粘膜下腫瘍では病巣全体の把握が必要であり EUS や CT 検査を行う鑑別すべき疾患として GIST，食道平滑筋肉腫が挙げられる．粘膜下腫瘍の形態より食道扁平上皮癌と鑑別することができる．（×）

c．顆粒細胞腫は，Schwann 細胞由来の腫瘍とされ，舌や皮膚に好発し，消化管では食道に多い．内視鏡所見の特徴として，正常粘膜に被覆されており，立ち上がり明瞭な黄白色や白色調の隆起病変である．頂部がわずかに陥凹している形態と色調から大臼歯様と表現される．これら内視鏡での特徴所見から扁平上皮癌と鑑別ができる．（×）

d．進行食道癌の病型では 2 型，3 型が圧倒的に多く，1 型はそれらに次ぐ．また食道癌の 90％ は扁平上皮癌であるが 1 型の食道癌で特殊型の頻度が高く鑑別が重要である．結節状の隆起形態，発赤色調で隆起部に非腫瘍性扁平上皮の被覆はなく，腫瘍が露出する所見などから扁平上皮癌と推測される．（○）

e．悪性黒色腫は，食道内腔に発育する隆起形態を呈し亜有茎性のものが多い．特徴的な黒色色調を呈するものでは診断は容易である．塊状に増殖し扁平上皮癌に比べ軟らかく，周辺粘膜には，黒色色素沈着を認めることが多い．（×）

以上より，正解は d．となる．（**解答 d.**）

〈島田英雄〉

問題 24 (2016年度出題)

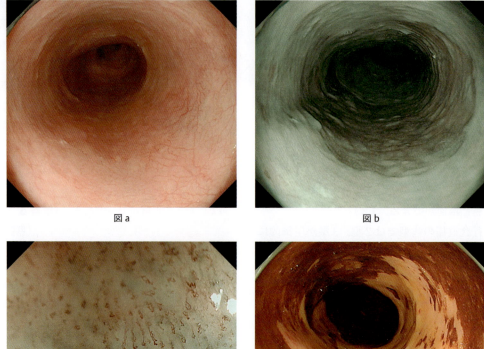

図a　図b
図c　図d

65歳の男性．検診にて行った食道内視鏡像を示す（図a, b, c, d）．まず試みるべき治療として正しいのはどれか．

- a．経過観察
- b．PPIなどによる薬物療法
- c．ESD
- d．外科的手術
- e．化学放射線療法

解説

食道の通常光観察およびNBI (narrow band imaging) 観察所見から早期食道癌の診断と治療法について問う問題である．健常食道は，通常観察で光沢と透明感があり樹枝状血管網が透見される．病変を疑う所見としては，食道粘膜の発赤や白濁，透明感の消失やざらつき感，樹枝状血管網の消失，白色調の低い隆起，軽度の凹凸不整や浅い陥凹所見などが挙げられる．また送気量を変え

弱伸展で観察される"畳目模様"や"縦襞"などの変化を観察することも重要である．通常内視鏡像(**図 a**)では，胸部中部食道の後壁を主体に左右側におよぶ範囲でわずかな発赤面が観察され，同部は樹枝状血管網が消失している．その境界は不明瞭で発赤面にはわずかな凹凸不整を認める．明らかな陥凹，顆粒状変化，目立つ結節隆起等の所見は認めない．NBI像(**図 b**)では典型的なbrownish area として観察される．その範囲は後壁主体に左右側に広がり周在性は 3/4 以上の病巣と推測される．粘膜内にとどまる早期食道癌を最も疑う所見である．また brownish area 内には散在性に青白色調の部分を認める．NBI 併用拡大内視鏡像(**図 c**)では，「拡張・蛇行・口径不同・形状不均一のすべてを示すループ様の異常血管」に相当する type B1 の典型的所見を認める．type B1 は深達度が T1a-EP/LPM の扁平上皮癌でみられる所見である．ヨード染色像(**図 d**)では brownish area の範囲が境界明瞭な不染帯となり，病巣の範囲診断をより正確に行うことができる．不染帯内には散在性にヨード染色される部分を認める．周在性は 3/4 周以上であり前壁側のヨード染色される範囲内には淡染色部を認める．NBI 拡大観察像から T1a-EP/LPM の早期食道癌と診断できる．深達度からまず選択されるべき治療は内視鏡的切除である．しかし，本症例のような亜全周性病巣に対する ESD では，術後の瘢痕狭窄が問題となり予防策が必要である．

> 選択肢解説

a．NBI 観察所見，拡大観察所見，またヨード染色所見からも早期食道癌の典型所見である．確定診断には内視鏡生検での病理組織検査が必要である．食道癌と確定後には，通常はほかに重複進行癌や何らかの理由で治療ができない状況でなければ経過観察することはない．(×)

b．早期の Barrett 食道腺癌や下部食道の扁平上皮癌で内視鏡治療前に食道炎が目立つ症例に対してプロトンポンプ阻害薬が投与されることはある．しかしプロトンポンプ阻害薬は，あくまで逆流性食道炎に対して行われる治療である．(×)

c．深達度が T1a-EP/LPM の早期食道癌ではリンパ節転移のリスクがきわめて低く内視鏡的切除が第 1 選択の治療法である．本症例は広範囲かつ亜全周性病巣であるため ESD 後の瘢痕狭窄が予測される．十分な術前説明と瘢痕狭窄予防には術中，術後の対策が必要である．(○)

d．食道癌に対する外科的手術の適応は，リンパ節転移リスクのある T1b 食道癌(stage Ⅰ)または遠隔臓器転移のない進行食道癌(stage Ⅱ/Ⅲ)である．(×)

e．化学放射線療法は，外科切除が困難な局所浸潤進行癌で臓器転移のない症例(stage Ⅳa)に対して行われることが多い．(×)

以上より，正解は c. となる．(**解答 c.**)

〈島田英雄〉

問題 25 (2017年度出題)

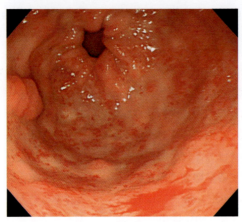

図

69歳の男性．貧血とタール便精査のため施行した胃内視鏡像を示す（図）．治療法として正しいのはどれか．

- a．*Helicobacter pylori* 除菌治療
- b．副腎皮質ステロイド内服
- c．アルゴンプラズマ凝固法（APC）
- d．純エタノール局注法
- e．外科的手術

解説

　胃内視鏡像より診断される疾患に対して，適切な治療法を選択させる問題である．提示された内視鏡画像は，胃幽門前庭部に毛細血管拡張を主体とする出血を伴う発赤の広がりを認める所見である．以上より胃前庭部毛細血管拡張症（gastric antral vascular ectasia：GAVE）が考えられる．

　GAVE は狭義の GAVE とびまん性胃前庭部毛細血管拡張症（diffuse antral vascular ectasia：DAVE）に分類され別々に報告された．狭義のGAVE の内視鏡所見は前庭部に放射状に縦走する血管拡張であり，スイカの皮の縦縞模様に似ていることから"watermelon stomach"として報告されている．一方，DAVE は前庭部にびまん性の点状・斑状の毛細血管拡張症を一定の規則性の無い配列で認めるものである．両疾患に本質的な差はなく，同一の病態と考えられる．GAVEの病変範囲は前庭部に限局していることが多いが，胃角部や十二指腸に生じることもある．頻度はそれほど多くないものの，機械的刺激や蠕動運動亢進により容易に出血をきたしやすい病態である．腹部症状に乏しくタール便，黒色便が代表的な症状であるが，出血症状が明らかでなく貧血の慢性的な進行を機に内視鏡検査にて診断にいたる場合も少なくない．病理組織学的所見として粘膜固有層の毛細血管拡張とフィブリン血栓，fibromuscular hyperplasia が特徴的である．発生機序はいまだに詳細不明であるが，胃の蠕動運動亢進により機械的刺激，門脈圧亢進，自己免疫，高ガストリン血症などの血管拡張作用を有する物質，腎不全などの種々の病因の関与の可能性が指摘されている．約30％で肝硬変が基礎疾患として存在する．

治療の対象となるのは，出血を伴う GAVE の症例である．治療法として軽症例では貧血に対する鉄剤の投与や制酸剤や粘膜保護剤の投与が行われるが限界があり，内視鏡治療が低侵襲であり効果が期待できるため第 1 選択となっている．ヒートプローブ法やアルゴンプラズマ凝固（argon plasma coagulation：APC）などの熱凝固法，内視鏡的結紮法などが挙げられるが，なかでも安全性が高く手技的に容易である APC は短時間で効率的に広範な焼灼が可能であり，最も一般的に行われている有効な治療法である．内視鏡治療は 1 回の治療のみでは再燃し追加治療を要する場合も少なくない．内視鏡治療抵抗例では幽門側胃切除などの外科的治療が選択されるが，背景に肝硬変や腎不全などの重篤な疾患が存在する場合が多くその適応判断には慎重を要する．またプレドニゾロンやエストロゲン-プロゲステロンなどのホルモン療法が有効であったという報告もある．

選択肢解説

a．本疾患と *Helicobacter pylori* 感染には一定の関連性はなく出血例に除菌治療を優先させる必要はない．（×）
b．内視鏡治療抵抗例では副腎皮質ステロイドの内服が選択される場合もあるが例外的であり，本症例のような出血例で第 1 選択となるのは内視鏡治療である．（×）
c．APC は手技的に容易であり広く普及している安全性の高い非接触凝固法である．アルゴンガス（アルゴンプラズマ）の放出と同時に高周波電流を放電することによりアルゴンプラズマビームを発生させ，一定の浅い深度での広範な組織凝固，止血を得ることができる．出血をきたす GAVE 例や腫瘍例などのびまん性出血例に安全に施行可能である．GAVE における毛細血管拡張所見は粘膜固有層のみならず粘膜下層まで存在するため，十分な焼灼が必要であり，再燃した場合は追加治療が必要となる．（○）
d．純エタノール局注法は純エタノールの脱水・固定作用により血管収縮，血栓形成し止血をはかる．特殊な器具を必要としないため手軽に行える方法であり，露出血管を伴う出血性潰瘍に対して広く普及しているが，GAVE などのびまん性出血例には適応にならない．（×）
e．内視鏡治療に難渋する場合に外科的治療が選択される場合もあるが適応は限定的であり，良性疾患であるため第 1 選択は低侵襲の内視鏡治療である．（×）

以上より，正解は c．となる．（**解答 c.**）

〈和田友則〉

問題 26 (2017年度出題)

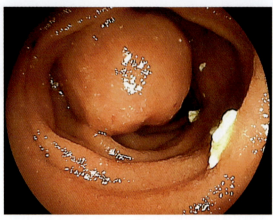

図

40歳の男性．小腸内視鏡像を示す（図）．正しいのはどれか．

- a．空腸が好発部位である．
- b．免疫染色における KIT 陽性症例が大半を占める．
- c．胃に発生した場合に比べ悪性度が低い．
- d．6か月毎の内視鏡的経過観察が推奨される．
- e．リンパ節転移しやすい．

解説

　内視鏡像から疾患名を問い，さらに，その疾患についての知識を問う問題である．内視鏡像では小腸内腔の大半を占居する，亜有茎性の隆起性病変が認められる．病変の表面は，周囲の正常小腸粘膜と同様の色調を呈し，平滑で絨毛構造にも明らかな異常は認められない．また，緊満感を伴い，頂部はわずかに陥凹しているようにみえる．以上の所見から，本病変の主座は粘膜下に存在し，硬い腫瘤を形成していると推定できる．小腸の粘膜下腫瘍の鑑別診断としては，間葉系腫瘍や，脂肪腫，リンパ管腫などが挙がるが，脂肪腫やリンパ管腫は，いずれも軟らかく，内視鏡像では，黄色調の色調変化や囊胞状構造の透見像を呈することが多いため，本病変の所見とは一致しない．平滑筋腫や神経系原生腫瘍との鑑別は困難だが，小腸の間葉系腫瘍のほとんどが消化管間質腫瘍（gastrointestinal stromal tumor：GIST）であり，頂部に陥凹を伴うことからも GIST を診断の第1に考え治療を検討すべき病変である．GIST の最終診断は病理学的に行われるが，術前の生検で腫瘍組織が採取できることはまれである．しかし，表面にびらんや潰瘍を伴う場合には，同部からの生検で病理診断が得られることもある．間葉系腫瘍の病理診断には免疫染色が有用であり，KIT 陽性，もしくは CD34 陽性の場合，GIST と診断される．一方，KIT，CD34 いずれも陰性で，デスミンが陽性の場合は平滑筋腫，S-100 蛋白陽性の場合は神経鞘腫と診断される．

選択肢解説

a．GIST の臓器別発生頻度は，胃が全体の半数以上を占め，小腸は全体の 20〜30％，ついで大腸が5％程度とされている．しかし，胃 GIST に比べ，症状のない GIST が発見され

る機会は少なく，実際の発生頻度はもっと高い可能性がある．前述のごとく小腸の間葉系腫瘍のほとんどがGISTだが，食道にはGISTが発生することはまれである．（×）

b．GISTの95％以上でKITが陽性となる．DOG1も同様の確率で陽性となる特異的マーカーとして知られている．ただし，ほかの腫瘍でもKIT陽性となる場合があり，特に生検などによる小さな標本を用いて診断する場合には，HE所見に加えほかのマーカーの免疫染色を追加するなど慎重な判断が求められる．KIT，CD34，デスミン，S-100蛋白すべてが陰性のGISTも存在し，その診断には，*c-kit*，*PDGFRA* 遺伝子変異の検索が有用である．（○）

c．GISTの組織学的悪性度を評価することは容易ではなく，転移のないGISTについては腫瘍径や核分裂像数，発生部位，腫瘍被膜破裂の有無などを指標としたリスク評価が行われている．発生部位以外の因子が同等の場合，胃とそれ以外に発生した消化管GISTを比べると，胃外に発生したGISTのリスクはむしろ高いと考えられている．（×）

d．2 cm以上の粘膜下腫瘍を認めた場合には，CTやEUS，EUS-FNAなどを行い，腫瘍径が5 cmを超える場合には手術を前提とした治療方針を，積極的に検討すべきである．本症例は内視鏡所見からGISTと予想される病変であり，内腔の狭小化も認められることから，内視鏡的経過観察のみでは十分な対応とは言えない．（×）

e．GISTの転移は血行性や播種によるものが多く，転移巣の多くは肝臓もしくは腹膜である．（×）

以上より，正解はb．となる．（**解答 b.**）

〈炭山和毅〉

問題 27 (2017年度出題)

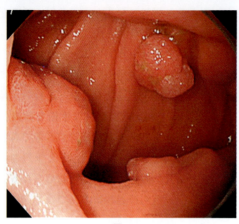
図 a

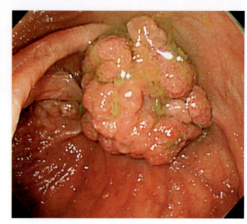
図 b

29歳の男性．口唇や手足に色素沈着を認め，小腸内視鏡では図 a, b のような大型のポリープが多発していた．この疾患について正しいのはどれか．

a．腺腫性ポリープである．
b．常染色体劣性遺伝である．
c．爪の萎縮を認めることが多い．
d．ポリープを切除する必要はない．
e．上皮性悪性腫瘍を併発することもある．

解説

　内視鏡像および身体所見から小腸多発ポリープの疾患名を鑑別し，さらに，その疾患についての知識を問う問題である．提示された内視鏡像では，小腸に大型の有茎性や亜有茎性のポリープが多発している．各ポリープは，頭部の分葉や発赤が目立つ．小腸に大型のポリープが多発する疾患は少なく，口唇や手足の色素沈着という特徴的身体所見も記載されており，Peutz-Jeghers症候群の診断に至るのは比較的容易であろう．Peutz-Jeghers症候群は常染色体優性の遺伝性を有する多発性過誤腫症候群であり，小腸により多くの過誤腫を生じるが，大腸や胃にもポリープが発生する．粘膜や皮膚の色素沈着は暗青色から暗褐色斑として，口唇，口腔内，眼，四肢などに認められる．病理組織学的には，異型を伴わない正常粘膜上皮が過形成性に増殖しており，粘膜筋板から樹枝状に分枝した筋線維を伴うものが典型像である．ポリープが，慢性貧血や，繰り返す腸閉塞の原因となることも多く，時に，腸重積の先進部となり外科的腸切除が必要とされる場合もある．内視鏡的ポリープ切除を定期的に行うことで，腸切除の機会を減らすことで短腸化を防ぎ，患者の予後を改善する．また，ポリープ自体が癌化することはまれであるが，大腸や胃，さらには膵臓癌などの消化管外に悪性腫瘍が発生するリスクが高い．女性では卵巣癌や子宮頸癌の，男性では精巣セルトリ細胞腫の合併率が高い．また，家族歴をもつ Peutz-Jeghers 症候群症例の90％以上に19番染色体上の *STK11/LKB1* 遺伝子異常が認められるとされる．

選択肢解説

a．樹枝状に増生した筋板を過形成性の腸上皮が被覆する過誤腫性ポリープである（P-J 型ポリープとも呼ばれる）．若年性ポリポーシス症候群に認められるポリープも過誤腫性であるが，筋線維の増生はなく，粘液が充満する嚢胞状に拡張した腺管が粘膜固有層に密在する．そのため若年性ポリープは P-J 型ポリープに比べ脆弱で易出血性を伴う．（×）

b．若年発症が多い，常染色体優性遺伝性疾患であり，原因遺伝子としては 19 番染色体上の *STK11/LKB1* 遺伝子が同定されている．常染色体優性遺伝をするその他の消化管ポリポーシスには，*APC* 遺伝子の異常を伴う家族性大腸腺腫症や，*SMAD4* 遺伝子あるいは *BMPR1A* 遺伝子の異常を伴う若年性ポリポーシス症がある．一方，*MUTYH* 関連大腸腺腫症は常染色体劣性遺伝をする．（×）

c．爪の萎縮は，脱毛や皮膚の色素沈着とともに Cronkhite-Canada 症候群で認められる．Cronkhite-Canada 症候群では，大型の有茎性ポリープが小腸に認められることは少ない．原因は明らかでなく，遺伝性も認められていない．若年者に発生することは少なく，60 歳代前後の男性に好発し，全消化管に無数のポリープを生じるため蛋白漏出性胃腸症を合併しやすい．副腎皮質ステロイド剤の使用や栄養療法が症状の改善に有効である．（×）

d．悪性化の報告もあり，大型のポリープは腸閉塞や腸重積の原因となるので内視鏡的切除の適応である．ポリープは，少なからず急速な増大傾向を呈するため，多くの症例で定期的な内視鏡的ポリープ切除が必要となる．（×）

e．ポリープそのものの悪性化もまれではあるが認められるとともに，前述のごとく，ほかの消化管癌や消化管外悪性腫瘍のハイリスク群である．（〇）

以上より，正解は e．となる．（**解答 e.**）

〈炭山和毅〉

問題 28 （2017年度出題）

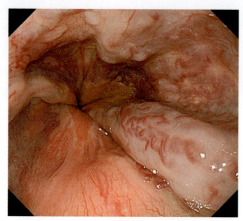
図 a

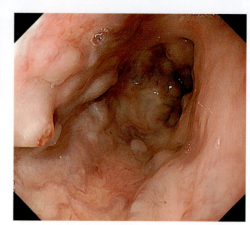
図 b

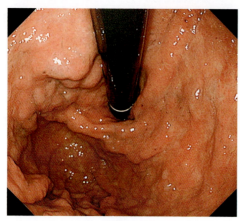
図 c

50歳の男性．肝硬変で通院中の定期検査で食道・胃静脈瘤を指摘された．内視鏡像を示す（図 a, b, c）．内視鏡所見として正しいのはどれか．2つ選べ．

- a．食道静脈瘤の形態は F2 である．
- b．食道静脈瘤は RC3 である．
- c．赤色栓を認める．
- d．胃静脈瘤の占居部位は Lg-f である．
- e．胃静脈瘤の粘膜所見は食道静脈瘤に準じない．

解説

日本門脈圧亢進症学会編『門脈圧亢進症取扱い規約 第3版』を基に解説する．3枚の内視鏡画像から食道・胃静脈瘤の内視鏡診断の基本的な知識を問うものである．

さまざまな慢性肝疾患や門脈圧亢進症の進展に伴って種々の側副血行路が出現・発達するが，内視鏡では食道粘膜内あるいは胃粘膜内に形成された側副血行路の一部が食道・胃静脈瘤として観察

される．内視鏡診断上，食道・胃静脈瘤の定義は，送気により食道ないし胃が十分に拡張した後も食道内腔あるいは胃内腔に突出したまま残存する静脈瘤である．したがって，少量の送気によって平坦化あるいは消失する静脈拡張・静脈怒張は静脈瘤には含めないとしている．

食道静脈瘤の内視鏡診断では，占居部位，形態，色調，発赤所見，出血所見，粘膜所見の6項目について，その所見を記載する（→p49，表1を参照）．占居部位は食道を上部，中部，下部の3つに分け，上部と中部の境界は気管分岐部であり，左主気管支や大動脈弓による圧排像を参考にして判断する．中部食道と下部食道の境界は気管分岐部から食道胃接合部までを二分した中間点であるが，内視鏡上はっきりとした目安がないので，具体的には食道静脈瘤の観察開始部位を門歯列からの距離を併記することで，より客観性をもたせることができる．形態では，治療後に静脈瘤が認められなくなったもの（F0），直線的な比較的細い静脈瘤（F1），連珠状の中等度の静脈瘤（F2），結節状の太い静脈瘤（F3）に分類される．色調は白色静脈瘤（Cw），青色静脈瘤（Cb），発赤所見（RC）は静脈瘤を覆う粘膜面の一部が赤色調に変化した所見を示すもので，ミミズ腫れ（RWM），チェリーレッドスポット（cherry red spot：CRS），血マメ（hematocystic spot：HCS）の3所見より成り立っている．RC0：発赤所見が全く認められないもの，RC1：限局性に認められるもの，RC2：RC1とRC3の間，RC3：全周性に認められるもの，telangiectasiaがある場合はTeを付記する．出血所見（bleeding sign）は湧出性，噴出性，滲出性の3つに分類し，止血後間もない時期の所見としては赤色栓，白色栓の2つに分類する．粘膜所見（mucosal findings）はびらん［E］，潰瘍［UL］，瘢痕［S］を付記する．

内視鏡所見は記載項目L，F，C，RC，BS，MFの順に記載する．胃静脈瘤の内視鏡診断は食道静脈瘤に準じて上記6項目の所見を記載する．占居部位は噴門輪との位置関係により，噴門部に限局する静脈瘤（Lg-c），噴門部から穹窿部に連なる静脈瘤（Lg-cf），穹窿部に限局する静脈瘤（Lg-f），胃体部にみられる静脈瘤（Lg-b），幽門部にみられる静脈瘤（Lg-a）に分類する．色調，出血所見，粘膜所見は食道静脈瘤の記載法に準じる．発赤所見はRC0：発赤所見が全く認められないもの　RC1：RWM，CRS，HCSのいずれかが認められるものとしている．胃静脈瘤の所見も食道静脈瘤の記載法に準じる．

本問の内視鏡診断はLm（もしくはs），F2，Cw，RC2（RWM），BS（red plug），Te Lg-c，F1，RC0となる．

食道静脈瘤の診断治療については，小原勝敏先生が日本消化器内視鏡学会雑誌に書かれた食道静脈瘤の治療戦略を参照されたい（https://www.jstage.jst.go.jp/article/gee/57/6/57_1347/_pdf）．

> 選択肢解説

a．形態は**図a**では5時方向にF2，1時方向にF1，9時方向にF1のCwの静脈瘤が認められる．（○）

b．発赤所見は，**図a**では，F2の静脈瘤上にRC2でRWMが認められる．また，3時方向にTeも認められる．（×）

c．**図b**の9時方向のF2静脈瘤上に赤色栓が認められる．（○）

d．**図c**でU-turnでの噴門部，穹窿部観察でスコープの左側　噴門部小彎にF1の静脈瘤が認められ，穹窿部には静脈瘤は認められない．占居部位の表記はLg-cである．（×）

e．胃静脈瘤の粘膜所見は食道静脈瘤の記載法に準じる．（×）

以上より，正解はa．c．となる．（**解答a．c．**）

〈永尾重昭〉

問題29　(2017年度出題)

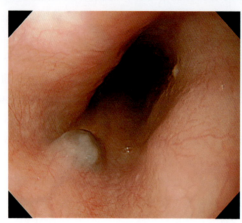

図

食道の内視鏡像を示す(図)．正しいのはどれか．

- a．顆粒細胞腫
- b．血管腫
- c．乳頭腫
- d．悪性黒色腫
- e．神経細胞腫

解説

　食道の隆起性病変を通常光観察所見より鑑別する問題である．隆起性病変を認めた際，内視鏡観察のポイントとして①色調変化，②形態的特徴や大きさ，③扁平上皮被覆の有無，④送気による形状変化，スコープまた鉗子圧迫による可動性形態変化，⑤病変の占居部位などが挙げられる．これら所見を総合的に評価して診断することが肝要である．隆起性病変が上皮性か非上皮性であるか，また充実性腫瘍性か否かの診断も重要である．

　上皮性か非上皮性の診断は，まず隆起部表面の正常扁平上皮による被覆状況が指標となる．通常観察による血管網透見の有無，NBI観察(時に拡大併用)やヨード染色を行うことにより精密な診断ができる．上皮性病変であれば，腫瘍の表面性状，色調，形態などが良性・悪性の鑑別要素として挙げられる．良性病変では，食道乳頭腫，食道腺腫，炎症性ポリープなどが鑑別疾患として挙げられる．悪性病変では，扁平上皮癌，腺癌，神経内分泌細胞癌などが鑑別疾患として挙げられる．上皮性病変でも，非腫瘍性上皮に被覆される悪性腫瘍もある．

　特殊な組織型の食道癌として類基底細胞癌，低分化型癌，内分泌細胞癌などがあり診断には注意を要する．非上皮性病変では平滑筋性腫瘍，GIST(gastrointestinal stromal tumor)，神経性腫瘍，顆粒細胞腫，血管腫，リンパ管腫，脂肪腫などが鑑別疾患に挙げられる．質的診断には超音波内視鏡検査，CT検査などでの壁深層の状況を評価することも重要である．提示症例は，辺縁なだらかな立ち上がりの小型隆起性病変である．正常粘膜に被覆され青色調を呈し，軟らかい病変と推定される．

> **選択肢解説**

a．顆粒細胞腫の典型所見は，立ち上がり明瞭な隆起性病変で頂部に陥凹を伴う．黄白色から白色調を呈するため大臼歯様とも表現される．送気による形態変化はなく，腫瘍は硬く，鉗子で押すと可動性を有することが多い．（×）

b．血管腫は，青色調を呈する粘膜下腫瘍様の隆起性病変として観察される．軟らかく送気で比較的容易に平坦化する．散在性に多発する症例もある．類似所見の病変として食道リンパ管腫，貯留嚢胞などが挙げられる．食道静脈瘤は，食道胃接合部より連続蛇行する数条の隆起性病変として観察され鑑別は容易である．（○）

c．乳頭腫は，白色調の小隆起性病変で，近接すると顆粒状，房状に集簇する形態を認める．軟らかく，水浸での所見はイソギンチャク様とも表現される．NBI拡大観察では羊歯状の特徴的に伸びる血管所見が認められる．（×）

d．悪性黒色腫は，光沢のある分葉状，亜有茎性隆起の形態を呈するものが多い．腫瘍は軟らかくメラニン色素のため，多くは特徴的な黒色調を呈し鑑別は容易である．（×）

e．神経性腫瘍として，神経鞘腫，神経線維腫などが挙げられる．隆起部は周囲粘膜と変化なく平滑筋腫などの粘膜下腫瘍と同様の内視鏡所見を呈する．（×）

以上より，正解はb．となる．（**解答 b．**）

〈島田英雄〉

問題 30 (2017年度出題)

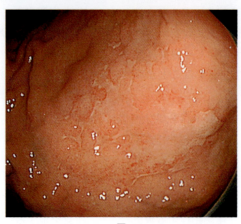

図

60歳の女性．胃癌検診での内視鏡像を示す（図）．最も疑われる疾患はどれか．

a．萎縮性胃炎
b．急性胃粘膜病変
c．胃潰瘍瘢痕
d．MALTリンパ腫
e．Ⅱc型早期胃癌

解説

びらん，潰瘍性病変をきたす胃疾患の鑑別診断を問う問題である．

特に0-Ⅱc型早期胃癌と胃MALTリンパ腫の鑑別を求めているものである．

問題の内視鏡像は，胃体上部大彎やや後壁側の浅い白苔を有し，白苔の中に褪色調，発赤調の粗糙な粘膜が混在した浅い陥凹性病変である．胃悪性リンパ腫の肉眼分類は本邦では，八尾の分類（表層拡大・腫瘤形成・巨大皺襞）と佐野の分類（表層・潰瘍・隆起・決潰・巨大皺襞）がよく用いられている．

胃MALTリンパ腫の内視鏡形態は多彩であり，0-Ⅱc型早期胃癌様の陥凹や，凹凸顆粒状，敷石状粘膜様で胃炎類似所見を呈する例が多いとされる．これらは表層（拡大）型に集約される．胃DLBCLは限局した腫瘤形成型が多く，しばしば潰瘍を形成し，1型，2型進行胃癌との鑑別を要することがある．

選択肢解説

a．萎縮性胃炎は，そのほとんどが *Helicobacter pylori* 感染による慢性胃炎の結果である．本来萎縮は肛門側から口側，小彎側から前後壁さらには大彎側に時間の経過とともに規則性をもって進展する．本症例のごとく限局的な白苔を伴う不規則な粘膜とは異なる．（×）

b．急性胃粘膜病変（AGML）は，部位的には前庭部に多くみられる急性胃炎の一所見であり，不整形のびらん，浅い潰瘍，浮腫を伴う．また黒色化した凝血塊が付着していることもある．これらの所見は認められない．（×）

c．胃潰瘍は好発部位として胃角部，胃体下部などがあり，部位的には矛盾しない．本来粘膜

下層より深部の組織欠損を呈し，白苔に覆われる．本症例は白苔様の粘膜付着物は比較的希薄化しているが，健常粘膜との境界が比較的不明瞭で，浮腫もさほど認めない．本来潰瘍瘢痕は白苔が消失し，赤色瘢痕(S1)，白色瘢痕(S2)となったものを示す．本症例は浅い白苔を有することからも，誤りである．（×）

d．多くのMALTリンパ腫はHelicobacter pylori 感染を背景に発症するものが多く，多彩な形態を呈することが知られている．その中でも0-Ⅱc型早期胃癌様の類似した陥凹性病変を呈することが多いとされる．本症例は比較的薄い白苔様粘膜付着物中に褪色調，発赤調の粗糙な粘膜が混在した浅い陥凹性病変であり，その辺縁との境界は不明瞭で軽度浮腫を伴いやや発赤調の粗大顆粒状粘膜とも認め，胃粘膜の伸展も良好であることからMALTが最も疑われる．（〇）

e．やや浮腫状の周辺粘膜の一部に褪色調粘膜も混在し，希薄化した白苔様を認めることから未分化型早期胃癌は否定できないが，地図状で境界部が不明瞭で，いわゆるインゼル，蚕食像も認められず，皺襞の集中，なども認めず，陥凹性病変であるにもかかわらず褪色調，細顆粒状粘膜でもない，さらに胃壁の伸展も良好であることから未分化型早期胃癌は否定的である．（×）

以上より，正解はd. となる．（**解答 d.**）

〈永尾重昭〉

問題 31

(2017年度出題)

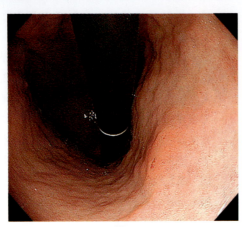
図 a

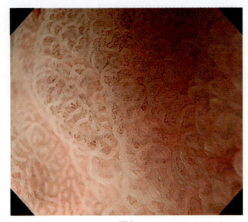
図 b

65歳の男性．胃内視鏡像を示す（図 a，b）．病変の診断名はどれか．

- a．過形成性ポリープ
- b．MALT リンパ腫
- c．粘膜下腫瘍
- d．粘膜内癌
- e．粘膜下層癌

解説

　通常光観察と NBI 拡大内視鏡画像を用いた内視鏡像から疾患名を問う問題である．一般的に早期胃癌の内視鏡診断，治療は通常観察と色素内視鏡（インジゴカルミンなど）で行われることが多いが，近年 NBI 拡大内視鏡も広く用いられつつある．NBI 拡大内視鏡画像分類〔胃拡大内視鏡の診断学体系：Vessel（V）plus Surface（S）classification system〕：早期胃癌拡大内視鏡国際分類では，demarcation line の有無，表面微細構造と微小血管構築像で癌か否かを評価する．①demarcation line の有無，②V：微小血管像，個々の形態と布・配列，③S：表面微細構造，個々の形態と配列，④V，S それぞれについて，regular，irregular，absent について分類する．いずれも形状，分布，配列で評価する．

　通常光による内視鏡像（図 a）では，今回指摘されている病変は萎縮粘膜を背景粘膜とした胃体下部小彎に位置する比較的平坦な隆起性病変である．色調は周囲粘膜と比較するとわずかに発赤調で，丈の低い，大きさ 10 mm 程度の病変が認められる．しかし通常光による中遠景の観察画像では詳細な病変の表面構造や周囲粘膜との境界を正確に診断することは難しく，この画像のみで疾患名を診断することは困難である．図 b は病変の周辺粘膜境界付近と病変粘膜表面の最大倍率ではないが NBI 拡大内視鏡像である．左 1/3 ほどに非腫瘍上皮の表面微細構造が観察でき，同画像の右 2/3 には明瞭な境界（demarcation line）をもった領域性のある粘膜構造変化としてやや不整な腺窩辺縁上皮が観察できる．この段階で指摘されている病変は上皮性病変であると判断できる．同病変の微小血管の観察では一部口径不同である部位も認め，配列も不規則ではあり，直ちに胃癌の確

定診断が可能なものではないように思われるが，粘膜表面微細構造は腺窩辺縁上皮の走行や方向性の不均一，中断・途絶などの所見も認められる．よって，同領域はNBI併用拡大観察で認められたdemarcation lineの範囲の上皮性腫瘍であり，同拡大内視鏡所見から早期胃癌と診断した．早期胃癌で**図a**の白色光画像による病変は丈の低い扁平隆起病変であるという判断から肉眼型は0-Ⅱaと診断できる．一般的に丈の低い0-Ⅱa病変は深達度が浅いことが知られており，多くの0-Ⅱa病変は粘膜内病変である．本症例も隆起の丈は低く，腫瘍径も10 mm程度と小さく，隆起内に陥凹領域や結節などの粘膜下層浸潤を疑うような所見も認められないため，粘膜内病変と診断することが妥当であろうと思われる．

> 選択肢解説

a．過形成性ポリープは発赤の強い，有茎性や亜有茎性の形態をとることが多いが，本症例のように発赤が目立たず，扁平隆起様の形態をとる場合があるため，白色光画像のみで過形成性ポリープは除外することは難しいこともある．しかし，NBI併用の拡大内視鏡所見では明らかな粘膜表面微細構造の変化をdemarcation lineを介して認めるため，過形成性ポリープの拡大内視鏡像と異なると診断できる．（×）

b．MALTリンパ腫はさまざまな内視鏡像を呈する場合があり，隆起病変だけでなく，Ⅱc様の陥凹病変や胃炎に類似した症例も認められる．そのため本症例も白色光画像のみではMALTリンパ腫を完全には否定できないが，NBI併用の拡大内視鏡所見にて早期胃癌の診断に至る．（×）

c．粘膜下腫瘍は粘膜下に存在する腫瘍により粘膜を圧排することで認める隆起病変であるため，粘膜表層の微細構造に周囲粘膜との変化は認めない．本症例ではNBI併用の拡大内視鏡所見にて粘膜表層の微細構造の変化を認め，上皮性腫瘍の診断に至る．（×）

d．NBI併用拡大内視鏡所見にて早期胃癌の診断に至る．早期胃癌の診断に至れば，白色光画像の所見から肉眼型を0-Ⅱaと判断できるため，粘膜内癌を強く疑う病変であると診断できる．（○）

e．早期胃癌の診断に至ったのちに白色光画像で深達度を判断するが，0-Ⅱaという肉眼型であれば粘膜下層浸潤は考えにくい．（×）

以上より，正解はd.となる．（**解答 d.**）

〈小田島慎也〉

問題 32

(2017年度出題)

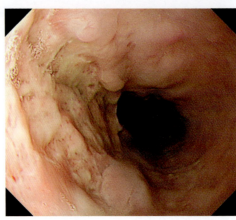

図

40歳の男性．HIV で通院中．内視鏡像を示す（図）．この病態に強い関連をもつのはどれか．

- a．胃液
- b．*Helicobacter pylori*
- c．カンジダ
- d．Cytomegalovirus
- e．Epstein-Barr virus

解説

下部食道の内視鏡像から食道の潰瘍性病変をきたす疾患を問う問題である．

食道潰瘍には高度の逆流性食道炎による消化性，Barrett 食道に発生する Barrett 潰瘍，種々の薬剤による薬剤性，またサイトメガロウイルス，ヘルペスウイルス感染による潰瘍，あるいは全身性疾患：Behçet 病・Crohn 病・天疱瘡・強皮症の部分的な症候としての潰瘍もある．

逆流性食道炎は近年増加傾向にあるとされ，胃酸，ペプシン，胆汁酸などと食道運動，食道裂孔ヘルニア，*Helicobacter pylori* などのバランスで生じると考えられている．Barrett 潰瘍は，Barrett 食道粘膜に胃食道逆流により生じた消化性潰瘍である．

薬剤性潰瘍は食道第 2 生理的狭窄部に発生しやすく，十分な水の摂取をせずに服用した場合に起こりやすい．この部位に薬剤が停滞付着し，強酸性（テトラサイクリン系）浸透圧（カリウム製剤など）によって粘膜障害が発生する．最近では抗凝固薬ダビガトランによる病変も注目されているが，また，抗菌薬や解熱鎮痛剤によることもある．腐蝕性食道炎は誤飲，自殺企図などで酸，アルカリ，農薬などにより生じ，一般的に酸は粘膜の凝固壊死により薬物の深部浸潤が阻止されるが，アルカリでは組織融解壊死などで障害は比較的広範囲に深部に及ぶことがある．

感染性食道炎の 3 大原因はカンジダ，単純ヘルペス（HSV），サイトメガロウイルス（CMV）である．カンジダでは潰瘍形成はきわめてまれである．HSV 食道炎は 1 型，2 型 HSV のいずれでも起こりうる．多くは免疫抑制状態にある宿主において知覚神経節に潜伏するウイルスの再活性化で，回帰感染で引き起こされる．CMV は成人の 90％以上が既感染であり HSV 同様に回帰感染で

消化管，特に食道は CMV の好発標的臓器の 1 つとされる．HIV 患者ではカンジダ，CMV，HSV の単独，混合感染が認められることは周知の事実である．

　全身性疾患，免疫異常に基づく食道潰瘍は，Behçet 病・Crohn 病・天疱瘡・強皮症などがあるが Behçet 病による病変は比較的中部食道に多く，いわゆる打ち抜き潰瘍が多いが，アフタ様病変も多い．内視鏡像からのみでは Crohn 病との鑑別は比較的困難である．食道の潰瘍性病変をみたら潰瘍の発生部位，大きさ，配列などと患者の背景因子となる病歴を詳細に聴取することが大切である．

選択肢解説

a．打ち抜き潰瘍は，病歴から胃液が誘因とは考えにくい．（×）
b．*Helicobacter pylori* と食道潰瘍との関連はない．（×）
c．カンジダで打ち抜き潰瘍をきたす頻度はきわめて低い．（×）
d．サイトメガロウイルスによる打ち抜き潰瘍であることは，病歴から明らかである．（○）
e．Epstein-Barr virus が打ち抜き潰瘍をきたすことはない．（×）

　以上より，正解は d．となる．（**解答 d．**）

〈永尾重昭〉

問題 33 (2017年度出題)

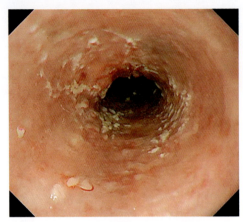

図 a

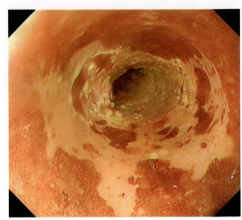

図 b

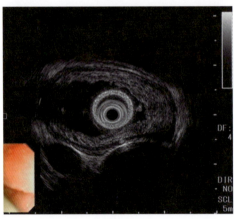

図 c

65歳の男性．食事の際，胸部のつまり感あり，上部消化管内視鏡検査を施行した．食道の通常内視鏡像，ヨード染色による内視鏡像，超音波内視鏡像を示す（図a, b, c）．治療として正しいのはどれか．

a．経過観察
b．プロトンポンプ阻害薬
c．内視鏡的粘膜下層剥離術（ESD）
d．外科的手術
e．化学療法

解説

内視鏡像から疾患名を問い，その治療法を選択させる設問である．白色光観察では全周性に発赤調で白色の粘液付着物を伴う境界不明瞭な粗糙で不整な粘膜病変を認め，病変の口側は比較的食道壁の伸展も良好であるがやや肛門側の時計軸で8〜12時位，特に概ね1/3周位は遍在性にやや壁

の伸展性が不良である．また，粘膜構造もやや粗大顆粒状で，軽度の隆起も認められる．ヨード染色では地図状に全周性の不染帯として認識され，口側の領域の粘膜表面は比較的平滑で食道壁伸展も良好であるが，病変の肛門側（胃側）は不整な粘膜粗糙（やや粗大顆粒状）が目立ち，食道壁伸展も白色光と同様に不良である．超音波内視鏡所見上は第3層の広範な肥厚と low echoic area がみられるが，第4層の明確な破壊像や tumor mass の突出は認められない．また，明らかなリンパ節転移は認められなかった．

これらの所見から，粘膜下層深層へ浸潤した食道表在癌と診断した．提示された情報のみでは厳密な進行度の評価は難しいが，cStage Ⅰ～Ⅱの食道癌である可能性が高く，手術ないしは化学放射線療法を検討すべき症例と考える．日本食道学会編『食道癌診療ガイドライン2017年版』の食道癌治療のアルゴリズムではcStage Ⅰ(T1b)耐術能ありと診断された場合は手術，化学放射線療法，耐術能なしと診断された場合は化学放射線療法，化学療法 cStage Ⅱ,Ⅲでは耐術能ありと診断された場合は化学療法（化学放射線療法）後手術，もしくは手術後化学療法，耐術能なし（化学放射線療法不能）と診断された場合は，放射線療法（腎機能低下例）放射線治療歴のある患者など（化学療法），緩和的対症療法などとなる．詳細については『食道癌診療ガイドライン2017年版』を参照されたし．

選択肢解説

a. cStage Ⅰ～Ⅱ期の食道癌の可能性が高く，根治的治療が十分行える段階であると推察される．また基礎疾患などにもよるが，65歳と比較的若く侵襲的治療にも十分耐えられると思われ，根治的治療を検討するべきである．（×）

b. プロトンポンプ阻害薬は逆流性食道炎などに用いられる薬剤である．本疾患は食道癌であり，プロトンポンプ阻害薬の効果は全くない．（×）

c. 食道癌に対する内視鏡的粘膜下層剝離術（ESD）の絶対適応は，壁深達度が粘膜層（T1a）のうち，EP，LPM病変までに癌の浸潤がとどまる症例とされている．また粘膜筋板に達したもの，粘膜下層にわずかに浸潤するもの（200μmまで）では内視鏡的切除が可能であるがリンパ節転移の可能性があり，相対的適応となる．本症例はSM2以深への浸潤があるものと考えられ，ESD適応外と判断される．（×）

d. 上述した通りcStage Ⅰ～Ⅱの食道癌と推察され，治療として手術ないしは化学放射線療法が検討される．（○）

e. 化学療法は，切除不能進行・再発食道癌などに対して検討される治療である．本症例は手術可能な段階の食道癌である可能性が高く，耐術能ありで根治可能な場合は，先行して化学療法単独のみによる対応は不適切と考える．（×）

以上より，正解は d. となる．（**解答 d.**）

〈伊藤　透〉

問題 34 (2018年度出題)

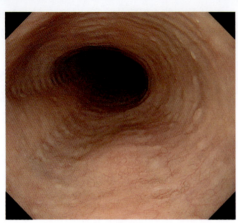
図 a

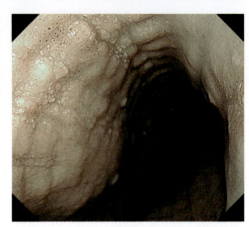
図 b

48歳の男性．半年ほど前から胸焼け，呑酸，食物のつかえ感を認め近医を受診した．しかし，プロトンポンプ阻害薬を内服するも症状が軽快しないため来院した．食道中部内視鏡像を示す（図 a, b）．本疾患について正しいのはどれか．

a．女性に多い．
b．本邦においては減少傾向にある．
c．病理組織診断では顕著な好中球浸潤が認められる．
d．食事療法は無効である．
e．副腎皮質ステロイド投与が有効である．

解説

内視鏡像から，疾患の診断に加え，その疾患の病態や治療法などの知識を問う問題である．白色光観察では，食道粘膜はわずかに白濁し，血管透見も低下しており，軽度の逆流性食道炎と鑑別を要する所見が認められる．しかし，逆流性食道炎にはあまり認められない所見として，全周にわたり存在する食道長軸に沿った縦走溝や，また，それとほぼ垂直に交わる形で同心円状の溝が幾重にも存在している．また，やや脱気した状態で撮影されたNBI画像では，縦走溝や輪状溝がいっそう際立って認められ，多発する顆粒状の乳頭腫様隆起も認められる．また，多発するリング状の狭窄，白斑が認められることが多く特徴的である．

以上のような内視鏡所見を認め，本症例のように食物つかえ感など嚥下困難の訴えがあった場合には，好酸球性食道炎を念頭に置いた診断加療が検討されるべきである．好酸球性食道炎は，食道粘膜上皮層に多数の好酸球の慢性的な浸潤が起こり，その結果粘膜固有層と粘膜下層を中心に線維化が起こって最終的には食道狭窄が起こる疾患である．それに伴い運動障害や狭窄を生じうる疾患である．本邦の成人例では，欧米ほど明確な嚥下障害より，つかえ感や胸やけ，胸痛なども多いとされる．一方小児では，哺乳障害に加え，嘔吐や腹痛など成人例ではあまりみられない症状を主訴とすることが多い．症例の半数程度が，喘息やアトピー性皮膚炎，アレルギー性鼻炎などの何らかのアレルギー性疾患を伴っており，食事療法が有効なことからもアレルギーの関与が疑われている．

選択肢解説

a. 7～8割の症例が男性と報告されている．好発年齢は欧米では30～40歳代と比較的若年層に多いとされ，本邦でも30～50歳が中心であり，中高年例の報告もある．（×）

b. 疾病概念が比較的最近確立されたこともあり，本邦での正確な罹患率は明らかではないが報告例は増加傾向にある．（×）

c. 前述のごとく，本疾患では食道上皮に限局し多数の好酸球浸潤が認められる．好酸球性食道炎の診断には，食道から複数の生検を行い，少なくとも1つの検体で，上皮層内に400倍の高倍率視野で1視野あたり15/HPF以上の好酸球浸潤を組織学的に証明する必要がある．生検は1か所から採取するのではなく，複数の場所から行う．また，内視鏡所見が正常な例も少なからず存在する．（×）

d. 食事療法は，抗原として疑われる食品を選択的に除く方法と，アレルギー疾患の原因として一般的に多いとされる乳製品，卵，小麦，ピーナッツ，魚，貝，甲殻類を除く方法，また，アミノ酸成分栄養食を摂取する方法などが行われており，厳格に行えば大半の症例で治療効果が得られるといわれている．（×）

e. 組織学的に好酸球性食道炎と診断された症例の一部は，プロトンポンプ阻害薬の投与により上皮内の好酸球浸潤や臨床症状が消失する．プロトンポンプ阻害薬に抵抗性がある症例では，ステロイド投与が選択される．以前は，プレドニゾロンの全身投与が行われていたが，近年ではステロイド投与に伴う副作用を抑制するため，フルチカゾンやブデソニドの局所用ステロイドを内服させることも行われる．しかし，好酸球性食道炎の病態や有効な治療法はいまだ十分に理解されておらず，治療後や無症状例の長期予後も明らかになっていない．（○）

以上より，正解はe．となる．（**解答 e.**）

〈炭山和毅〉

問題 35 (2018年度出題)

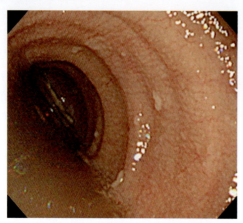
図 a

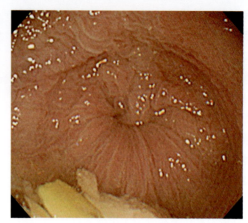
図 b

食道の内視鏡像を示す（図 a, b）．この疾患について，<u>誤っている</u>のはどれか．

- a．食道蠕動は亢進している．
- b．診断には食道造影が有用である．
- c．バルーン拡張治療の適応である．
- d．薬物治療としてカルシウム拮抗薬が使用されている．
- e．食道内圧測定では下部食道括約部の弛緩不全が認められる．

解説

　内視鏡像から疾患名とその疾患についての知識を問う問題である．

　図 a では拡張した輪状の食道内腔と液体貯留を，図 b では食道胃接合部の狭小化と残渣を認める．鑑別診断として食道狭窄をきたす疾患は，器質的疾患と機能的疾患に大別される．前者の代表としては，食道癌を含む食道腫瘍，胃噴門癌，横隔膜下腫瘍，胸部大動脈瘤，食道潰瘍，逆流性食道炎の長期経過例，IBD の食道病変，腐食性食道炎，などによる狭窄がある．機能的疾患は神経・筋疾患（強皮症など），Plummer-Vinson 症候群が挙げられる．本疾患は，「下部食道括約部の弛緩不全と食道体部の蠕動運度の障害を認める原因不明の食道運動機能障害」と定義されている．内視鏡所見の特徴として，下部から接合部にかけての拡張と，粘膜の白色化，食道胃接合部の狭窄が送気では開大しないが内視鏡は通過する程度であることなどが挙げられる．

　設問の写真では，異常な収縮輪と液体貯留，食物残渣様物質を認め，食道胃接合部付近の粘膜はやや白濁，肥厚しているが，潰瘍，びらんといった上皮性変化はなく，狭窄部（狭小化）には，さほど硬さは感じない．以上より，器質性疾患は否定的であり，食道アカラシアをまずは考える．

選択肢解説

- a．食道アカラシアでは食道蠕動波は消失している．（×）
- b．食道 X 線造影検査で，食道下部の拡張の有無やその形態，度合いをみることは診断に有用で直線型，S 状型に分類される．（○）
- c．内視鏡を用いた治療として，バルーン拡張術や，内視鏡的食道筋層切開術（per-oral endoscopic myotomy：POEM），ボツリヌス毒素

局注治療(保険適用外)がある．(○)
d．本疾患の本体である下部食道括約部を弛緩させる薬剤として，カルシウム拮抗薬や亜硝酸薬が使用されている．一時的な症状緩和の治療法としての位置づけである．(○)
e．一次性食道運動障害の分類基準として，シカゴ分類v3.0が用いられている．これによると，食道アカラシアでは，嚥下時の食道胃接合部平均圧を示すintegrated relaxation pressure(IRP)が正常上限以上であることが定義づけられている．IRPが高値であるということはすなわち下部食道弛緩不全があることを示している．(○)

以上より，正解はa．となる．(**解答 a.**)

参考文献
1) 日本食道学会(編)：食道アカラシア取扱い規約 第4版．金原出版，2012
2) 日本消化管学会(編)：食道運動障害診療指針．南江堂，2016

〈岸野真衣子〉

問題 36 (2018年度出題)

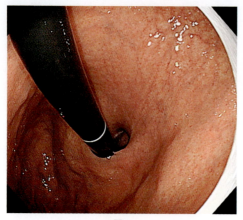
図 a

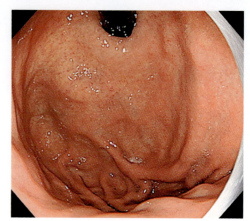
図 b

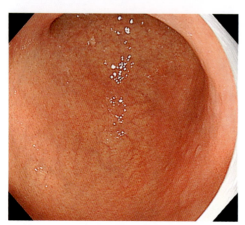
図 c

上部消化管内視鏡検査で胃体部にみられた内視鏡像を示す（図 a，b，c）．正しいのはどれか．<u>2</u>つ選べ．

- a．木村・竹本分類の open type である．
- b．木村・竹本分類の close type である．
- c．萎縮性変化の有無は判断できない．
- d．*Helicobacter pylori* 未感染の可能性が高い．
- e．*Helicobacter pylori* 現もしくは既感染の可能性が高い．

解説

内視鏡像から胃粘膜萎縮の程度と，*Helicobacter pylori*（*H. pylori*）感染の有無を問う問題である．*H. pylori* 感染は胃癌や胃潰瘍，MALT リンパ腫などさまざまな疾患と関連し，胃粘膜萎縮は胃癌のリスクと密接に関連することが知られている．したがって，内視鏡検査において *H. pylori* 感染の有無や胃粘膜萎縮を評価することは重要である．

胃粘膜萎縮は網目状・樹枝状血管の透見と粘膜の褪色調変化で評価され，木村・竹本分類では萎縮境界が胃体部小彎側で噴門を越えない close type（C-1，C-2，C-3）と，噴門を越えて大彎側に進展する open type（O-1，O-2，O-3）に分類される．胃癌のリスクは萎縮の拡がりが大きくなると，リスクも高まることが知られている．

H. pylori 感染は，胃粘膜の色調や，襞の性状，ポリープやびらんの有無，血管所見などをもとに診断され，未感染，現感染，除菌後を含む既感染の 3 つの状態に分類される．*H. pylori* 未感染の胃粘膜は胃粘膜萎縮がなく，RAC（regular arrangement of collecting venules）が胃角部〜胃体下部小彎に観察できることが特徴である．また通常は，胃粘膜は平滑で光沢があり，胃体部大彎の襞は細くまっすぐに走行する．さらに，胃底腺ポリープ，塩酸ヘマチン付着，前庭部および胃体部の稜線状発赤，隆起型びらんなどの所見が認められることがある．一方，*H. pylori* 現感染や既感染では，胃粘膜萎縮や腸上皮化生，黄色腫などの所見が観察される．

【選択肢解説】

a．図 a〜c において，網目状の血管が透見される褪色調粘膜が，胃体部小彎から噴門を越えて大彎側に進展しているため，open type の胃粘膜萎縮である．（○）

b．図 a〜c において，網目状の血管が透見される褪色調粘膜が，胃体部小彎から噴門を越えて大彎側に進展しているため，close type の胃粘膜萎縮ではない．（×）

c．萎縮性変化は内視鏡的あるいは組織学的に診断される．本症例のように，粘膜の色調や表層の血管が観察できれば，萎縮性変化の評価は可能である．（×）

d．*H. pylori* 感染は，胃粘膜の色調や，襞の性状，ポリープやびらんの有無，血管所見などをもとに診断される．本症例では網目状の血管が透見される褪色調粘膜が胃体部から前庭部に拡がっており，現在もしくは過去に *H. pylori* 感染している可能性が高い．（×）

e．前の設問同様に，本症例では網目状の血管が透見される褪色調粘膜が胃体部から前庭部に拡がっており，*H. pylori* 現もしくは既感染の可能性が高い．（○）

以上より，正解は a．e．となる．（**解答 a．e．**）

〈石原　立〉

問題 37 (2018年度出題)

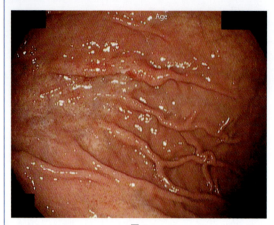
図 a

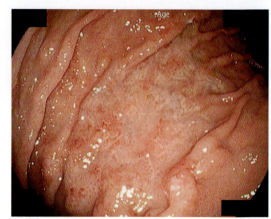
図 b

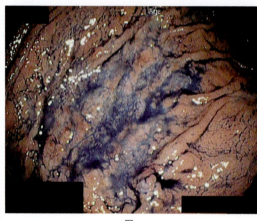
図 c

胃内視鏡像を示す（図 a，b，c）．最も考えられる疾患はどれか．

- a．萎縮性胃炎
- b．アミロイドーシス
- c．サルコイドーシス
- d．MALT リンパ腫
- e．早期胃癌

解説

　内視鏡像から疾患名を問う問題である．**図 a** と**図 b**（白色光）では，胃体上部大彎に，発赤調粘膜を背景に褪色調を呈する病変がみられる．また，インジゴカルミン散布像である**図 c** では大彎の襞の状況や褪色調病変内の性状を観察することができる．本症例では，0-Ⅱc 型未分化型早期胃癌，MALT リンパ腫，限局性萎縮が鑑別に挙がるが，まずは背景胃粘膜から *Helicobacter pylori*（*H. pylori*）感染状態の診断が重要である．提示された内視鏡画像は胃角や前庭部のものがな

く，胃体上部大彎のみであるが，褪色調病変周囲の発赤調粘膜は，斑状の発赤がびまん性にみられ，いわゆる「びまん性発赤」を呈している．したがって，*H. pylori* の現感染と考えられる．その中に，襞の滑らかな途絶所見を呈する褪色調病変が存在する．*H. pylori* 感染を背景とする0-Ⅱc型未分化型早期胃癌では，通常境界は明瞭であり，「断崖絶壁状」「蚕食像」と称される境界を有する．しかし，本症例ではそれらの所見がみられない．限局性萎縮は，平坦な一様な褪色調を呈するが，本症例では褪色調の中に細顆粒状の発赤調所見の混在が目立つ点で一致しない．

これに対して，MALT リンパ腫の内視鏡像は，早期胃癌類似型，胃炎類似型，隆起型に大別される．この中で，早期胃癌類似型 MALT リンパ腫は全体あるいは一部が不明瞭であることが多く，蚕食像を認めないか認めても一部のみであることが多い．また，褪色調の腫瘍部位で胃粘膜構造が観察されることも多いとされている．本症例は，境界が不明瞭であることや蚕食像を認めないことから，早期胃癌類似型の MALT リンパ腫と考える．しかし，生検は1個のみでは病理学的診断が困難であることも多く，複数個の生検が必要である．また，胃 MALT リンパ腫は，*H. pylori* の現感染であれば，API2-MALT1 遺伝子転座を有する症例や隆起型で腫瘍量の多い症例を除き，*H. pylori* 除菌治療が奏効することが多く，60〜90%で寛解を得られるとされている．

選択肢解説

a．萎縮性胃炎は，*H. pylori* 現感染の場合，褪色調の色調を有する粘膜面として観察される．しかし，その場合の萎縮性胃炎は，前庭部から体部へと連続した萎縮領域を呈する．自己免疫性胃炎である A 型胃炎では，*H. pylori* 未感染の場合，胃体部のみの萎縮を呈するが，本症例は，*H. pylori* 胃炎を背景としていることと，褪色調領域は，純粋な萎縮性胃炎ではない．（×）

b．病型やアミロイド沈着の程度で多彩な形態を呈するが，AL 型では粘膜下腫瘍様で黄白色・分節状の多発隆起形態を呈し，AA 型ではびまん性に粗糙，微細顆粒状の形態を呈することが多い．本症例のような平坦な褪色調病変を呈することはほとんどない．（×）

c．多発する潰瘍やびらんが多く報告されているが，胃病変に特異的なものはなく，結節状隆起を呈するものやスキルス胃癌様の所見を呈することがある．しかし，本症例のような平坦な褪色調領域を呈することはほとんどない．（×）

d．未分化型の 0-Ⅱc 型早期胃癌との鑑別が重要であるが，境界が不明瞭であること，蚕食像を認めないことから，早期胃癌類似型の MALT リンパ腫と考える．褪色調領域に胃粘膜構造が観察されることも矛盾しない．（○）

e．低分化型腺癌や印環細胞癌では，胃体部に褪色調の領域としてみられることがある．しかし，本症例では境界が不明瞭であり，蚕食像を認めないことが一致しない．（×）

以上より，正解は d．となる．（**解答 d．**）

〈引地拓人〉

問題 38 (2018年度出題)

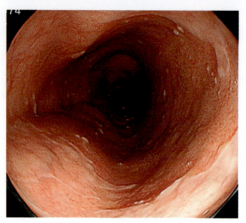

図

食道病変の内視鏡像を示す（図）．正しいのはどれか．

a．*Helicobacter pylori* 感染が原因である．
b．薬剤投与が関与している．
c．胃酸逆流が関与している．
d．高度の好酸球浸潤がみられる．
e．*Helicobacter pylori* 除菌後に増悪する．

解説

内視鏡像から疾患名を問い，その後その疾患についての知識を問う問題である．

内視鏡像は中部から下部食道を撮影したもので，近位側の食道は白色でわずかに光沢のある上皮（扁平上皮）で被われており，遠位側の食道は光沢が失われたわずかに赤味のある上皮（円柱上皮）で被われている．円柱上皮内に小さな点状白色物を認めるが，これはいわゆる扁平上皮島である．また，円柱上皮内に癌を疑わせる異常な発赤・退色や表面の凹凸を認めない．以上より，この円柱上皮領域は Barrett 食道であることがわかり，しかもこの Barrett 食道は全周性かつ 3 cm 以上の範囲で広がっているためいわゆる Long segment Barrett 食道である．

Barrett 食道の発生には胃酸や胆汁の逆流が関与していると考えられている．Barrett 食道では，組織学的に①円柱上皮下の粘膜層内の食道腺導管あるいは粘膜下層の固有食道腺，②円柱上皮内の扁平上皮島，③円柱上皮下の粘膜筋板の二重構造のいずれかの所見が認められる．米国では組織学的な特殊円柱上皮化生の存在が Barrett 食道の診断に必須とされているが，本邦では必須ではない．

プロトンポンプ阻害薬（PPI）は，Barrett 食道に合併する逆流症状に対しては効果があり投与されている．また，PPI やアスピリンは，Barrett 食道からの発癌抑制を示唆する研究結果が報告されている．

選択肢解説

a．*Helicobacter pylori*（*H. pylori*）感染と Barrett 食道発生に直接的な関連はない．*H. pylori* 感染により胃酸分泌が低下すると，Barrett 食道の発生にはむしろ抑制的に働く．（×）

b．前述したように，PPI が Barrett 食道に合併する逆流症状に効果があり，PPI やアスピリンの発癌抑制効果が示唆されているが，Barrett 食道発生に関与する薬剤は認知されていない．（×）

c．Barrett 食道の発生には胃酸や胆汁の逆流が関与していると考えられている．（○）

d．Barrett 食道でみられる組織学的所見は，①円柱上皮下の粘膜層内の食道腺導管あるいは粘膜下層の固有食道腺，②円柱上皮内の扁平上皮島，③円柱上皮下の粘膜筋板の二重構造である．逆流性食道炎を合併すると好中球やリンパ球の浸潤がみられるが，高度の好酸球浸潤がみられることは通常ない．（×）

e．Long segment Barrett 食道が，診断後に増長や退縮することはまれである．*H. pylori* 除菌後に増悪例が多いというコンセンサスはない．（×）

以上より，正解は c. となる．（**解答 c.**）

〈石原　立〉

問題 39 (2018年度出題)

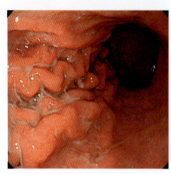
図 a

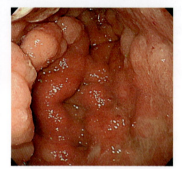
図 b

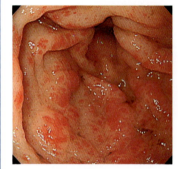
図 c

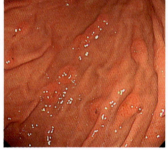
図 d

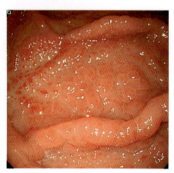
図 e

胃内視鏡像を示す（図 a, b, c, d, e）. 肝硬変に関連性が深いのはどれか. <u>2 つ選べ</u>.

a. 図 a
b. 図 b
c. 図 c
d. 図 d
e. 図 e

解説

　胃内視鏡画像が提示されており，その中で肝硬変との関連性があるものを問う問題である.

　肝硬変に伴う門脈圧亢進症に関連した胃病変として門脈圧亢進性胃症（portal hypertensive gastropathy：PHG），胃前庭部毛細血管拡張症（gastric antral vascular ectasia：GAVE）が挙げられる. いずれも特徴的な内視鏡像を示し，食道・胃静脈瘤と同様に消化管出血の一因となりうる.

　PHG は門脈圧の上昇に伴って生じる胃粘膜のうっ血性病変であり，組織学的には炎症に乏しく，粘膜ないし粘膜下層の血管拡張と粘膜の浮腫性変化が特徴的である. 慢性出血や，時には致命的となりうる急性出血の原因となりうる. 発生頻度は門脈圧亢進症患者の約 50～90％と報告されている. その内視鏡所見は特徴的であるが，*Helicobacter pylori*（*H. pylori*）感染においても類似の内視鏡像を呈することがあり診断上注意を要する. 内視鏡分類として McCormack らによるも

表1 McCormack 分類

Mild gastropathy
fine pink speckling
superficial reddening
snakeskin appearance (mosaic pattern)
Severe gastropathy
cherry red spots
diffuse hemorrhage

表2 Toyonaga 分類

Grade 1	点状・斑状発赤 (erythematous fleck or macula)
Grade 2	びまん性発赤 (red spot or diffuse redness)
Grade 3	出血 (intramucosal or luminal hemorrhage)

＊ snakeskin (mosaic) appearance はいずれの Grade にも背景粘膜として存在する．

〔日本門脈圧亢進症学会（編）：門脈圧亢進症取扱い規約 第3版. 金原出版, 2013 より〕

のや Toyonaga らによるものが広く用いられている（**表1，2**）．Mosaic pattern は軽度の PHG を反映する最も特異性の高い所見であり，胃底部から胃体部にかけて多くみられる．急性出血時に治療適応となるが，門脈圧亢進症をきたす背景疾患のコントロールが肝要である．

　GAVE の内視鏡所見は前庭部から幽門輪に向かって放射状に縦走する毛細血管拡張であり，スイカの皮の縦縞模様に似ていることから "watermelon stomach" とも呼ばれている．一方で発赤の配列に一定の規則性がなく点状もしくは斑状に血管拡張が認められるものは diffuse antral vascular ectasia（DAVE）と称されている．両者は同じ病態と考えられる．病理組織学的所見として粘膜固有層の毛細血管拡張とフィブリン血栓，fibromuscular hyperplasia が特徴的である．発生機序はいまだに詳細不明であるが，蠕動運動亢進による前庭部の機械的刺激，門脈圧亢進，自己免疫，高ガストリン血症，腎不全などの種々の病因の関与の可能性が指摘されている．約30％で肝硬変が基礎疾患として存在する．治療の対象となるのは，出血を伴う GAVE の症例である．治療法として内視鏡治療，なかでもアルゴンプラズマ凝固（argon plasma coagulation：APC）が安全性に優れ手技的に容易である．短時間で効率的に広範な焼灼が可能であり，最も一般的に行われている有効な治療法である．

選択肢解説

a．蛇行する肥厚した発赤・浮腫状の胃体部大彎襞が観察され，粘稠で白濁した粘液が粘膜表面に付着している．胃壁の伸展性は良好である．H. pylori の現行感染に特徴的な所見である．肝硬変との関連性はない．（×）

b．著明に肥厚した巨大皺襞を認め不規則にくびれ・蛇行を呈している．粘膜は光沢がなく粗糙であり浮腫状の発赤を伴っている．伸展性は不良で隣接する襞間隙は壁硬化のため開大を得られていない．4型胃癌の内視鏡像であり，粘膜深層や粘膜下層をびまん性に癌が浸潤し強い線維化を伴うため，胃壁は著しく硬化・肥厚した状態である．（×）

c．前庭部に放射状に走行する発赤，血管模様を認め GAVE の所見である．本症例では出血所見は認めないが，機械的刺激や蠕動運動亢進により容易に出血をきたしやすい病態である．腹部症状に乏しくタール便，黒色便が代表的な症状であるが，出血症状が明らかでなく貧血の慢性的な進行を機に内視鏡検査にて診断にいたる場合も少なくない．（○）

d．体下部大彎の疣状胃炎の所見である．びらん性胃炎の一種で，胃の粘膜表面が隆起して，中心部に浅いびらんを認めるものであり，たこいぼ胃炎，隆起型びらん性胃炎とも呼ぶ．形態が類似する多数の隆起が現れることが多く，幽門前庭部に主として生じるほか，胃底腺・幽門腺境界領域にも生じる．肝硬変との関連性はない．（×）

e．Snakeskin appearance を背景とした粘膜に点状発赤の多発を伴っている．PHG に特徴的な内視鏡像である．（○）

以上より，正解は c．e．となる．（**解答 c．e．**）

〈和田友則〉

問題 40

(2018年度出題)

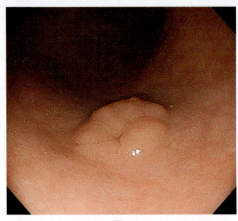

図 a

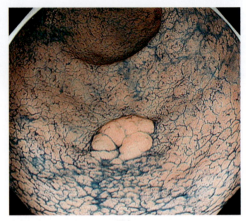

図 b

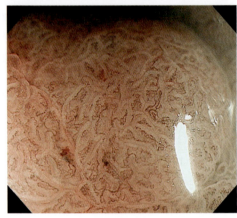

図 c

胃内視鏡像を示す(図 a, b, c). 正しいのはどれか.

- a. 過形成性ポリープ
- b. 迷入膵
- c. カルチノイド
- d. 分化型腺癌
- e. 未分化型腺癌

解説

　内視鏡像から疾患名を問う問題である．知っておくべき胃における内視鏡診断のプロセスとして，まず上皮性 vs. 非上皮性の鑑別，次に上皮性なら腫瘍 vs. 非腫瘍，腫瘍なら良性(腺腫) vs. 悪性(腺癌)，さらに腺癌なら分化型 vs. 未分化型の鑑別がある．本問の内視鏡像は胃前庭部ある丘状の隆起性病変である．色調は周囲粘膜とほぼ同等で，表面性状は凹凸不整である．インジゴカルミン散布像では，隆起性病変の境界はきわめて明瞭である．以上より(境界明瞭・凹凸不整)から，上

皮性病変と考えられる．

> **選択肢解説**

a．*Helicobacter pylori* 感染胃に発生し，除菌により縮小・消失することが知られている．形態学的に過形成性ポリープの多くは，強い発赤調を呈し亜有茎性〜有茎性ポリープを示す．また，多発することが多く，表面に白苔を伴いびらんを有することがある．本問の内視鏡像とは明らかに異なる．（×）

b．本来の膵とは連続性をもたず，他臓器中に存在する膵組織を示す．胃における好発部位として幽門前庭部が圧倒的に多い（88％）．内視鏡所見では，なだらかに立ち上がる隆起性病変として認められ，病変の主座は粘膜下層にあるため，表面は既存の非腫瘍性粘膜で被覆されている．よって，隆起部の境界は不明瞭である場合が多い．超音波内視鏡が本疾患の診断に有用である．本問の内視鏡像とは明らかに異なる．（×）

c．カルチノイド（WHO 分類では神経内分泌腫瘍；neuroendocrine tumor：NET）は背景因子に基づき，type Ⅰ（A 型胃炎・高ガストリン血症），type Ⅱ（MEN-1 に伴う Zollinger-Ellison 症候群・高ガストリン血症），type Ⅲ（sporadic）に分けられる（Rindi 分類）．いずれの type の場合も，体部に広く分布する粘膜深層部の enterochromaffin-like（ECL）細胞から発生し，粘膜下層に向かって膨張性に発育することから，体部に多く，表面は健常粘膜で被覆された非上皮性の粘膜下腫瘍様の形態を呈する．よって，色調は正常から黄色調を呈する場合が多く，大きくなるにつれ中心陥凹（時に潰瘍）や発赤を認めるようになる．本問の内視鏡像とは明らかに異なる．（×）

d．鑑別疾患として最も重要なのは，同じ上皮性腫瘍の腺腫（腸型）である．腸型腺腫は大きさ 20 mm 以下で褪色調，表面性状は均一である場合が多く，NBI 拡大観察では表面構造が均一で規則的で，細い微小血管が表面構造に沿って走行している場合が多い．本病変は正色調で分葉状の隆起を示し，NBI 拡大では絨毛〜脳回様で一部，不明瞭を呈す表面構造に口径不同を伴う拡張した血管が不規則に蛇行・分岐する所見を認める．（○）

e．未分化型腺癌は褪色調を呈する平坦〜陥凹型を示し，病変内に正色調または発赤調の非腫瘍性上皮が残存すると島状粘膜遺残（インゼル）を認める．本問の内視鏡像とは明らかに異なる．（×）

以上より，正解は d．となる．（**解答 d．**）

〈郷田憲一〉

問題 41

（2018 年度出題）

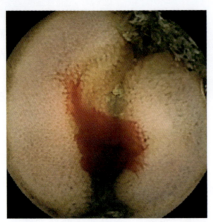
図 a

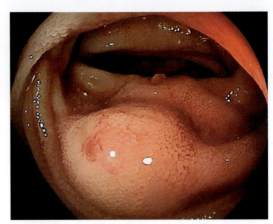
図 b

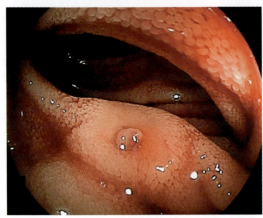
図 c

小腸のカプセル内視鏡像とバルーン内視鏡像を示す（図 a, b, c）. 考えられる疾患はどれか.

- a．静脈瘤
- b．血管腫
- c．GIST
- d．悪性リンパ腫
- e．小腸癌

解説

内視鏡像から疾患名を問う問題である.

図 a は，小腸のカプセル内視鏡像である. 粘膜下腫瘍様に隆起した病変から出血がみられる. このように，小腸で出血をきたす粘膜下腫瘍様病変には，静脈瘤，動静脈奇形（arteriovenous malformation：AVM）などの静脈瘤以外の血管性病変，血管腫，消化管間質腫瘍（GIST）や神経内分泌腫瘍などの非上皮性腫瘍が挙げられる. しかし，このカプセル内視鏡像のみで鑑別診断を行うことは困難であり，治療方針決定のためにもバ

ルーン内視鏡が必要である．そこで施行されたバルーン内視鏡像が**図b**と**図c**である．**図b**では，口側に粘膜下腫瘍様隆起がみられ，連続して肛門側にも露出血管を疑う所見（実際には白色栓である）を呈する粘膜下腫瘍様隆起がみられる．その露出血管様所見に近接した像が**図c**である．露出血管様所見の周囲には潰瘍や癌などの上皮性腫瘍でみられる不整粘膜所見もみられない．これらの所見から癌や非上皮性腫瘍からの出血は否定的である．また，小腸血管腫は，海綿状血管腫が多く，毛細血管腫が続くが，色調は全体的に暗赤色調から青色に観察されることが多く，本症例の色調とは合致しない．また，形態もこのような平滑な形態よりはやや不整形であることが多い．なお，露出血管様所見は，実際には血管ではなく白色栓であり，この所見を白色栓と診断できれば，その段階で静脈瘤と診断可能である．

したがって，本症例は，白色栓を伴う小腸静脈瘤と診断される．食道静脈瘤の治療歴がある肝外門脈閉塞症の症例であり，バルーン内視鏡下に内視鏡的硬化療法を施行された．

選択肢解説

a．小腸静脈瘤は，食道静脈瘤などの治療後に異所性静脈瘤として発生することが多い．小腸壁外からの供血路が小腸壁に入り込み，排血路となって大循環へ排出される血行動態であり，小腸の粘膜下層で静脈拡張を呈したものが静脈瘤の本態である．したがって，粘膜面に不整がない粘膜下腫瘍様の形態を呈する．また，比較的軟らかい．出血をきたした場合には，出血部が隆起の一部に赤色栓あるいは白色栓として観察されるが，本症例では**図c**のように白色栓がみられる．この白色栓からも静脈瘤と診断可能である．（○）

b．小腸血管腫は，海綿状血管腫，毛細血管腫，膿原性肉芽腫に分類される．このうち，海綿状血管腫が最多であるが，数mm〜20 mm大の小さなものがほとんどである．その形状は，不整状に隆起して内腔に突出する．また，血管が透見され，暗赤色や青色に観察されることが多い．色調や形態が本症例と一致しない．（×）

c．小腸GISTは，比較的なだらかな立ち上がりの粘膜下腫瘍の像を呈する．しかし，全体に硬いうえに，出血をきたした場合には潰瘍やびらんを呈する．本症例の内視鏡像のみでは硬さの評価は困難と思われるが，潰瘍やびらんがみられない点が一致しない．（×）

d．小腸悪性リンパ腫は，びまん性大細胞型B細胞リンパ腫が最多であり，次いで，MALTリンパ腫，濾胞性リンパ腫，T細胞性リンパ腫などがみられる．内視鏡像は多彩な形態を呈するが，粘膜下腫瘍様の形態を呈し，GISTや神経内分泌腫瘍などと鑑別を要することがある．しかし，GISTほどは硬さがないものの，ある程度の硬さがあるうえに，粘膜面にびらんや小潰瘍を呈することが多い．本症例は，そのような所見がみられない．（×）

e．小腸癌は，粘膜面に不整像を呈するとともに，全体的に不整形である．したがって，最も考えにくい．（×）

以上より，正解はa．となる．（**解答 a．**）

〈引地拓人〉

問題 42　　　　　　　　　　　　　　　　　　　　（2019年度出題）

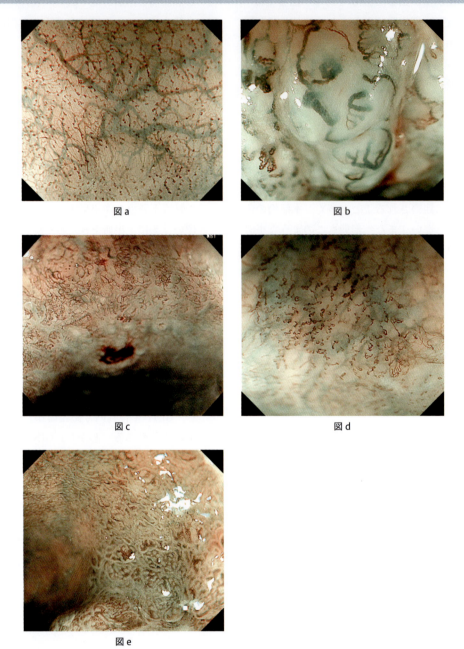

図a　図b　図c　図d　図e

食道のNBI拡大内視鏡像を示す（図a, b, c, d, e）. 食道学会分類（扁平上皮癌）のB2血管（JES B2）はどれか.

- a. 図a
- b. 図b
- c. 図c
- d. 図d
- e. 図e

解説

2011年に開示された食道表在扁平上皮癌に対する拡大内視鏡の分類（食道学会分類：JES分類）を問う問題である．JES分類は扁平上皮癌が疑われる領域性をもつ病変を対象とした血管構造の分類である．

対象となる病変を拡大観察し，上皮内乳頭血管（intra-papillary capillary loop：IPCL）に拡張・蛇行・口径不同・形状不均一の4徴がそろっていない場合はJES type A，4徴がそろっている場合はJES type B1とし，各々は癌/非癌の境界病変，深達度T1a-EP/LPM相当の表在癌と推測できる．IPCL様のループ構造が破壊されていればJES type B2で深達度T1a-MM/T1b-SM1相当の表在癌の可能性が高い．ループ構造が破壊され，かつ血管が太く観察された場合（JES type B2の3倍以上の太さ）はJES type B3と診断し，T1b-SM2相当の表在癌と考える．

付記事項として病変内の血管が疎な領域をavascular area（AVA）とし，AVAの大きさが0.5 mm未満（AVA-small）であればT1a-EP/LPM，0.5 mm以上3 mm未満（AVA-middle）であればT1a-MM/T1b-SM1，3 mm以上（AVA-large）の場合はT1b-SM2の癌が疑われる．

選択肢解説

a．ループ状のIPCL様の血管が観察される．IPCL様の血管は拡張しているが，その程度は弱く，口径不同や形状不均一は観察されない．癌/非癌の境界病変に相当するJES type Aである．（×）

b．ループ状の構造は破壊され，太い血管が観察される．その太さはJES type B2の3倍以上であり，JES type B3に相当する内視鏡像である．（×）

c．ループ状の血管構造が破壊され，横走する血管が観察される．JES type B2相当の血管である．（○）

d．画面の上側に領域性のある血管変化が観察され，血管はループ状の構造が保たれている．拡張，蛇行，口径不同，形状不均一の4徴がそろっており，JES type B1と判断できる．（×）

e．整った絨毛状の構造と管状のピット構造が観察され，腺組織と推測される．設問に食道のNBI拡大内視鏡像と書いてあることから，正常のBarrett食道のNBI拡大像と推測される．（×）

以上より，正解はc.となる．（**解答 c.**）

〈平澤　大〉

問題 43

(2018 年度出題)

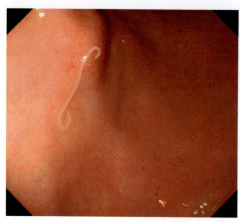

図

48歳の男性．激しい心窩部痛を主訴に受診した．内視鏡像を示す(図)．本疾患について正しいのはどれか．2つ選べ．

a．冬期に多い．
b．魚介類摂取後24時間以降に発症する．
c．−20℃で24時間冷凍することで死滅する．
d．即時型アレルギーが関連する．
e．プロトンポンプ阻害薬が有効である．

解説

　内視鏡像から寄生虫を診断し，関連する知識を問う問題である．細長い虫体が胃壁に刺入していることから診断は比較的容易である．

　アニサキス症はアニサキスが寄生する魚介類の刺身などを摂取することで発症する病変である．原因として多く報告されているものは，イカ，サバ，アジ，サンマ，カツオ，サケ，タラなどである．アニサキス幼虫は小腸，大腸を含むすべての消化管に発症するがそのほとんどが胃である．胃アニサキス症では，摂取後数時間後に突発的に心窩部痛が出現する．虫体が胃壁に刺入することにより疼痛が出現し，内視鏡で摘除することで速やかに症状は消失する．アニサキス虫体が分泌する抗原に対する即時型アレルギーが疼痛の原因と考えられている．刺入虫体は1匹のことが多いが複数存在することもあり注意を要する．また，蕁麻疹を併発することがある．まれには粘膜下腫瘍様隆起，いわゆるvanishing tumorを形成するものもある．腸アニサキス症では10時間以上経過してから発症することもあり，また穿孔による腹膜炎や腸閉塞を併発することがある．

　アニサキスによる食中毒の届け出(24時間以内)の義務化により，2013年以降，発生件数が大幅に増加している．予防法は，生食を避けること，加熱(60℃，1分以上)後に食することである．また冷凍処理(−20℃，24時間以上)により感染性を失うので，魚を冷凍して解凍後に生食することは有効である．アニサキス幼虫は魚介類の内臓に寄生し，宿主の死亡後に筋肉に移行するので，新鮮なうちに内臓を摘出することも有効である．

選択肢解説

a. 季節を問わずみられる．サバが原因のものは秋から冬に多くみられる一方，カツオが原因のものは初夏にみられる．（×）
b. 胃アニサキス症では数時間から10時間以内に発症することが多い．（×）
c. 予防法として，60℃，1分以上の加熱処理が有効である．また，冷凍処理（−20℃，24時間以上）により感染性を失うので，いったん冷凍して解凍後に生食することはよい．（○）
d. アニサキス刺入部での好酸球増多，血清中のアニサキス特異的IgE抗体の有意な上昇を認め，I型アレルギーが関与する．（○）
e. プロトンポンプ阻害薬は胃潰瘍による心窩部痛に有効であるが，アニサキス症による心窩部痛の改善には十分な効果が得られず，虫体の摘除が第1である．なお，疼痛の原因に即時型アレルギーが関与しており，抗ヒスタミン薬が有効である．（×）

以上より，正解はc．d．となる．（**解答 c．d．**）

〈北方秀一〉

問題 44 (2019 年度出題)

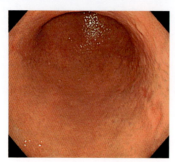
図 a

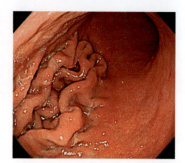
図 b

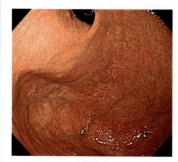
図 c

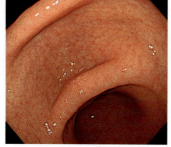
図 d

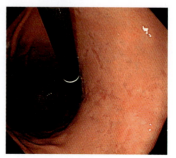
図 e

胃の内視鏡像を示す（図 a, b, c, d, e）．Helicobacter pylori 除菌後と考えられる内視鏡像はどれか．2 つ選べ．

- a．図 a
- b．図 b
- c．図 c
- d．図 d
- e．図 e

解説

内視鏡像から Helicobacter pylori（H. pylori）感染状態を診断する問題である．H. pylori 感染状態は下記の 3 つに分類される．

①未感染：これまで H. pylori に感染していない状態．
②現感染：現在 H. pylori に感染しており慢性活動性胃炎を呈する状態．
③既感染：以前 H. pylori に感染していたが除菌や高度萎縮による自然消失により現在は H. pylori 感染がない状態．

H. pylori 感染状態と内視鏡所見を**表 1**[1]に示す．内視鏡所見から H. pylori 感染と胃粘膜所見の特徴を十分に理解しなくてはいけない．

選択肢解説

a．体部大彎側の非萎縮粘膜は肌色であるが，前庭部と体部小彎，前後壁は発赤した浅い陥凹を呈している．この所見は地図状発赤であ

表1 胃炎の内視鏡所見とピロリ感染

局在	内視鏡所見	ピロリ未感染	ピロリ現感染	ピロリ既感染(除菌後)
胃粘膜全体	萎縮	×	○	○〜×
	びまん性発赤	×	◎	×
	過形成性ポリープ	×	○	○〜×
	地図状発赤	×	×	○
	黄色腫	×	○	○
	ヘマチン	○	△	○
	稜線状発赤	○	△	○
	腸上皮化生	×	○	○〜×
	粘膜腫脹	×	○	×
	斑状発赤	○	○	○
	陥凹型びらん	○	○	○
体部	皺襞腫大，蛇行	×	○	△〜×
	白濁粘液	×	○	△〜×
体部〜穹窿部	胃底腺ポリープ	○	×	○
	点状発赤	×	○	△〜×
	多発性白色扁平隆起	○	△	○
体下部小彎〜胃角小彎	RAC	◎	×	×〜△
前庭部	鳥肌胃炎	×	○	△〜×
	隆起性びらん	○	△	○

◎：よく観察される　○：観察される　×：観察されない　△：観察されることがある

〔鎌田智有：第2章 胃炎の内視鏡所見 1．総論．春間 賢(監修)，加藤元嗣，他(編)：胃炎の京都分類 改訂第2版．日本メディカルセンター，pp26-31，2018 より一部改変〕

り，除菌後と診断する．地図状発赤は，除菌後の特異的な所見として重要であり，病理組織学的には腸上皮化生を示す．除菌後症例の10〜25％に地図状発赤が出現する．(○)

b．体部大彎から後壁の粘膜の色調は均一に発赤しており，びまん性発赤の所見である．体部大彎の皺襞は腫大，蛇行しており，これは腺窩上皮の過形成および間質の浮腫状変化に起因する．また，全体的に白濁した汚い粘液が付着している．これらはすべて H. pylori 現感染の所見である．(×)

c．体上部から穹窿部に小さな点状の発赤が多発している．点状発赤の所見であり，現感染と診断する．また背景は均一な発赤を呈しており，これはびまん性発赤の所見である．(×)

d．前庭部小彎の粘膜は光沢を有する均一な橙赤色で，表面はなめらかで不整な凹凸はない．前庭部小彎に樹枝状の血管を認めるが，これは萎縮ではなく正常な幽門腺領域にみられる所見である．H. pylori 未感染と判断する．(×)

e．体部小彎の不整形の発赤陥凹が多発している．地図状発赤の所見であり，除菌後と診断する．(○)

以上より，正解はa．e．となる．(**解答 a．e．**)

文献

1) 鎌田智有：第2章 胃炎の内視鏡所見 1．総論．春間 賢(監修)，加藤元嗣，他(編)：胃炎の京都分類 改訂第2版．日本メディカルセンター，pp26-31，2018

〈平澤俊明〉

問題 45 (2019年度出題)

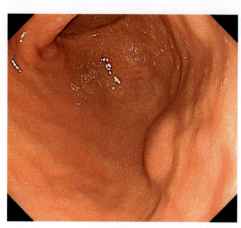
図 a

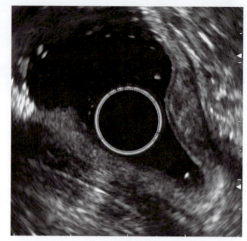
図 b

胃の内視鏡像と超音波内視鏡像を示す（図 a, b）．正しいのはどれか．

- a．GIST
- b．迷入膵
- c．癌
- d．脂肪腫
- e．Inflammatory fibroid polyp（IFP）

解説

通常内視鏡像と超音波内視鏡像から胃の粘膜下腫瘍の診断を問う問題である．

通常内視鏡で隆起性病変を認めたら，まず上皮性腫瘍か否かを判断する．病変部に境界明瞭な上皮性の変化を認めたら上皮性腫瘍を考え，それらの所見が乏しければ粘膜下腫瘍を考える．時に炎症や潰瘍形成による上皮性変化を伴う場合があるので注意を要する．粘膜下腫瘍の質的診断には，①部位，②大きさ，③隆起辺縁の立ち上がりの性状，④隆起の高さや形状，⑤bridging fold の有無，⑥潰瘍の有無などの所見を拾い上げて鑑別診断を行う．本問の通常内視鏡では，病変部の粘膜性状に変化がなく（上皮性変化が乏しく），なだらかな隆起を呈している．図 a の左上に胃角がみられることから，部位は胃体下部～近位前庭部の後壁～大彎にあたる．

超音波内視鏡は，①病変の主座，②内部エコー輝度，③内部エコーパターン，④病変辺縁の性状の所見を拾い上げ鑑別診断を行うことが重要である．本問の主座は第3層で，やや低エコーで不均一なエコー輝度を呈している．

選択肢解説

a．GIST（gastrointestinal stromal tumor）は消化管ペースメーカー細胞である Cajal 介在細胞を由来とした腫瘍性の病変である．筋原性の場合が多く，その場合，固有筋層と連続していることが多い．胃内の好発部位はなく，隆起の高さ／形状もさまざまである．大きくなると bridging fold や dele を形成する．内部エコーは一般的に低エコー均一で第4層に連続している場合が多い．大きくなり悪性化

すると，モザイク状のエコーパターンになりやすい．（×）

b．迷入膵は胎児の発生時期に膵組織の原基が迷入し腫瘍性に増大したものといわれている．好発部位は胃のL領域で，特に幽門前庭部大彎側に多くみられる．3 cm 以下のものが多く，頂部に導管の開口部が観察できる場合もある．EUS では第3層に限局する浅層型と第3～4層にまたがって存在する深層型に分類される．内部エコーは不均一でエコー輝度はやや低エコー～低エコーを呈する場合が多い．本症例は部位や大きさ，形状が迷入膵の所見に合致し，EUS では浅層型の典型像を呈している．（○）

c．本問の通常内視鏡では上皮性変化は乏しいと考えられ，上皮性の腫瘍性病変（癌）の可能性は低いと考えられる．粘膜下腫瘍様の形態をとる特殊な胃癌（リンパ浸潤癌や胃底腺型胃癌，内分泌細胞癌など）が鑑別診断に挙げられるが，いずれにせよ上皮性の変化を伴う場合が多い．（×）

d．胃脂肪腫は良性の腫瘍性病変で，前庭部に比較的多くみられる．2～5 cm の報告が多い．粘膜深層から粘膜下層に存在していることが多いため，EUS では第2～3層に観察され，きわめて高いエコー輝度を呈する．（×）

e．IFP は粘膜深層から粘膜下層に発生する良性疾患である．半球状を呈するが，約10 mm を超えると亜有茎性～有茎性になり，びらん形成，陰茎亀頭状の形態を呈することがある．組織学的には炎症細胞浸潤と毛細血管増生を伴う結合織の増生が主体で，EUS では間質や細胞成分の過多などにより不均一なエコーレベルを呈する．（×）

以上より，正解は b．となる．（**解答 b.**）

〈平澤　大〉

問題 46 (2019年度出題)

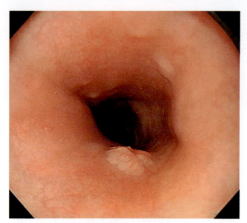
図 a

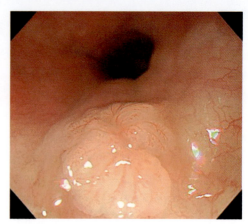
図 b

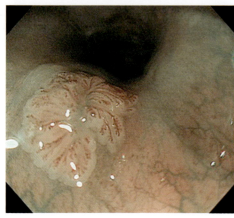
図 c

食道の内視鏡像を示す(図 a, b, c). 正しいのはどれか.

- a. 黄色腫
- b. 乳頭腫
- c. 顆粒細胞腫
- d. 炎症性ポリープ
- e. 癌

解説

内視鏡像から疾患名を問う問題である.

図 a は，食道の内視鏡像(白色光)である．周囲に比べてやや白色調の境界明瞭な 10 mm 程度の隆起性病変がみられる．鑑別診断としては，0-Ⅱa 型表在型食道癌や単発で大きなグリコーゲンアカントーシスなどが挙げられる．**図 b** は，**図 a** の近接像であるが，色調が淡桃色で，光沢がある桑実状あるいはイソギンチャク様の形態を呈している．相対的に陥凹したようにみえる中心部から，放射状あるいは車軸様にやや拡張した血管が

みられる．図cは，非拡大のNBI像である．図bでみられた放射状・車軸様の血管が，より明瞭に観察されるが，癌を疑う口径不同や蛇行の所見がない．これらの所見から，食道癌は考えにくい．また，グリコーゲンアカントーシスでみられる表面の縦走する微細な白点が本症例はみられず，桑実状の形態，放射状・車軸様の血管模様も一致しない．

したがって，本症例は，食道乳頭腫と診断できる．食道乳頭腫は，血管を有する間質と重層扁平上皮の乳頭状増殖からなる扁平上皮由来の良性腫瘍である．食道乳頭腫からの癌化はまれであり，基本的には治療の必要はない．本症例も経過観察となった．なお，ヨード染色では，癌は不染となり，グリコーゲンアカントーシスは濃染となるが，乳頭腫は正染〜淡染となる．また，乳頭腫における軟らかさや形態確認の評価として，鉗子などで病変を触診することも有用である．

選択肢解説

a．黄色腫：扁平な隆起を呈するが，色調が黄白色調であることが本症例と一致しない．また，黄色腫でみられる血管は，無構造で黄白色の隆起の表面に縮れた微細血管として観察される．この血管模様も一致しない．（×）
b．乳頭腫：白色調の小隆起性病変であり，近接をすると粒状や房状の隆起が集簇した形態と認められる．色調が桃色であったり，発赤調の桑実状を呈していたりすることもある．また，表面が光沢を呈することも多い．通常は白色光やNBI像のみで癌との鑑別は可能であるが，拡張した血管がみられた場合には癌との鑑別が必要な場合がある．しかし，ヨード染色で正染あるいは淡染となる点で鑑別できる．（○）
c．顆粒細胞腫：立ち上がりが急峻な白色調から黄色調の隆起性病変として認められる．頂部がやや陥凹して観察される場合には，その形態から大臼歯様と表現される．一見粘膜下腫瘍様でありながら，腫瘍直上の上皮が伸展されることで，腫瘍部が白色調から黄色調として表面から透けて観察される．これらの色調と形態は，本症例とは一致しない．（×）
d．炎症性ポリープ：逆流性食道炎などの影響で，隆起をした形態でみられる病変である．通常は，発赤調の隆起として観察され，周囲にびらんを伴うことも多い．食道胃接合部に存在する場合には癌との鑑別が困難な場合もあるが，本症例の内視鏡所見とは一致しない．（×）
e．癌：0-Ⅱa型の表在型食道癌で，組織学的に高分化型扁平上皮癌である場合には，本症例のように白色調にみられることがある．しかし，そのような病変は表面が角化していることから，血管模様は観察できない．その点が本症例と一致しない．また，本症例は光沢がありすぎる点や一見して軟らかすぎる点が癌と一致しない．なお，本症例のNBI像で観察される中心から周囲に放射状・車軸様の血管模様は，癌のB-2血管との鑑別を要するが，口径不同や蛇行の所見がなく，癌の血管ではない．以上から，癌とは鑑別可能である．（×）

以上より，正解はb．となる．（**解答 b.**）

〈引地拓人〉

問題 47 (2019年度出題)

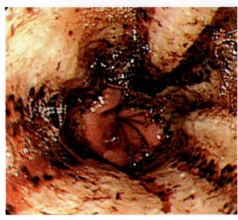

図

食道内視鏡を示す(図). この病変について誤っているのはどれか.

a. 食道中〜下部に多い.
b. 血流障害が原因である.
c. 比較的早期に治癒する.
d. 食道粘膜の慢性炎症性疾患である.
e. 糖尿病患者に好発する.

解説

内視鏡像から疾患名を問い, その後その疾患についての知識を問う問題である. 問題に示した内視鏡像は, 食道胃接合部直上に全周性の黒色変化を認め, 口側に向かって浅い潰瘍が全周性に続いている. この食道下部の全周性の黒色変化を最大の特徴として知られているのが, 急性壊死性食道炎(acute necrotizing esophagitis：ANE)であり, 黒色食道ともいわれる. 一方, 黒色ではない全周性の浅い潰瘍に関しては, 重症の逆流性食道炎(gastroesophageal reflux disease：GERD)と診断されることがあるが, 実際GERDとは異なる病態をもつものがある. この食道下部に好発するびまん性粘膜障害である黒色食道と非黒色食道をまとめて, 急性食道粘膜病変(acute esophageal mucosal lesion：AEML)という.

津村らは, このAEMLの特徴として, ①比較的重篤な基礎疾患を有する, ②中高年以上の男性に多い, ③コーヒー残渣様吐物や吐血により急性発症する, ④病変は下部食道にみられ, 食道胃接合部(esophagogastric junction：EGJ)に近づくに従い悪化する, ⑤食道裂孔ヘルニアを伴う, ⑥十二指腸粘膜病変を伴う, ⑦急速に改善治癒する, などを挙げている[1].

病態に関しては, 巽らの報告では, 併存疾患に高血圧, 糖尿病, 虚血性心疾患, 脳梗塞といった動脈硬化性疾患を多く有し, それらの悪化とAEMLに関連が認められることから, 虚血がAEML発症に関与する可能性が示唆されている[2]. 久札らは喫煙歴もリスク因子と指摘[3]し, 予後に関しては, AEMLが直接の死因となることは少なく, 死亡例の多くは併存疾患の悪化によるものが多いとされている.

AEML自体は保存的治療で早期に改善することが多く, 診断翌日には黒色粘膜が脱落し白色の

浅い潰瘍の所見を認めることが多い．問題に示した像も，病変の口側は浅い潰瘍を認めており，粘膜の治癒傾向を示しているものと考える．

> 選択肢解説

a．本疾患は，食道の下部から連続性に認められることが多い．好発部位は下部～中部である．この理由として，中・下部食道は血管構築が豊富ではない，などといった血管に関する解剖学的理由が考えられているが，明白な理由はわかっていない．（〇）
b．病態として，虚血による変化と考えられている．（〇）
c．早期の粘膜治癒が特徴の1つである．（〇）
d．食道の急性粘膜傷害である．（×）
e．高血圧，糖尿病，虚血性心疾患，脳梗塞といった動脈硬化性疾患の併存が多いことが知られている．（〇）

以上より，解答はd．である．（**解答 d.**）

文　献

1) 津村剛彦，他：急性食道粘膜病変（AEML）の12例．Gastroenterological Endoscopy 50：1635-1642, 2008
2) 巽　亮二，他：急性食道粘膜病変の重症度の検討．Gastroenterological Endoscopy 56：3775-3785, 2014
3) 久札里江，他：当院における急性食道粘膜病変の臨床的検討．Progress of Digestive Endoscopy 90：46-50, 2017

〈岸野真衣子〉

問題 48　　　　　　　　　　　　　　　　　　　　　　（2019 年度出題）

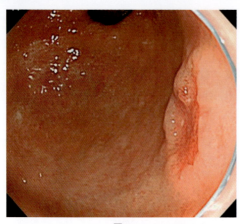

図 a

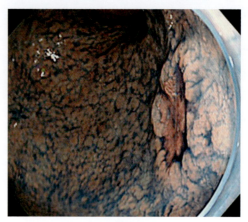

図 b

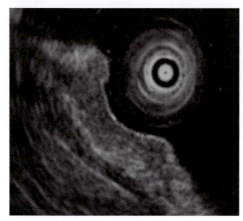

図 c

胃内視鏡像と超音波内視鏡像を示す（図 a，b，c）．診断はどれか．

- a．分化型腺癌：T1a(M)
- b．分化型腺癌：T1b(SM)
- c．分化型腺癌：T2(MP)
- d．未分化型腺癌：T1a(M)
- e．未分化型腺癌：T1b(SM)

解説

　胃癌と考えられる内視鏡像から組織型と深達度を問う問題である．知っておくべき胃癌の深達度診断のプロセスとして，まず表在型 vs. 進行型を鑑別し，表在型なら分化型 vs. 未分化型，さらに隆起型 vs. 陥凹型で組織型・深達度を肉眼型・種々の通常・色素内視鏡像で鑑別していく．本問では超音波内視鏡（EUS）像が提示されており，EUS の層構造に熟知しておく必要がある．
　表在型（0 型）vs. 進行型（1～5 型）の鑑別は日本胃癌学会編『胃癌取扱い規約』の肉眼型に準じて

行う．本症例は全周性に丈の低い隆起を伴う，発赤調の浅い陥凹性病変である．潰瘍や緊満感のある丈の高い周囲隆起（周堤）の所見はない．よって，表在型の0-Ⅲ型や2型・3型の進行癌でないことは明らかである．また，辺縁に棘状の不整を伴う発赤した陥凹面とその周囲に丈の低い隆起（いわゆる辺縁隆起）を認めることから，分化型癌の典型的内視鏡像を呈している．深達度においては，表在型で表層陥凹型と考えられるため，純粋なⅡc型かⅡa＋Ⅱc型かを見極める必要がある．周堤と言えないものの，辺縁隆起の丈が高く，粘膜下腫瘍様の立ち上がりを有している場合，Ⅱa＋Ⅱc型とされ，SM浸潤を疑うべき肉眼型である．本症例の場合，辺縁隆起に高さはないものの，病変部全体が台状に隆起しているため厚みがあり，陥凹の程度も純粋なⅡc型に比し深い．典型的Ⅱa＋Ⅱc型とは言えないものの，"Ⅱa＋Ⅱc様"に相当する肉眼型と考える．本症例のごとく潰瘍瘢痕を伴わない（UL－）の陥凹型において，M vs. SM の主な鑑別点として，①陥凹面の色調（強い発赤はSMを示唆），②壁の厚み・硬化像，③病変の大きさ（30 mm 以上か否か）などがある．本症例は 10 mm 大の比較的小さな病変であるが，Ⅱa＋Ⅱc様で①②の所見を呈することから，通常・色素内視鏡画像上（図a，b），SM浸潤が疑われる．

20 MHz の細径プローブを用いた超音波内視鏡観察において，胃壁は5〜7層に分離される．本症例は第4層（固有筋層に相当）の筋間エコー（結合織）が不明瞭であることから，5層構造として解説する．図c右下（5時方向）の辺縁隆起部において，第2層（低エコー層）が表層に向かって挙上し，陥凹部の肥厚した第2層と連続している．陥凹部を含め病変部において，第2層（低エコー層）は明らかに肥厚しており，腫瘍を描出していると考えられる．肥厚した第2層は陥凹部において，第3層（高エコー層：粘膜下層に相当）に向かって弧状に突出している．第3層の断裂や第4層の肥厚など，固有筋層への浸潤を疑う所見はない．

以上，術前精査内視鏡でSM浸潤癌を強く疑った．切除標本上，組織学的には tub1＞tub2 で T1b-SM（800μm）のSM浸潤癌であった．

> 選択肢解説

前述のごとくⅡa＋Ⅱc様で全体的に軽度の肥厚を認め，陥凹面は強い発赤調，EUS所見（第2層の肥厚と第3層への突出像）から，下記の選択肢解説となる．

a．辺縁隆起と辺縁に棘状の不整を伴う発赤した陥凹面からなる病変で，分化型早期癌の典型像である．病変部は全体的に肥厚しており，強い発赤調の陥凹面を有し，EUS所見からも，SM浸潤癌と考えられる．（×）

b．Ⅱa＋Ⅱc様で全体的に肥厚しており，陥凹面の発赤は強く，EUS所見（第2層の肥厚と第3層への突出像）から，SM浸潤癌と考えられる．（◯）

c．肉眼型とEUS所見（第2層の肥厚と第3層への突出像を認めるが，第3層の断裂や第4層の肥厚はない）から固有筋層への浸潤を疑う所見はない．（×）

d．陥凹型の未分化型早期癌の場合，通常，辺縁隆起を伴わず，陥凹面は褪色調を示し，島状粘膜残存（いわゆるインゼル）も認めない．（×）

e．前述のごとく，未分化型腺癌を示唆する所見はない．（×）

以上より，正解は b．となる．（**解答 b.**）

〈郷田憲一〉

問題 49 (2019年度出題)

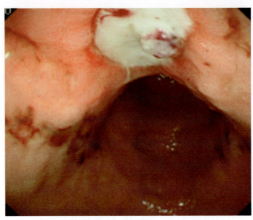

図

胃内視鏡像を示す(図). 正しいのはどれか. 2つ選べ.

a. Forrest 分類Ⅱaである.
b. 質的診断のための生検を施行して終了する.
c. トロンビンを撒布して終了後, プロトンポンプ阻害薬内服を開始する.
d. 鉗子で中心部の凝血を除去する.
e. クリッピングを行う.

解説

内視鏡像より疾患名, 病態を問い, 正しい記載について選択させる問題である. 内視鏡所見は胃体下部小彎に存在する潰瘍性病変である. 活動性出血所見はなく, 潰瘍底には露出血管と考えられる発赤調隆起が認められる. 潰瘍辺縁には悪性を示唆する不整粘膜所見は認められず, 急性期の活動性潰瘍である.

表1に出血活動性を表したForrest分類を示す. Ⅰa, Ⅰb, Ⅱaが内視鏡的止血治療の適応である. 本症例はForrest分類Ⅱaに該当する. 日本消化器病学会編『消化性潰瘍診療ガイドライン2020 改訂第3版』には, 活動性出血例(Forrest分類Ⅰa, Ⅰb)および非出血性露出血管症例(Ⅱa)が再出血のリスクが高く, 内視鏡的止血治療のよい適応であると記載されている.

内視鏡的止血術には止血機序により薬剤注入法

表1 Forrest の内視鏡的出血像分類

Active bleeding(活動性出血)
○ Ⅰa：Spurting bleed(噴出性出血) ○ Ⅰb：Oozing bleed(漏出性出血)
Recent bleeding(最近の出血)
○ Ⅱa：Non-bleeding visible vessel(非出血性露出血管) ○ Ⅱb：Adherent blood clot(凝血塊の付着) ○ Ⅱc：Black base(黒色潰瘍底)
No bleeding(出血なし)
○ Ⅲ：Lesion without stigmata of recent bleeding(出血所見のない病変)

〔Heldwein W, et al：Is the Forrest classification a useful tool for planning endoscopic therapy of bleeding peptic ulcers?. Endoscopy 21：258-262, 1989 より〕

(純エタノール局注法, 高張食塩水エピネフリン局注法), 機械的止血法(クリップ法, 結紮法), 熱凝固法(高周波止血鉗子法, アルゴンプラズマ凝固法, ヒータープローブ法), 薬剤散布法(エピネフリン, トロンビン, アルギン酸ナトリウム)が存在し, 出血性状に応じて使い分ける.

選択肢解説

a. 活動性出血は認めないが潰瘍底に露出血管と考えられる所見が存在し，Forrest分類Ⅱaに該当する．（○）

b. 潰瘍辺縁粘膜に悪性を示唆する不整所見は認められないが，質的診断目的の生検は必要である．再出血リスクが少なからず存在する急性期であるため内視鏡的止血術と薬物治療を優先し，後日内視鏡的に露出血管が消失したことを確認してから生検を施行するのが望ましい．（×）

c. 本症例はForrest Ⅱaであり再出血の危険性があるため，止血処置を早急に施行すべきである．トロンビン散布は少量の湧出性出血やほかの内視鏡的止血法の補助として用いられるが，活動性出血例や再出血の可能性が高い露出血管を有する症例に対しては単独では適応とならない．またプロトンポンプ阻害薬の内服のみでは酸分泌抑制効果発現に時間を要するため本症例では適さない．静脈内投与を内視鏡治療前から開始するのが望ましい．（×）

d. 潰瘍底に認められる暗赤色調の隆起は露出血管が本体と考えられるため，安易に鉗子で把持して強引に除去を試みると噴出性出血を誘発する危険性が高い．止血処置を優先すべきである．（×）

e. 再出血予防目的の止血法としてその止血機序により前述した方法があり，症例に応じて使い分ける．1つの止血法に固執せずコンビネーションで使用することも必要である．クリップ法は直接血管を機械的圧迫固定する止血法であり，組織障害をきたしにくく安全性が高い簡便な方法として広く普及している．慢性潰瘍で硬い潰瘍底の症例では，確実な把持固定のためにショートタイプのクリップで潰瘍底を的確に垂直方向に把持するなどの工夫を要する．（○）

以上より，a．e．が正解である．（**解答 a．e．**）

〈和田友則〉

第3章

下部消化管

イントロダクション

下部消化管領域では内視鏡診断と病態、および治療方針について基本的な知識を問う問題が出題される。小腸と大腸では出題の対象となる疾病が異なっており、小腸では非上皮性腫瘍、消化管ポリポーシス、Crohn病、膠原病・血管炎症候群など全身性疾患の病変が出題範囲となる。大腸では上皮性腫瘍の診断と種々の炎症性疾患に関する出題が多い。

■ 内視鏡手技関連

大腸内視鏡に関する鎮静、挿入法、画像強調内視鏡、治療関連機器が出題される。鎮静と治療関連機器は上部内視鏡検査と一括して学んでいただきたい。また、NBI(narrow band imaging)、BLI(blue laser imaging)、LCI(linked color imaging)などの画像強調の原理も総論として知っておくべきである。加えて、大腸上皮性腫瘍の拡大内視鏡分類(工藤・鶴田分類)とNBI拡大内視鏡分類(JNET分類)は各カテゴリーの実際の内視鏡所見とともに熟知いただきたい。

小腸では、いわゆるdevice-assisted enteroscopy(DAE)の原理と偶発症に関する出題が多い。特に経口的BAEによる膵炎の危険因子と予防対策を知っておきたい。一方、小腸カプセル内視鏡検査の適応・禁忌、パテンシー・カプセルを用いた消化管通過性の判定基準も基本的知識である。

■ 大腸腫瘍

1. 大腸上皮性腫瘍

良・悪性の判定と深達度診断は必修項目である。通常観察、拡大内視鏡分類(工藤・鶴田分類、JNET分類)、超音波内視鏡(EUS)の診断能が問われるので、隆起型腫瘍、表面型腫瘍、laterally spreading tumorの診断ポイントを熟知してほしい。深達度診断では、通常観察下に深部浸潤を強く疑う所見(緊満感、襞集中、伸展不良、陥凹内隆起など)とリンパ節転移の組織学的危険因子も理解しておく。

2. その他の腫瘍・腫瘍状病変

単発・散発性の隆起性病変として、過誤腫性ポリープ〔若年性ポリープ、Peutz-Jeghers(P-J)型ポリープなど〕、粘膜下腫瘍(リンパ腫を含む)、直腸神経内分泌腫瘍、鋸歯状病変(SSL)、子宮内膜症などが出題頻度の高い疾患である。好発部位、肉眼型と拡大所見、EUS所見、病理所見を熟知してほしい。特にSSLの内視鏡所見(褪色、粘液付着、拡張血管、異常血管、開Ⅱ型pit、偽憩室様内反性発育など)と良悪性の鑑別は繰り返し出題されている。

3. 遺伝性疾患と消化管ポリポーシス

小腸と大腸に共通する必修項目であり、遺伝性大腸癌、過誤腫性ポリポーシス、Cronkhite-Canada症候群(CCS)が主な疾患である。いずれも比較的まれではあるが、特徴的な臨床像と内視鏡像を呈する。

①遺伝性大腸癌

Lynch症候群、家族性大腸腺腫症(FAP)、および*MUTYH*関連ポリポーシス(MAP)を知っておく。なお、FAPとMAPは消化管ポリポーシスにも分類される疾患である。

Lynch症候群はミスマッチ修復遺伝子のバリアントによって発症する非ポリポーシス大腸癌である。これに対してFAPは*APC*遺伝子のヘテロバリアント、MAPは*MUTYH*遺伝子のホモないし接合ヘテロバリアントで発症する腺腫性ポリポーシスである。これら三疾患の遺伝形式、大腸病変、および大腸外病変の特徴を把握しておきたい。

②消化管ポリポーシス

過誤腫性ポリポーシスのうち、出題の頻度が高いのはPeutz-Jeghers症候群、若年性ポリポーシス、Cowden症候群である。病変の分布と内視鏡所見、消化管外徴候、疾患関連遺伝子、組織所見は出題されやすい。なお消化管ポリポーシスの

鑑別疾患として，腸管囊胞状気腫症と悪性リンパ腫の特殊型である multiple lymphomatous polyposis は覚えておくべきである．

■ 小腸腫瘍のポイント

悪性リンパ腫，小腸癌，gastrointestinal stromal tumor (GIST) の診断を問う問題が繰り返し出題されてきた．特に悪性リンパ腫は組織像により異なった内視鏡所見を呈するので，その関係を知っておいてほしい．加えて，近年では十二指腸上皮性腫瘍（腺腫，癌）の内視鏡診断と治療がトピックスとなっている．また，消化管ポリポーシスの部分症としての小腸病変，および孤在性血管病変の診断と治療も知っておくべきである．

■ 炎症性疾患

原因の明らかな疾患として，感染性腸炎，薬剤関連消化管疾患，虚血性腸炎，憩室関連疾患，放射線性腸炎が出題されている．一方，Crohn 病と潰瘍性大腸炎に代表される狭義の炎症性腸疾患の出題も多い．

急性感染症では，遭遇機会が多い細菌感染症（カンピロバクター属，エルシニア属，腸管出血性大腸菌）の出題が多い．一方，慢性感染症として結核菌感染症，アメーバ感染症，サイトメガロウイルス感染症が頻出である．そのほかにも線虫症，条虫症，日本住血吸虫症，糞線虫症，ランブル鞭毛虫症などの寄生虫・原虫感染症も想起する必要がある．一方，薬剤性消化管障害の原因薬剤として，抗菌薬，非ステロイド性消炎鎮痛薬，プロトンポンプ阻害薬，漢方薬，免疫チェックポイント阻害薬が挙げられる．いずれも特徴的な内視鏡所見と組織所見を呈する．

Crohn 病，潰瘍性大腸炎，腸管 Behçet 病・単純性潰瘍など狭義の炎症性腸疾患では，内視鏡所見自体が診断基準になっている．また，内視鏡的重症度の判定法や腫瘍合併例の内視鏡診断に関する知識を問う問題も出題されている．なお，最近病態が明らかとなった enteropathy associated with *SLCO2A1* gene (CEAS) や家族性地中海熱に関連する腸管病変にも留意すべきであろう．

〈松本主之〉

問題 1 (2014年度出題)

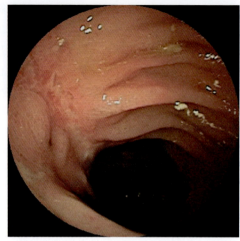

図

回腸のバルーン小腸内視鏡像を示す（図）．本疾患と関連のあるものはどれか．

- a．NSAIDs
- b．高齢発症
- c．難治性痔瘻
- d．*Helicobacter pylori*
- e．乾酪性類上皮細胞肉芽腫

解説

問題文は患者の年齢・性別や症状に関していっさい触れておらず，まず内視鏡写真のみをみて診断し，そしてその疾患と関連のあるものを選択肢の中から選ぶ，という2段階からなる問題である．

写真では画面左寄りに潰瘍を認める．回腸に潰瘍を生じる疾患には，NSAIDs潰瘍，腸結核，エルシニア腸炎，サイトメガロウイルス腸炎，腸管Behçet病，Crohn病，などさまざまなものが含まれる．

NSAIDs潰瘍はさまざまの形態を呈しうるが，典型的にはKerckring襞の頂部に存在する幅の狭い輪状潰瘍であり，狭窄を伴うこともまれではない．

腸結核による潰瘍も種々の形態を呈しうるが，輪状潰瘍や輪状に配列する不整形潰瘍が典型で，潰瘍は強い発赤で縁取られ，潰瘍底が不整であることが多い．周囲にはしばしば萎縮瘢痕帯を伴う．

エルシニア腸炎は回腸末端において一見敷石像のような所見を呈し，Crohn病と鑑別を要する．しかし，Crohn病では隆起の間に潰瘍が存在するのに対し，エルシニア腸炎におけるびらんは各隆起の頂部に存在する．また，パイエル板の部位に生じるのが特徴である．

サイトメガロウイルス腸炎もさまざまな潰瘍を生じうるが，典型像は不整形の深掘れ潰瘍である．

腸管Behçet病による小腸潰瘍の典型像は類円形の打ち抜き様であり，潰瘍周囲に炎症所見を伴わず，腸間膜対側に生じる．

本問に示された潰瘍は，縦走傾向で，周囲に若

干の発赤・浮腫を伴い，腸間膜付着側に存在するようである．上記の疾患の典型像とは異なり，最も考えられるのはCrohn病である．

> **選択肢解説**

a．上述のように本問の潰瘍はNSAIDsによるものではなさそうである．（×）
b．Crohn病は10～30歳の若年発症が多い．（×）
c．Crohn病には，いくつかの腸管合併症および腸管外合併症を伴いうるが，なかでも難治性痔瘻は，高頻度にみられる腸管合併症の1つである．（○）
d．*Helicobacter pylori*は慢性胃炎や胃十二指腸潰瘍の主たる要因であるが，小腸潰瘍との関連は別段認められない．（×）
e．乾酪性類上皮細胞肉芽腫は結核病巣に認められるものであり，Crohn病に特徴的なのは非乾酪性類上皮細胞肉芽腫である．（×）

以上より，正解はc．となる．（**解答c.**）

〈樫田博史〉

問題 2 （2014年度出題）

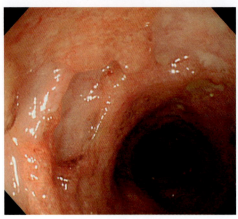

図

28歳の女性．潰瘍性大腸炎で副腎皮質ステロイド薬を減量中に急に高熱が出現し，下痢と血便が増悪した．大腸内視鏡像を示す（図）．最も考えられるのはどれか．

a．潰瘍性大腸炎の増悪
b．細菌性腸炎の合併
c．アメーバ赤痢の合併
d．Cytomegalovirus 感染
e．Crohn 病の合併

解説

　潰瘍性大腸炎の治療中に生じた高熱，下痢・血便の増悪に対して，症状をきたしている病態をいくつか想定し，提示された内視鏡写真の所見と合致するものを選択する問題である．

　潰瘍性大腸炎の治療経過中に症状の再燃増悪を認めた場合，その原因としては，原疾患の増悪のほかに，感染症や薬剤性腸炎などの合併を念頭に置かなければならない．

　図の所見としては，部位に関する記載がないが，多発する潰瘍があり，背景粘膜は小黄白色点を伴う発赤した細顆粒状で，血管透見は消失し，一部に粘膜内出血斑を認める．

選択肢解説

a．副腎皮質ステロイド薬を減量中に症状の増悪をきたしたとのことであり，症状のみから判断すると，潰瘍性大腸炎自体の再増悪の可能性は大いに有りうる．軽症の潰瘍性大腸炎の内視鏡像は，小黄白色点を伴い発赤した．粗糙または細顆粒状粘膜が特徴的で，血管透見像消失，易出血性・粘血膿性分泌物付着・多発性の微小びらんを呈する．中等症以上になると地図状の浅い潰瘍を呈し，重症化するにつれ潰瘍は広範囲に，または深くなっていく．本症例の内視鏡像では，多発する潰瘍は深いものの，背景粘膜にはそれほど激しい炎症所見を認めず，やや不釣り合いな印象がある．急に高熱をきたしたことも，やや不自然である．（×）

b．潰瘍性大腸炎にサルモネラやカンピロバクター，*Clostridioides difficile*（*Clostridium difficile* から2016年名称変更）菌などの細菌

性大腸炎が合併することはまれならずある．サルモネラ腸炎は終末回腸にアフタ様びらんやリンパ濾胞炎を伴うことが多く，軽症では大腸粘膜浮腫・発赤・びらんなどを，中等症以上では出血所見や不整形の潰瘍所見を伴うようになる．好発部とされる回盲部のみならず上行結腸からS状結腸にも病変が認められることが多いが，通常は直腸病変を伴わない．ただし潰瘍性大腸炎に合併してしまうと，内視鏡像のみでは診断が容易ではない．

カンピロバクター腸炎の内視鏡所見は，潰瘍・びらん，発赤，浮腫，血管透見低下，粘膜粗糙，膿付着，粘膜内出血斑，易出血性などであり，潰瘍性大腸炎との鑑別が困難な疾患の1つである．多くの症例において回盲弁上の潰瘍を認めること，連続・びまん性でなく健常な部位が介在すること，などが鑑別点になるが，潰瘍性大腸炎に合併してしまうと後者の所見は明確ではない可能性がある．Clostridioides difficile はびらん，浮腫，出血などを呈することもあり，必ずしも偽膜を形成しないこともある．

以上のように，提示された写真のみで細菌性腸炎の合併を完全に否定することは困難であり，厳密には便培養などを要する．本問では，細菌性腸炎を示唆する病歴（生卵，鶏肉，生肉の摂取など）や回盲部の写真が提示されておらず，積極的に細菌性腸炎を疑う要素がない．（×）

c．アメーバ赤痢の内視鏡所見は，周囲が軽く隆起し紅暈を有する多発潰瘍で，中心に黄白色の汚い白苔を有するのが特徴である．病変はスキップして存在し，直腸からS状結腸と回盲部が好発部位である．潰瘍性大腸炎との合併は，インドなどでは比較的多く，本邦でも散見されるが，本問では，内視鏡所見が特徴的でなく，回盲部の写真やアメーバ赤痢を示唆する病歴（海外渡航や性交渉の有無）も提示されておらず，積極的にアメーバ赤痢を疑う要素がない．（×）

d．Cytomegalovirus（CMV）腸炎の内視鏡像は多彩であるが，境界明瞭な打ち抜き様潰瘍が典型で，介在粘膜には強い炎症所見を認めない．免疫抑制状態で発症することが多く，潰瘍性大腸炎に対する免疫抑制的な治療，特に副腎皮質ステロイド薬投与中に好発することが知られており，プレドニゾロン 20 mg/日以上で感染しやすいとも言われている．本症例では「減量中」との記載があるものの実際の投与量は示されておらず，20 mg/日以上であった可能性がある．

CMV 感染は潰瘍性大腸炎の増悪因子の1つであり，潰瘍性大腸炎の重症化や予後不良との関連性が報告されている．したがって，潰瘍性大腸炎の増悪に際しては，CMV 感染の合併を常に念頭に置くべきである．ただし，a．であるか d．であるか内視鏡像のみから確定診断を下すのには限界があり，実際には血清抗体価，より感度の高い CMV 抗原検査法（antigenemia 法，C7-HRP 法），生検組織で封入体の証明，抗ウイルス薬に対する反応，などをみて総合的に診断が行われるべきである．（○）

e．潰瘍性大腸炎と Crohn 病はまれに鑑別困難なことがあり，IBD unclassified（IBD-U）と呼ばれる．手術をしてもなお鑑別困難な症例は indeterminate colitis（IC）と呼称する．潰瘍性大腸炎に Crohn 病が合併する可能性は完全には否定しきれないが，実際にそのような症例をみることはほとんどなく，仮にあったとしても診断困難である．（×）

以上より，正解は d．となる．（**解答 d．**）

〈樫田博史〉

問題 3 (2014年度出題)

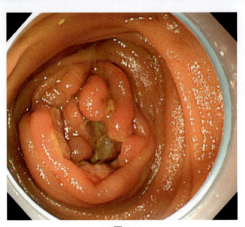
図 a

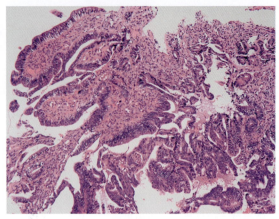
図 b

65歳の男性．持続性の腹痛と体重減少のため来院した．上部，下部消化管内視鏡にて異常を認めず，経口的小腸内視鏡を施行した．内視鏡像（図 a）と生検組織像（図 b）を示す．この疾患で**誤っているのはどれか**．

- a．50歳以上に多い．
- b．病悩期間が長い．
- c．造影 CT が有用である．
- d．空腸より回腸に多い．
- e．予後は不良である．

解説

小腸内視鏡像と生検組織像から疾患名を問い，その後その疾患についての知識を問う問題である．内視鏡像は管腔の全周を占めるような隆起性病変（周堤と考えられる）を認め，管腔の狭窄化を呈し，中央に不整な潰瘍形成がみられる．潰瘍型（輪状狭窄型）と考えられる所見である．生検組織像では中分化型腺癌の所見であり，以上から小腸癌と診断できる．

小腸悪性腫瘍は全消化管腫瘍の1～2%と比較的まれな疾患であり，このうち原発性小腸癌（十二指腸を除く狭義の小腸癌）は，全消化管癌の0.1～0.3%と報告されている．

選択肢解説

- a．小腸癌は10歳～80歳代以上と幅広い年齢層でみられるが，50歳以上が70%と多くを占めている．男女比は1.2：1と若干男性に多い．（○）
- b．臨床症状は腹痛，腹部膨満感，貧血，腹部腫瘤触知，腸閉塞症状，消化管出血など消化管癌の一般的な症状を呈し，小腸癌特有の症状というものがないため，診断が困難なことが多く，このため病悩期間が長いものが多い．また小腸腫瘍は症状が出現するまで発見されることが少ないため，早期発見も困難である．（○）
- c．小腸造影や内視鏡は病変の局在診断や質的診断が可能である．CT（特に造影 CT）検査は，小腸癌の局在診断ならびに管外への進展や周

辺臓器との関係，リンパ節転移の有無などの評価も可能であり，臨床ステージの判定に必須となる有用な検査である．（○）

d．1993年の森山らの報告では空腸癌72％，回腸癌28％，2001年の八尾らの検討では空腸癌57％，回腸癌43％であり，いずれも空腸癌のほうが多いと報告されている．その局在について空腸癌はTreitz靱帯から60cm以内，回腸癌はBauhin弁から60cm以内に約80％を占めると報告されている．（×）

e．本邦の報告では，5年生存率は38.5％，平均生存期間は45.2か月，最長生存期間9年とされている．海外での5年生存率も17.5〜23％と報告されており，決して高くない．早期発見，早期診断が困難であることや腹膜播種，リンパ節転移，血行性転移などを伴う頻度が高いことが原因と考えられている．バルーン内視鏡，カプセル内視鏡の登場により，今度どう変化していくかが注目される．（○）

以上より，正解はd．となる．（**解答 d.**）

〈佐田美和〉

問題 4 (2014年度出題)

Collagenous colitis について，正しいのはどれか．**2つ選べ**．

- a．若年者に好発する．
- b．男性よりも女性に好発する．
- c．本邦では薬物起因性が多い．
- d．大腸に潰瘍は認めない．
- e．粘膜下層に collagen band を認める．

解説

Collagenous colitis（CC）についての知識を問う問題である．

CC は，1976年に Lindström により初めて報告された疾患で，"血便を伴わない慢性水様性下痢を主訴とし，大腸内視鏡所見はほぼ正常であるが，生検組織では大腸被蓋上皮下に特徴的な collagen band と炎症細胞浸潤を認める疾患"と定義されている．その後同様に慢性水様性下痢を主訴とする類縁疾患の lymphocytic colitis（LC）が報告され，両者を併せて microscopic colitis と総称されている．

選択肢解説

- a．CC の発症年齢は60～70歳代が最も多く，40歳以降で増加する傾向にある．小児や若年での発症もまれながら報告されている．（×）
- b．CC の男女比は 1：4.4～7.9 とされており，女性が83～89％を占めている．（○）
- c．CC の病因については複数の要因の関与が考えられており，いまだ完全には解明されていないが，遺伝的素因，自己免疫疾患，胆汁代謝異常，腸管感染症，一酸化窒素（nitric oxide：NO），コラーゲン代謝異常，薬剤などの関与が報告されている．本邦では CC の多くが薬剤起因性と考えられており，非ステロイド性抗炎症薬（nonsteroidal anti-inflammatory drugs：NSAIDs），ランソプラゾール，アカルボース，アスピリン，ラニチジン，セルトラリン，チクロピジン，カルバマゼピンなどが関連薬剤として挙げられている．（○）
- d．当初 CC は病理組織学的変化を示すのみで，注腸や内視鏡などにおいて異常所見を認めないことが特徴とされてきたが，その後欧米でも内視鏡所見の異常を指摘されるようになり，本邦報告61例の集計では発赤，血管網増生，血管透見不良，顆粒状粘膜，縦走潰瘍などの所見が約75％の症例に認められている．（×）
- e．CC の組織像は"被蓋上皮直下に厚い（10μm 以上の）collagen band の沈着を認め，粘膜固有層内に多数の形質細胞を主体とする慢性炎症細胞浸潤を伴うもの"と報告されている．collagen band を認めるのは粘膜下層ではない．（×）

以上より，正解は b．c．となる．（**解答 b．c．**）

〈佐田美和〉

問題 5 (2014年度出題)

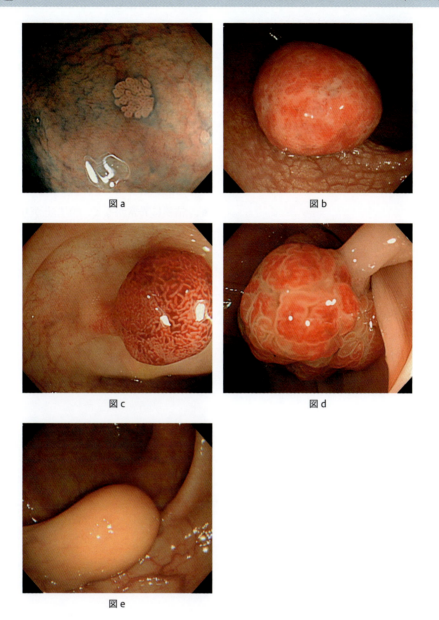

図 a　図 b　図 c　図 d　図 e

51歳の男性．内視鏡的切除されたS状結腸ポリープの組織所見は「①表層上皮は剝離，②腺管は囊胞状拡張，③間質は浮腫と炎症性細胞浸潤がみられる」であった．この組織像を示すポリープの内視鏡像はどれか．

- a．図 a
- b．図 b
- c．図 c
- d．図 d
- e．図 e

解説

　S状結腸の隆起性病変を組織所見から内視鏡所見を推測し鑑別する問題である．問題に与えられた組織所見「①表層上皮は剥離，②腺管は囊胞状拡張，③間質は浮腫と炎症性細胞浸潤がみられる」から，若年性ポリープ（juvenile polyp）と考えられる．若年性ポリープは非腫瘍性ポリープであり，過誤腫性ポリープに分類される．表面に発赤・びらんを形成し出血や自然脱落することもある．

選択肢解説

a．インジゴカルミン散布後の内視鏡写真である．明瞭な pit が集簇した微細な扁平病変である．発赤やびらんなどの炎症所見は認められず，過形成性ポリープと考えられる．（×）

b．表面は発赤し，一部にびらんを認め，腫瘍全体が緊満化していることから間質の浮腫や炎症細胞浸潤を推測させる亜有茎性ポリープである．（○）

c．腫瘍表面が発赤した亜有茎性ポリープである．粘膜の構造は比較的保たれており，ⅢL型の pit を呈している．過形成性ポリープあるいは管状腺腫と考えられる．（×）

d．頭部が発赤し表面模様が松笠様を呈する有茎性ポリープである．鋸歯状腺腫と考えられる．（×）

e．粘膜に異常がなく，立ち上がりもなだらかな粘膜下腫瘍であり，色調より脂肪腫であることが推測される．（×）

以上より，正解は b．となる．（**解答 b.**）

〈竹内　健〉

問題 6 (2014 年度出題)

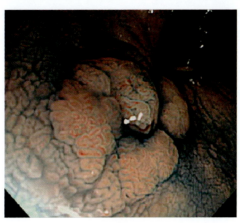

図

直腸の色素内視鏡像を示す(図). 最も考えられるのはどれか.

- a. 尖圭コンジローム
- b. 直腸粘膜脱症候群
- c. 腺腫
- d. Kaposi 肉腫
- e. カルチノイド

解説

インジゴカルミン散布後の色素内視鏡による直腸隆起性病変の鑑別診断である. 出題された腫瘍の内視鏡像から表面はわずかに発赤し, 凹凸があるが表面構造は保たれ規則的なⅢL pit pattern を呈しており, 管状腺腫と考えられる.

選択肢解説

- a. 尖圭コンジロームは, HPV 感染による疣贅であり, sexually transmitted diseases (STD) である. 一般的に会陰部や陰唇, 腟, 陰茎, 肛門周囲などの皮膚と粘膜の移行部に好発し, 肛門管内, 特に歯状線を越えた直腸内に発育することはまれである. (×)
- b. 直腸粘膜脱症候群は, 排便時のいきみにより粘膜脱が起こり, 粘膜の慢性的な虚血が加わることが原因とされる. 主として, 直腸前壁に好発し, 肉眼的には隆起型, 潰瘍型, 平坦型に分類されるが, 隆起型では無茎性, 亜有茎性で, 発赤や白苔を伴う粗大小区模様を呈する. 病理所見の fibromuscular obliteration が特徴である. (×)
- c. 腺腫は, 組織学的に腺管腺腫, 腺管絨毛腺腫, 絨毛腺腫, 鋸歯状腺腫に分類される. 基本的に腺管構造が保たれ, pit pattern はⅢLあるいはⅣ型を呈する. 異型度, 腺腫内癌併発の頻度はともに腺管腺腫, 腺管絨毛腺腫, 絨毛腺腫の順で高くなる. また, 最近, 大腸鋸歯状病変は, 古典的鋸歯状腺腫 (traditional serrated adenoma：TSA), 過形成性ポリープ (hyperplastic polyp：HP), sessile serrated lesion (SSL), SSL with cytological dysplasia (以前の mixed polyp) の 4 者に大別される. 拡大内視鏡所見では松毬状, 羊歯状, 星芒状とそれらが混在する表面構造を呈

する．（○）

d．Kaposi肉腫は，human herpes virus-8（HHV-8）の感染による非上皮性悪性腫瘍であり，後天性免疫不全症候群（AIDS）の指標疾患の1つである．病変は皮膚やリンパ節のほかに消化管にも認められるが，大腸の小病変では，境界明瞭で表面平滑な赤色の隆起性病変であり，病変が大きくなるにつれて色調が暗赤色となり表面も不整となる．Kaposi肉腫は，皮膚，消化管病変ともに各症状に乏しく見過ごされやすい．Kaposi肉腫の消化管病変の検出は，AIDSの診断契機となることがあり注意が必要である．（×）

e．カルチノイドは，粘膜深層に発生し，粘膜下層から深部に浸潤するため，表面は正常粘膜で覆われ黄色調の硬い粘膜下腫瘍様の形態を呈する．（×）

以上より，正解はc．となる．（**解答 c．**）

〈竹内　健〉

問題 7 （2014年度出題）

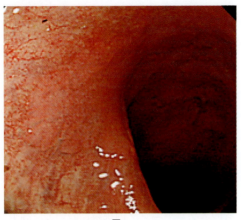
図 a

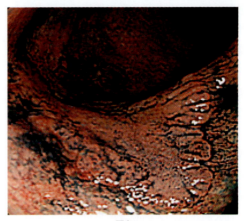
図 b

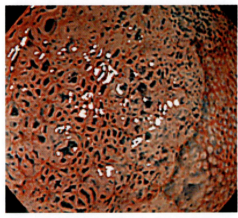
図 c

35歳の男性．潰瘍性大腸炎(UC)の罹患歴21年．全大腸炎型．現在UCは寛解期にありサーベイランスの内視鏡が施行された．下行結腸に一部にびらんを伴う半周程度の発赤性病変を認めた．通常観察像(図a)，インジゴカルミン散布像(図b)，インジゴカルミン拡大内視鏡像(図c)を示す．次に行うのはどれか．2つ選べ．

a．経過観察
b．病変からの生検
c．病変外からの生検
d．EMR
e．ESD

解説

罹患歴の長い，全大腸炎型の潰瘍性大腸炎におけるサーベイランスについての問題である．内視鏡画像は3枚，下行結腸の一部びらんを伴う半周程度の発赤性病変における通常観察像，インジゴカルミン散布像，インジゴカルミン拡大内視鏡像である．通常観察では画面中心に発赤調のやや不整な粘膜を認め，インジゴカルミン散布では中心部に浅い陥凹を呈する平坦隆起を認める．拡大観察像では不整な腺管開口部が観察され，腫瘍性病変が疑われる所見である．

潰瘍性大腸炎は，大腸癌合併高危険群であり，特に罹患期間や罹患範囲が主な危険因子である．本症例でも長期間の罹患歴があり，罹患範囲も全大腸炎型であるためサーベイランスの内視鏡においては大腸癌合併を常に念頭に置き行う必要がある．サーベイランスとは癌を早期発見するための定期的な検査であり，癌合併高危険群や前癌病変を的確に同定することが重要である．ECCOのガイドラインでは発症後8〜10年を目安にすべての潰瘍性大腸炎患者のサーベイランスを開始することが推奨されてきたが，潰瘍性大腸炎合併大腸癌の約20％は潰瘍性大腸炎発症8年以内に発症するとの報告もあり，近年では発症後6〜8年に開始するように改訂されている．また初回スクリーニング内視鏡にて全大腸炎型と診断された症例については引き続きサーベイランスを開始し，罹患期間20年までは2年ごとに，以降は1年ごとに行うことが推奨されている．ただし，2年ごとでは大腸癌の発生が懸念される高リスク症例については，さらに検査間隔を短縮するべきとされている．

背景粘膜に炎症で生じた色調や形態の変化がある潰瘍性大腸炎において，腫瘍性病変の存在を指摘することは容易ではない．また潰瘍性大腸炎合併大腸癌は境界不明瞭で多彩な形態をとることが多く，表面の凹凸変化が少ない場合もまれではない．前癌病変であるdysplasiaも内視鏡的に必ずしも発見が容易ではないため，欧米ではサーベイランス内視鏡での生検組織採取法として，10cmごとに4個ずつ，あるいは合計33個以上の生検標本を採取するstep biopsyが推奨されている．しかし本邦からは侵襲性が高く，医療経済の面からも効率的ではないと考え，色素内視鏡や拡大内視鏡によるpit pattern診断を用いた狙撃生検（target biopsy）重要性が指摘されている．本問では，罹患歴の長い，全大腸炎型の潰瘍性大腸炎患者のスクリーニング内視鏡において，腫瘍性病変が疑われた際の対処法について問う問題である．

選択肢解説

a．罹患歴の長い，全大腸炎型の潰瘍性大腸炎患者のサーベイランスの内視鏡にて腫瘍性病変が疑われた場合は積極的に組織診断が推奨され，経過観察すべきではない．（×）

b．背景に潰瘍性大腸炎を認め，拡大内視鏡においても不整な腺管開口部を認めるため，潰瘍性大腸炎合併大腸癌を考え，まず病変からの生検を行うべきである．（○）

c．潰瘍性大腸炎に合併する大腸癌は，扁平，平坦で，境界不明瞭な肉眼型を呈し，びまん浸潤性に進展することもあるため，病変からの生検と同時に，病変外からの生検も行うべきである．（○）

d．e．本問での，次に行うのはどれかとの問いにおいて，全大腸炎型の潰瘍性大腸炎において腫瘍性病変が疑われた場合は，まず生検組織診断を行うべきであり，局所治療は推奨されない．（×）

以上より，正解はb．c．となる．（**解答 b．c．**）

〈福澤誠克〉

問題 8 (2014年度出題)

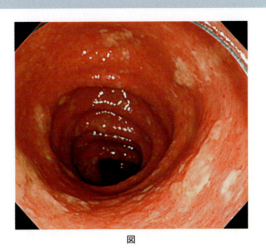

図

42歳の男性．中耳炎の治療中に血性下痢がみられ来院した．下部消化管内視鏡像を示す(図)．この疾患にみられる生検組織所見はどれか．2つ選べ．

- a．偽膜
- b．粘膜層内の出血
- c．陰窩膿瘍
- d．非乾酪性肉芽腫
- e．虚血性変化

解説

42歳の男性，中耳炎の治療中に血性下痢を認め，下部消化管内視鏡が施行された．内視鏡画像は通常内視鏡像1枚である．内視鏡像では粘膜は全体的に発赤調を呈しており，血管透見の消失したやや浮腫状の粘膜が観察される．臨床経過から中耳炎によって抗菌薬治療が行われていることが推測され，内視鏡像から抗菌薬が原因と考えられる薬剤性腸炎を疑うことができる．その際の生検組織所見を問う問題である．

薬剤性腸炎では下痢や血便などの症状を呈するため，下部消化管内視鏡および生検組織採取が施行されることが多い．したがって，それらの内視鏡像の特徴，病理形態，および生検組織所見がどのように解釈されるかを理解しておくことは，正確な診断を下す意味からも重要なことである．

薬剤性腸炎を起こす薬剤はさまざまあるが，抗菌薬が最も頻度が高く，日常診療において遭遇する機会が多い．抗菌薬起因性腸炎はその内視鏡的所見から偽膜型(偽膜性腸炎)および非偽膜型(出血性腸炎がその代表)に分類される．本症例の内視鏡像では偽膜は認めず非偽膜型の抗菌薬起因性腸炎が考えられる．非偽膜型の抗菌薬起因性腸炎の内視鏡像はかなり多彩である．粘膜の浮腫と散在する発赤(出血)・びらんといった非特異的な炎症像を呈することが多いが，アフタもしくはアフタ様病変，虚血性腸炎に類似した縦走潰瘍，不整形潰瘍を呈することもある．炎症部位は潰瘍性大腸炎と違い，非連続性に炎症所見を認め，主に横行結腸を中心とした右側結腸に病変がみられることが多いことも鑑別のポイントである．

次に組織学的特徴を述べる．薬剤は，細胞毒性や過敏性反応の惹起，血管病変，腸管運動の変化

といったさまざまな機序により腸管，特にその粘膜に傷害をきたす．そのような腸管傷害によって引き起こされる病理形態学的変化の主なものは出血，壊死，萎縮，びらん・潰瘍などである．これらの変化は単独で出現するわけでなく，傷害の程度や時間経過によってさまざまな変化が重複して認められるのが普通である．またこれらの所見の多くは薬剤性腸炎全般もしくは個々の薬剤に起因する変化として必ずしも特異的なものではなく，傷害因子に対する腸管粘膜の反応として一般的に認められるものである．生検組織所見としては粘膜の出血，浮腫のほか，粘膜固有層の好酸性滲出物，陰窩上皮の杯細胞の減少，陰窩の萎縮，表皮上皮の脱落などの所見がみられる．陰窩の不整はみられず，炎症細胞浸潤の所見は一般に弱いが，明らかなびらん部などでは粘膜表層部に好中球を含む炎症細胞浸潤や虚血性変化を伴う．これらの組織所見は一過性の虚血性腸炎に類似する．

選択肢解説

a．内視鏡像からも偽膜性腸炎は否定的であり，組織学的に偽膜が認められることはない．（×）
b．非偽膜性抗菌薬起因性腸炎に認める頻度の高い組織所見は粘膜層内の出血である．（○）
c．急性炎症のため潰瘍性大腸炎などの慢性炎症でみられる陰窩の不整および陰窩膿瘍を呈することはない．（×）
d．非乾酪性肉芽腫はCrohn病の特徴的な組織学的所見である．（×）
e．炎症が強い部位では虚血性変化を伴うこともある．（○）

以上より，正解はb．e．となる．（**解答 b．e．**）

〈福澤誠克〉

問題 9 (2015年度出題)

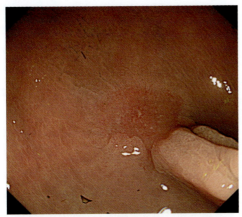

図 a

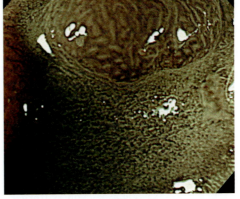

図 b

図 c

70歳の男性．下行結腸に 10 mm 弱の陥凹性病変を認めた．通常観察像と陥凹部の NBI 拡大およびクリスタルバイオレット染色の拡大内視鏡像を示す（図 a，b，c）．最も考えられるのはどれか．

- a．びらん
- b．過形成性ポリープ
- c．腺腫
- d．粘膜内癌
- e．粘膜下層高度浸潤癌

解説

通常内視鏡像，NBI 拡大内視鏡像，クリスタルバイオレット染色の拡大内視鏡像から，病変の質的診断，量的診断についての知識を問う問題である．通常内視鏡像では，襞の先端に比較的境界明瞭な発赤調の陥凹性病変を認める．大きさは 10 mm 弱と問題に記載されている．正常粘膜と

の境界をみると，肛門側と襞先端には蚕食像と段差を認め，棘状〜鋸歯状の辺縁の形態を認めることから上皮性の腫瘍性病変であると考える．さらに，陥凹内部は中央部と辺縁部で色調や表面の性状が異なっている．粘膜下層の厚みを示唆する台状挙上や陥凹内隆起の所見は認めない．NBI拡大内視鏡像では，辺縁の非腫瘍性の顆粒状隆起部は管状〜樹枝状の粘膜構造を認め，陥凹内部の血管は，口径不同，形状不均一な微細な血管所見が密在して認められる．クリスタルバイオレット染色像では，陥凹内には小型〜中型で大小不同の不整な類円形pitを認め，pit間の介在粘膜の染色性は低下している．V$_I$軽度不整のpit patternと診断し，先述した通り，粘膜下層浸潤所見は明らかでないことから粘膜内癌と診断した．

選択肢解説

a．びらんは，粘膜が欠損した状態をいう．白苔を伴うことが多く，辺縁には炎症細胞浸潤により発赤調を呈し，再生性の変化を伴うこともある．本症例は，粘膜欠損を認めない．（×）

b．過形成性ポリープは，粘膜の過形成のためにポリープ状の形態をとることが多い．またpitは大型の星芒状pitを呈することが多い．

本症例は，小型pit，陥凹性病変であることから，過形成性ポリープではない．（×）

c．腺腫は，腫瘍性病変であるが，癌と比較して構造不整が少ない．本症例は，クリスタルバイオレット染色拡大像で，小型〜中型の形状不整な類円形pitから構成され，pit間の介在粘膜は染色不良を認めることから，構造不整が認められ癌と診断できる．（×）

d．発赤調の境界明瞭な不整形の陥凹性病変を認め，陥凹内部は小型の形状不整な類円形のV$_I$軽度不整pitを認め，介在する粘膜の染色性は低下していることから癌と診断した．粘膜下層浸潤を示唆する陥凹内隆起や台状挙上は認めないことから，粘膜内癌と診断できる．（○）

e．粘膜下層高度浸潤癌では，浸潤部にはなだらかな陥凹内隆起や病変全体が台状に隆起する肉眼形態を認めるが，本症例では認めなかった．また，クリスタルバイオレット染色拡大像では，陥凹内にSM高度浸潤を示唆するV$_I$高度不整やV$_N$ pit patternは認めなかった．以上から，SM高度浸潤癌を示唆する所見はないため，粘膜内癌と診断した．（×）

以上より，正解はd．となる．（**解答 d.**）

〈入口陽介〉

問題 10 (2015年度出題)

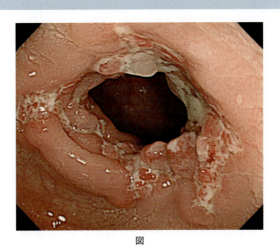

図

68歳の男性．1か月前からの発熱，下痢，体重減少を主訴に来院した．上行結腸の内視鏡像を示す（図）．この症例の診断に最も必要なのはどれか．

- a．C7-HRP
- b．O157LPS 抗体
- c．赤痢アメーバ抗体
- d．HLA-B27
- e．インターフェロンγ遊離試験

解説

上行結腸の通常内視鏡像では，横方向の伸展不良を伴う潰瘍性病変を認める．潰瘍底には白苔と顆粒状の再生粘膜を混在して認めることから，活動性のある潰瘍と再生を繰り返していることが考えられる．また，1か月前からの発熱，下痢，体重減少から慢性腸管感染症が考えられ，臨床経過と内視鏡所見から，腸結核が最も考えられる．

選択肢解説

a．C7-HRPは，サイトメガロウイルス（CMV）抗原である．サイトメガロウイルス腸炎の内視鏡像は，打ち抜き様の潰瘍性病変であり，本症例のように白苔を伴う潰瘍のなかに顆粒状の再生粘膜所見は認めない．サイトメガロウイルスは，通常，幼少期に感染し，ほとんどが不顕性感染のまま，生涯その宿主に潜伏する．腸管CMV感染症とは，CMVの再活性化により，腸管に炎症が引き起こされる疾患である．その多くは，エイズ患者，移植患者，ステロイド使用，抗癌薬治療患者がCMV腸炎のハイリスクとされるが，免疫抑制薬治療，膠原病，糖尿病，腎不全，敗血症，外傷などの疾患を有する患者にも起こることがある．（×）

b．O157LPS 抗体は，病原性大腸菌O157感染が疑われる患者について，培養の補助検査として実施するものである．下痢をきたす点は同じであるが，横走する深い潰瘍性病変の内視鏡所見から，O157病原性大腸炎は否定的である．（×）

c．赤痢アメーバ抗体は，大腸炎で50〜90％であるのに対して，肝膿瘍では95％と高い．

大腸炎での抗体価は陽性下限に近いため，画像所見と併せて行う．また，治癒後1年程度では陽性のままであることもあり，治癒判定に血清抗体価は使用しない．アメーバ腸炎の内視鏡像は，厚い白苔を伴う汚いびらん潰瘍を伴うことが多く，内視鏡像からアメーバ腸炎は考えられない．（×）

d. HLA-B27は，強直性脊椎炎，類縁疾患であるReiter症候群，反応性関節炎といった疾患で陽性となる．炎症性腸疾患(IBD)に伴う脊椎関節症状は，末梢関節炎型と脊椎炎型に分けられる．末梢関節炎型は，IBDの2〜24％で合併しHLA-B27との関連はないのに対して，脊椎炎型はIBDの4〜6％で合併し，HLA-27の陽性率は50〜75％と指摘されている．内視鏡像では，横走する深い潰瘍性病変で顆粒状の再生粘膜を伴っていることから，HLA-B27を素因とした腸炎関連脊椎炎は考えにくい．（×）

e. インターフェロンγ遊離試験は，結核菌特異抗原刺激によってエフェクターT細胞から遊離されるインターフェロンγを指標として結核感染の診断に用いる検査法である．本症例は，内視鏡像から，横走する白苔を伴う潰瘍と内部に顆粒状の再生粘膜所見を認めることから，活動性の腸結核を疑う，したがって本試験を行う．（○）

以上より，正解はe．となる．（**解答 e.**）

〈入口陽介〉

問題 11 (2015年度出題)

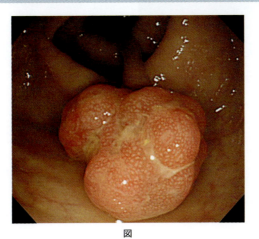

図

55歳の女性．便潜血陽性のため施行した大腸内視鏡で，S状結腸に病変がみられた（図）．この病変の組織像として正しいのはどれか．

- a．上皮細胞の核腫大
- b．腺管の囊胞状拡張
- c．腺管分岐像の増加
- d．間質の浮腫
- e．粘膜筋板の樹枝状増生

解説

内視鏡像の特徴から大腸ポリープの診断を問い，その病理組織像についての知識を問う問題である．出題された疾患は，S状結腸に好発し，無症状にて便潜血反応検査陽性を契機に内視鏡を行って発見されることが多い．内視鏡像は，有茎性のポリープで頭部の色調は比較的淡い発赤調であり，分葉状である．通常観察からも類円形や管状のpit様構造が認識でき，拡張した腺管の混在もみられるが一部のみである．腫瘍性ポリープとは異なる特徴を有し，過誤腫と診断できる．鑑別するポリープは若年性ポリープであるが，同時に炎症性ポリープのinflammatory myoglandular polyp（IMP）も挙げられる．若年性ポリープは，痛んだイチゴ様の形態と例えられるように発赤が強く，表面のびらんや白苔を伴うことが多い．また，腺管構造が開大しているのが目立ち，間質の炎症や血管の充血を示唆する所見として，腺管と腺管の間隔も開いている．IMPでは，頭部の発赤が強く，粘液や白苔を有する所見は類似している．炎症性ポリープにみられる類円形のⅠ型pitに拡張した腺管が粗に混在しており，内視鏡像は類似する．いずれも，特徴的な組織学的所見を有することから病理組織学的な鑑別が可能である．出題された内視鏡像からは，Peutz-Jeghers型（P-J型）ポリープと診断し，最も鑑別に必要な組織学的所見を選別する必要がある．

選択肢解説

- a．若年性ポリープで，軽度の核腫大を認めることもある．炎症を反映した過形成性変化にみられる所見の1つである．（×）
- b．この組織学的所見が最も目立つポリープは若

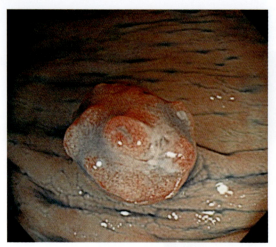

図1 若年性ポリープ（内視鏡画像）

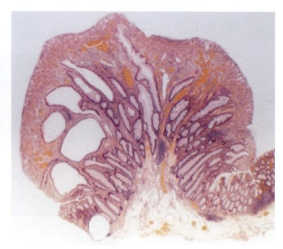

図2 若年性ポリープ（病理画像）

年性ポリープ（**図1**）である．**図2**に代表的な若年性ポリープの病理組織像を示す．病変の間質は浮腫状で広く，高度の炎症細胞浸潤がみられる．囊胞状に拡張した腺管の内部には粘液が貯留する．病変の形成に粘膜筋板は関与していない．（×）

c．腺管の腫大，延長，分岐増生などの過形成性変化を示すのは，炎症性変化の強い若年性ポリープや IMP に認める組織学的所見と考えられる．（×）

d．間質の浮腫が目立つのも若年性ポリープに認める組織学的所見である．P-J 型ポリープでは認めない．（×）

e．P-J 型ポリープの特徴とされる組織学的所見である．粘膜筋板が増生するためにポリープ分様状を呈する．そのほかに腺管はさまざまな程度で腫大，延長を示し，囊胞状に拡張した腺管が散見されることもある．（○）

以上より，正解は e. となる．（**解答 e.**）

〈千野晶子〉

問題 12 (2015年度出題)

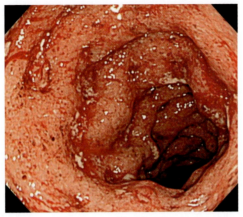

図

23歳の女性. 3か月前より下痢と腹痛が出現. 最近血便も認めるようになったため受診した. S状結腸の内視鏡像を示す(図). この疾患について正しいのはどれか. 2つ選べ.

a. 男性より女性に多い.
b. 近年患者数は減少傾向にある.
c. 注腸造影で鉛管像がみられる.
d. 合併症に壊疽性膿皮症がある.
e. 禁煙指導が重要である.

解説

内視鏡像の特徴から疾患を問い，その後に疾患についての知識を問う問題である．若年の腹痛と下痢，血便を契機に大腸内視鏡を施行し，確定診断される特徴的な臨床経過である．設問の内視鏡像は，びまん性の発赤と浮腫による血管透見像が消失している．膿瘍粘液，アフタ様びらんと浅い潰瘍が多発し，易出血が伴うことより潰瘍性大腸炎の活動期（中等症）と診断できる．

潰瘍性大腸炎の炎症は，主に大腸の粘膜に生じ，直腸からびまん性，連続性に口側に進展する．罹患範囲により全大腸炎型，左側大腸炎型，直腸炎型，右側あるいは区域性大腸炎（非典型）に分けられる．罹患率は近年急激に増加しており，発症年齢は，25歳前後の若年者と60歳前後の2つのピークがあるが，男女比は1：1で性差はない．

特徴的な活動期の内視鏡像は，血管透見の消失，発赤，浮腫，細顆粒状粘膜，膿様粘液，易出血や多発潰瘍形成である．重症例になると潰瘍は癒合して粘膜脱落を呈し，さらに重症となると残存した粘膜が島状に残存するだけとなり筋層の露出した劇症型となる．治療中の臨床経過は，再燃と寛解を繰り返す例や，慢性的に活動期が持続する場合があり，慢性炎症の経過における内視鏡像では，活動期の潰瘍と粘膜再生の所見が混在し，炎症性ポリープや偽ポリポーシスなど多彩な像を示すことがある．

除外が必要な腸炎は，感染性腸炎（細菌性赤痢，アメーバ赤痢，サルモネラ腸炎，カンピロバクター腸炎，大腸結核）と，Crohn病，腸管Behçet病，薬剤性腸炎がある．中等症以上では，ステロイドの適応となる場合があり，感染性腸炎の合併

の否定は重要である．慢性炎症性腸疾患は，腸炎の状態が中等症以上では，鑑別困難なことがあり，特徴的な腸管外合併症により総合的に診断に至る場合もある．最も頻度が高いのは臓器別には肝・胆道系合併症であるが，なかでも潰瘍性大腸炎に特徴的なのは，原発性硬化性胆管炎が挙げられる．そのほか，Crohn病でみられる口腔内アフタ，結節性紅斑，関節症状もあるが，潰瘍性大腸炎でも同様にみられる．

> 選択肢解説

a．先に述べたように性差はない．（×）
b．近年患者数は急激に増加傾向にある．その理由として，食生活の欧米化や環境因子による疾患の発症率の増加がある．また，大腸内視鏡検査受診者の増加に伴い，診断率の向上も指摘される．（×）
c．注腸造影での鉛管像は慢性炎症によるハウストラの消失を反映しており，そのほかには，腸管の狭小・短縮が特徴的な所見とされる．しかし，活動期の注腸検査は症状を悪化させることがあるため，中毒性巨大結腸症のような重症例では禁忌である．（○）
d．壊疽性膿皮症とは，皮膚に無菌性膿瘍を形成し，自壊して中心性壊死をきたし，周囲に下掘れ状潰瘍を呈する皮膚疾患であり，頻度はまれであるが，潰瘍性大腸炎に特徴的な合併症である．（○）
e．禁煙が発症や増悪の危険因子となることがあるため，喫煙者の禁煙指導には注意が必要である．（×）

以上より，正解はc．d．となる．（**解答 c. d.**）

〈千野晶子〉

問題 13

(2015 年度出題)

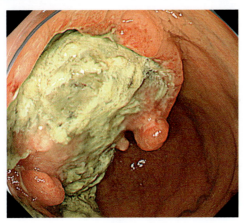
図 a

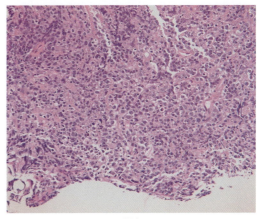
図 b

77 歳の男性．右下腹部の不快感を主訴に来院した．盲腸の内視鏡像と生検組織像を示す（図 a，b）．正しい診断はどれか．

- a．結核
- b．腸管 Behçet 病
- c．Crohn 病
- d．悪性リンパ腫
- e．未分化癌

解説

内視鏡像と病理像から診断を問う問題であるが，特徴的な内視鏡像から診断は比較的容易である．病変は盲腸の約半周性の潰瘍性病変で，潰瘍底は厚い白苔に覆われている．潰瘍の周囲粘膜は平滑で正常粘膜と考えられ，比較的均一に隆起しており，その立ち上がりは明瞭である．一部には結節状の隆起が認められる．耳介状の柔らかみのある隆起であり，大きさに比して伸展性が保たれている．以上の所見は悪性リンパ腫に特徴的である．病理組織標本は HE 染色像が提示されているが，N/C 比の高い小型の腫瘍細胞が充実性に増殖している．腺管形成はなく，ロゼット配列も認められず，低分化癌もしくはリンパ腫を考える．

選択肢解説

- a．回盲部の潰瘍性病変として鑑別に挙げなければならないのが結核である．一般的には不整形の小潰瘍による輪状潰瘍が特徴的である（黒丸分類IV型）．悪化した場合には，帯状・地図状の潰瘍性病変となる．病理学的に乾酪性肉芽腫が証明されることはむしろまれである．（×）
- b．腸管 Behçet 病は，典型的には回盲部を中心に円形または類円形の深掘れの潰瘍を呈する．内視鏡検査で典型的な病変を呈しても，Behçet 病の診断基準を満たさない場合は単純性潰瘍として，区別する．組織学的に特徴的な粘膜所見はなく，生検による積極的診断は困難である．（×）
- c．縦走潰瘍，敷石像，縦走する不整形潰瘍またはアフタを認めた場合には，Crohn 病を考

え．病変の局在から，小腸型・小腸大腸型・大腸型に分類される．病理学的に非乾酪性類上皮細胞肉芽腫を認められれば，診断は確定的である．（×）

d．腸管原発の悪性リンパ腫ではびまん性大細胞型B細胞リンパ腫（DLBCL）が最も多い．そのほかにMALTリンパ腫や濾胞性リンパ腫，T細胞性リンパ腫が挙げられる．肉眼的には八尾分類で潰瘍型が多い．（○）

e．大腸未分化癌はきわめてまれな組織型であり，予後不良である．組織学的に，小型ないし大型の腫瘍細胞が，シート状ないし充実性胞巣状の形態をとって増殖し，腺管構造を欠き，免疫染色を含むさまざまの検索で粘液分泌や内分泌顆粒がみられない癌腫とされる．肉眼的にはType 2病変が多いとされているが，内視鏡像に関する十分なデータは乏しい．（×）

以上より，正解はd．となる．（**解答 d．**）

〈溝上裕士〉

問題 14

(2015 年度出題)

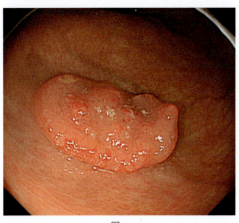

図 a

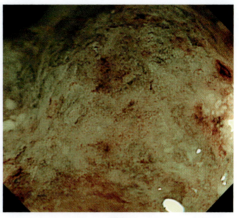

図 b

63 歳の女性．大腸がん検診で便潜血陽性を指摘された．通常大腸内視鏡像，NBI 併用拡大内視鏡像を示す（図 a，b）．最も考えられるのはどれか．

- a．絨毛腺腫
- b．粘膜内癌
- c．粘膜下層軽度浸潤癌
- d．粘膜下層高度浸潤癌
- e．悪性リンパ腫

解説

内視鏡像より質的・量的診断を問う問題である．**図 a** は直径 10 mm 強の隆起性病変で陥凹を伴っている．中央には陥凹内隆起を認め，緊満感を伴う．通常光観察のみでも粘膜下層高度浸潤癌を疑う所見である．**図 b** の NBI 拡大観察では vascular pattern では疎血管野領域，surface pattern は無構造領域を認める．JNET 大腸拡大 NBI 分類 Type 3 に相当し T1b 以深の浸潤癌と診断される．

選択肢解説

- a．絨毛腺腫では脳回状のⅣ型 pit pattern を認めるが，NBI 観察ではⅣ型 pit pattern に相当する脳回状の表面構造は認めない．（×）
- b．粘膜内癌の拡大 NBI 所見は通常 vascular pattern は口径整で均一な分布，surface pattern も整の Type 2A に分類される．提示された内視鏡像とは一致しない．（×）
- c．粘膜下層軽度浸潤癌の拡大 NBI 所見は通常 vascular pattern は口径不同，不均一な分布，surface pattern は不整，不明瞭な Type 2B に分類されるものが多い．提示された内視鏡像とは一致しない．（×）
- d．解説に記載した通り内視鏡所見から粘膜下層高度浸潤癌と考えられる．（○）
- e．リンパ節以外から発生する節外性悪性リンパ腫のうち消化管は発生頻度が高く，大腸にもしばしば認められ好発部位は盲腸と直腸である．内視鏡所見で隆起型，潰瘍型が多く，粘膜下腫瘍様の形態をとるものが多い．提示された内視鏡像からは粘膜下腫瘤様の所見は認めず，上皮性腫瘍が考えやすい．（×）

以上より，正解は d．となる．（**解答 d.**）

〈溝上裕士〉

問題 15

(2015年度出題)

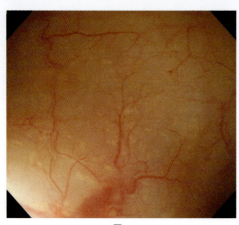
図 a

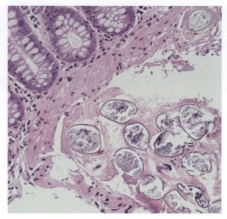
図 b

S状結腸の内視鏡像と生検組織像を示す(図a, b). この疾患について正しいのはどれか.

a. 経口感染である.
b. 薬物使用歴の聴取が必要である.
c. 5類感染症の1つである.
d. コンゴーレッド染色が有用である.
e. 肝硬変症の原因となる.

解説

内視鏡像と生検組織像から特定した疾患の知識を問う問題である. 提示されたS状結腸の近接像は一見正常にみえるが, 粘膜面を詳細に観察すると血管に沿って黄色調の顆粒状斑点が散見されており, 何らかの異物の存在が示唆される. しばしば経験する類似所見に泡沫細胞が粘膜固有層に集合した白斑があるが, 色調や明瞭さの点で異なる(図1). 生検組織に黄色斑の原因となる日本住血吸虫卵が粘膜筋板直下の粘膜下層に認められており, 診断は確定する.

本症例の内視鏡像は急性期と慢性期に分けられ, 急性期には出血や潰瘍形成が, 慢性期には黄色調の顆粒状斑点が集簇した黄色斑のほか, 萎縮性粘膜や異常血管模様像が報告されている(図2). 慢性期の所見とされる異常血管模様像の中には, 本症例が原因の1つである門脈圧亢進症に伴う変化が混在している可能性がある(図3). 病変部位は回盲部や直腸のほか, S状結腸に多いとされており, 本症例に一致する.

選択肢解説

a. 終宿主であるヒトやウシなどの糞便とともに虫卵が排泄され, 水中孵化により発生した幼虫(ミランジウム)が, 中間宿主であるミヤイリガイで増殖し, スポロシストを経てセルカリアとして遊出する. これが経皮的に侵入し, 血流, リンパ流を介して門脈で成虫となり, 末梢門脈枝, 特に腸管壁の細血管内で産卵された虫卵が微小血管で塞栓を起こし, 循環障害や虫卵周囲の炎症により腸管に病変を生じる. したがって, 経皮感染であって, 経口感染ではない. (×)

b. 本症例はミヤイリガイの撲滅により, 1997年以降の新たな国内感染の報告はなく, 現在

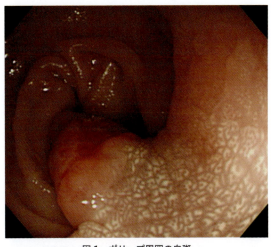

図1 ポリープ周囲の白斑

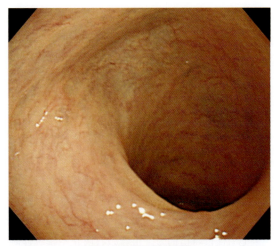

図2 黄色斑と異常血管像

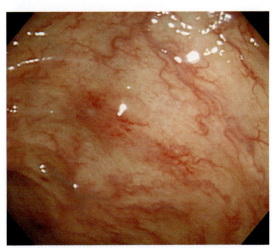

図3 門脈圧亢進性腸症の異常血管模様像

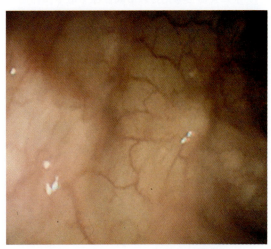

図4 アミロイドーシスの粘膜下腫瘍様隆起

遭遇するのは慢性期の病変である．ミヤイリガイが生息していた地域は，甲府盆地や広島県片山地方の河川，利根川流域，富士川流域，筑後川流域などと限定されており，出身地を含めた生活歴の情報が重要である．しかし，いまだに中国や東南アジアなどでみられる寄生虫疾患であり，海外渡航歴の聴取も大切となる．（×）

c．5類は国が必要な情報を一般国民や医療関係者に提供・公開することにより，発生・拡大を予防すべき感染症である．これには全数把握疾患と定点把握疾患があり，前者にはアメーバ赤痢やジアルジア，クリプトスポリジウム症，A型肝炎やE型肝炎を除くウイルス性肝炎などが，後者には感染症胃腸炎などが認定されているが，本症例は含まれていない．（×）

d．腸管壁において虫卵が存在する部位は，粘膜，粘膜下層，固有筋層，漿膜と全層に及ぶが，最も高率である粘膜下層の情報があればHE染色で診断でき，特殊染色は不要である．提示された組織像は虫卵周囲に線維化を伴っているが，炎症性細胞浸潤は目立たない．コンゴーレッド染色はアミロイドーシスの診断に用いられる染色法であり，その内視鏡像は多彩で，疑われる所見としては，アミ

ロイドの塊状沈着による多発性粘膜下腫瘍様隆起と（**図4**），びまん性沈着による発赤やびらん，粘膜粗糙，異常血管模様であり，特に後者において鑑別を要するが，本症例に特徴的な黄色斑はみられない（**図5**）．（×）

e．成虫は門脈において3～6年もの長期にわたり産卵し，虫卵は腸管だけではなく，肝臓へと流れる．肝内門脈枝末端に塞栓した虫卵は，その周囲に炎症や肉芽腫形成などの組織変化をきたし，肝線維化の進行により，最終的には肝硬変に至る．肝臓の腹部超音波やCT像は特徴的で，虫卵の石灰化や線維性隔壁によると考えられる網目様や亀甲模様などと表現される所見が認められ，診断の一助となる．（○）

以上より，正解はe．となる．（**解答 e.**）

〈宮岡正明〉

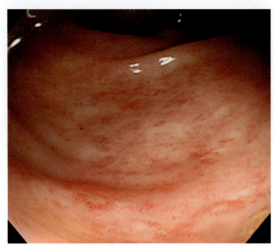

図5　アミロイドーシスの発赤と異常血管模様

問題 16 (2015年度出題)

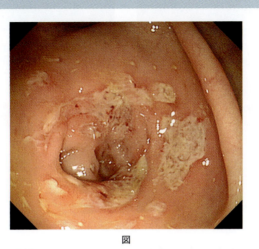

図

49歳の男性．大腸内視鏡像を示す（図）．この疾患について正しいのはどれか．2つ選べ．

a．便秘傾向の人に好発する．
b．診断には白苔の迅速な検鏡が有用である．
c．好発部位は盲腸と直腸である．
d．治療薬の第1選択は5-ASAである．
e．第3類感染症である．

解説

　内視鏡像から診断した疾患についての知識を問う問題である．提示された内視鏡像は虫垂開口部がみられ，部位の認識は容易にできる．虫垂開口部を中心に大きさや形態を異にする小型で，浅い潰瘍と一部に血液を混入した粘液付着が認められ，炎症性疾患と判断される．そのほかの部位の情報はなく不明であるが，盲腸に限局する炎症性疾患としては，アメーバ性大腸炎や潰瘍性大腸炎（UC）に加え，盲腸憩室や虫垂の炎症などが挙げられる．時に経験するUCの盲腸病変は直腸などにみられる所見と同様で，ほぼ均一な小びらんが多数みられる（図1）．憩室炎や虫垂炎は，炎症の程度や主座により異なるものの，浮腫状隆起と膿汁付着が主体で，炎症が広範囲に及ぶと敷石様隆起を呈する（図2）．

　アメーバ性大腸炎は赤痢アメーバ（*Entamoeba histolytica*：*Eh*）の感染により，消化管に潰瘍を来す疾患で，以前には熱帯・亜熱帯からの帰国者に多かったが，現在では国内発症例が中心である．内視鏡像はびらん・潰瘍と浮腫が特徴で，小さなびらんや潰瘍周囲が浮腫状に盛り上がると，本症例に特有なたこいぼ状となる．潰瘍間の粘膜は正常であるが，病変が密集する部位では炎症性細胞浸潤や浮腫により，血管透見像は消失する（図3）．また，小さなびらんや潰瘍が繋がると，提示された内視鏡像のように，さまざまな形態を呈するようになる．このほか，出血を伴う粘液付着も特徴で，その量が多いと主病変が隠されている危険性があるため注意が必要である（図4）．

選択肢解説

a．本症例の症状は粘血便や下痢，テネスムスなどで，肝臓などに膿瘍を形成すると，発熱や右季肋部痛が出現する．最近，大腸がん検診

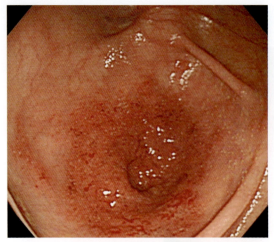

図1 潰瘍性大腸炎の盲腸病変

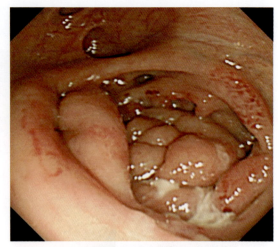

図2 盲腸憩室炎の敷石様隆起と膿汁付着

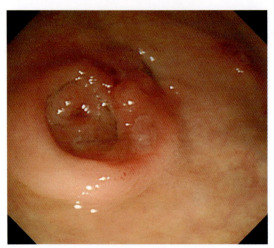

図3 一部に出血を伴う潰瘍と浮腫状隆起

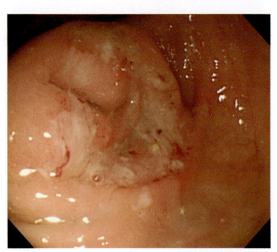

図4 血液を混入した粘液で覆われた浮腫状隆起

の二次検査による発見例が増加している．中年男性に多いが，女性の割合が年々増加し，感染源として男性同性愛者に代わり，風俗店での異性間感染が注目されている．本症例はSTD（sexual transmitted disease）疾患の1つで，HIV感染者などに多く認められるが，便秘など排便異常との関連を示唆する報告はない．（×）

b．本症例の確定は腸液や生検組織からのEhの証明で，粘液や壊死物質中に存在するため（**図5**），粘液の検鏡が有用で，速やかな検査によりアメーバ運動するEhが認められる．一方，生検組織の陽性率は採取部位により大きく異なるため，それを高めるためには粘液や壊死物質が得られるよう心がける必要がある．このほか，検査には血清学検査があるが，偽陽性や偽陰性があることも知っておくべきである．（○）

c．Ehは囊子型の状態で経口的に入り，小腸で脱囊後に組織侵入性を有する栄養型となり，分裂を繰り返しながら回腸終末部や大腸に到達し，病変を生じる．以前には全大腸に及ぶ症例もみられたが，最近では罹患範囲の狭い症例が増加している．好発部位は糞便が停滞しやすい直腸や盲腸で，盲腸に限局する症例では無症状のことが多い．（○）

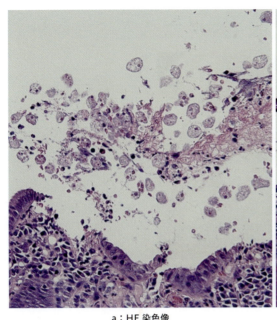
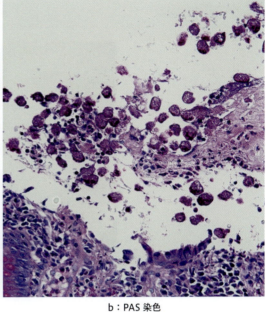

a：HE 染色像　　　　　　　　　　　　　　　b：PAS 染色

図5　生検組織像

d．古くは UC として治療された時代もあり，副腎皮質ステロイド薬などの不適切な治療により，増悪や腸管穿孔をきたすこともあったが，現在では特徴的な内視鏡像が広く認識され，的確な診断が可能となっている．本症例の治療薬はメトロニダゾールやチニダゾール，パロモマイシン硫酸塩であり，UC や Crohn 病に用いられる 5-ASA ではない．（×）

e．3 類は，感染力や罹患した場合の重篤性などが高いとはいえないが，特定の職業に就業することにより集団発生の危険性のある感染症として，細菌性赤痢やコレラ，腸管出血性大腸感染症，腸チフス，パラチフスの疾患が指定されている．本症例は 5 類に含まれており，診断後 7 日以内に都道府県知事に届け出る必要がある．（×）

以上より，正解は b．c．となる．（**解答 b．c．**）

〈宮岡正明〉

問題 17

(2016年度出題)

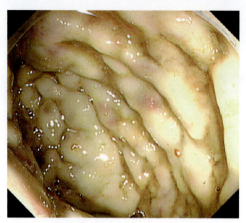

図

76歳の女性．肺炎の治療中に発熱と下痢をきたした．大腸内視鏡像を示す（図）．治療として適切なのはどれか．2つ選べ．

- a. 経過観察
- b. ガンシクロビル投与
- c. メトロニダゾール投与
- d. 塩酸バンコマイシン投与
- e. 副腎皮質ステロイド投与

解説

　内視鏡像の特徴および問題文から疾患を診断し，治療法として適切なものを選択する問題である．内視鏡像は白色～黄白色で輪郭が明瞭な小丘状の隆起が多発・癒合し膜状を呈している．隆起の色調や性状から偽膜の密在・癒合を呈した偽膜性腸炎が考えられるが，隆起が多発していることから，ポリポーシスや，潰瘍性大腸炎やCrohn病における炎症性ポリープ，偽ポリポーシス，敷石像などが鑑別として挙がる．しかし，隆起には粘膜部分は観察されず白苔様であり，隆起周囲に潰瘍形成も認められず，ポリポーシス，潰瘍性大腸炎，Crohn病は否定的である．以上から内視鏡像から偽膜性腸炎と診断できる．偽膜性腸炎の原因のほとんどは抗菌薬による菌交代から選択的に異常増殖した Clostridioides difficile が産生する毒素であるとされている．偽膜をきたす疾患としてはほかにアメーバ性大腸炎，MRSA腸炎，腸管出血性大腸菌腸炎，虚血性大腸炎などがあるが，内視鏡像および頻度，また，本症例では肺炎治療中に症状を来している点から抗菌薬使用が起因した Clostridioides difficile 腸炎が疑われる．

　Clostridioides difficile 腸炎は院内発症の腸管感染症として非常に頻度が高く，75％を占めるとの報告もある．基礎疾患の存在，高齢者，長期入院患者，重症患者では発症リスクが高い．症状は，抗菌薬投与後5～10日に発生する下痢，発熱，腹痛である．すべての抗菌薬が原因となりうるが，特にクリンダマイシン，広域セフェム系の頻度が高い．病変部位は直腸，S状結腸に好発する．深部大腸はまれであるが，重症例では深部大腸や小腸にまで至る．本症例が重症化することによりイレウスや中毒性巨大結腸症が生じることがあり注

意を要する．また，*Clostridioides difficile* は芽胞菌であり，乾燥，消毒剤に抵抗性を有し，環境を汚染すると根絶が容易でないため，院内感染対策を十分にとる必要がある．

> 選択肢解説

a．偽膜性腸炎患者の治療は，第1に原因となった抗菌薬の中止となる．軽度のものであれば原因薬剤の中止のみで改善を得られることも多い．原因薬剤の中止が難しい場合には，比較的偽膜性腸炎の発症する頻度の少ないものに変更するか，原因薬剤の投与と並行して偽膜性腸炎の治療を行う．腸内細菌叢の回復のため乳酸菌製剤の大量投与も有用である．（×）

b．ガンシクロビル投与はサイトメガロウイルス腸炎に対して行われる．サイトメガロウイルス腸炎では打ち抜き様潰瘍がよく知られ頻度も高いが，それ以外にも多彩な潰瘍がみられ，偽膜を伴うものある．ただし設問の内視鏡像では潰瘍はみられておらず，サイトメガロウイルス腸炎の内視鏡像としては非典型的である．（×）

c．偽膜性腸炎の治療薬として，バンコマイシンやメトロニダゾールの経口投与が適応となるが，軽症・中等症例ではバンコマイシン耐性腸球菌（vancomycin-resistant enterococci：VRE）などの耐性菌を考慮しメトロニダゾールの内服が第一選択とされる．（○）

d．メトロニダゾールが無効な場合や服用不能な場合および重症例では，バンコマイシンを内服する．いずれの薬剤も10～14日継続が必要である．（○）

e．副腎皮質ステロイドは *Clostridioides difficile* 腸炎には投与しない．副作用として易感染性があるので，感染を合併する患者への投与には注意を要する．（×）

以上より，正解はc．d．となる．（**解答 c．d．**）

〈浦岡俊夫〉

問題 18 (2016年度出題)

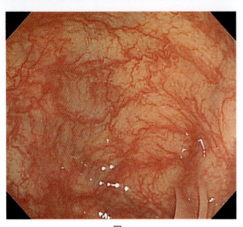
図 a

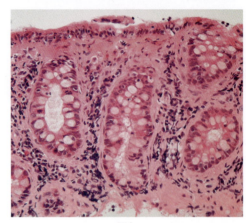
図 b

74歳の女性．1日5行以上の水様下痢が3か月前から出現し，改善しないため来院した．肝彎曲部の大腸内視鏡像と同部からの生検組織像を示す（図a, b）．考えられる疾患はどれか．

- a．腸管スピロヘータ症
- b．潰瘍性大腸炎
- c．腸間膜静脈硬化症
- d．Collagenous colitis
- e．悪性リンパ腫

解説

臨床経過，内視鏡画像および生検組織像により診断を導く問題である．症例は74歳女性，内服歴の記載はないが，臨床経過からは急性発症ではなく，慢性の経過をたどる疾患を想起させる．内視鏡は肝彎曲部の画像であり，粘膜面には毛細血管の増生を認める．

選択肢解説

a．腸管スピロヘータ症は *Brachyspira* 属を原因とした人畜共通感染症である．男性に多く，発症年齢はさまざまである．感染経路は井戸水，家庭内，同性愛者間などが考えられるが不明な例も多い．内視鏡像に特異的な所見はなく，発赤，びらん，潰瘍と多彩であり，病理組織にて偶発的に発見されることが多い．病理組織像ではHE染色で大腸粘膜上皮に好塩基性の毛羽立ち構造を認める．またPAS染色，Warthin-Starry 鍍銀染色，抗 *Treponema pallidum* 抗体を用いた免疫組織染色で診断される．病理組織像からも除外できる．(×)

b．潰瘍性大腸炎は若年発症が多く，慢性的な下痢，血便を主訴とすることが多い．内視鏡像は直腸から連続したびまん性炎症所見（発赤，アフタ，潰瘍など）を呈する．病理組織像は活動期では粘膜全層にびまん性炎症性細胞浸潤，陰窩膿瘍，高度な杯細胞減少が認められるが，寛解期では腺の配列異常（蛇行・分岐），萎縮を認める．内視鏡像および病理組織像も当てはまらず除外できる．(×)

c．腸間膜静脈硬化症は，腸間膜静脈の硬化のため血流の還流障害をきたすことにより生じる

慢性虚血性大腸病変であり，サンシシを含有する漢方薬の長期間内服が関与する疾患として報告されている．特徴的な内視鏡所見は右側結腸を中心とした粘膜の色調変化（暗紫色，青銅色など），浮腫，血管透見消失などであり，病理組織像は粘膜固有層に線維化を伴い，静脈壁に硝子化を伴う線維性肥厚を認める．また腹部単純X線像では大腸壁あるいは腸間膜静脈に沿った線状，点状の石灰化も特徴的な所見である．内視鏡像からも除外できる．（×）

d．生検組織像では粘膜上皮直下に膠原線維帯の肥厚とともに粘膜固有層における炎症細胞浸潤を認め，collagenous colitis と診断できる．薬剤が関与する場合にはその薬剤の中止のみで改善することもある．治療としてはアミノサリチル酸製剤，ステロイド，免疫抑制剤の有効性が報告されている．Collagenous colitis は慢性の水様下痢と大腸粘膜直下の膠原線維帯の肥厚を特徴とし，中年以降の女性に好発する．原因として遺伝的要因，薬剤（プロトンポンプ阻害薬，非ステロイド性消炎鎮痛薬，アスピリンなど），自己免疫疾患，腸管感染症などが示唆されている．内視鏡所見は，正常あるいは毛細血管の増生などの非特異的所見にとどまることが多いが，mucosal tears と呼ばれる幅の狭い縦走潰瘍がみられることもある．本症例は，内視鏡像，病理像から collagenous colitis と診断できる．（○）

e．大腸の悪性リンパ腫は比較的まれであり，大腸悪性腫瘍の1％以下である．臨床症状は腹痛，腫瘤触知，イレウスなどの頻度が高い．病変部位は盲腸，直腸が多く，組織学的な分類は B 細胞性が最多で，大腸悪性リンパ腫は DLBCL および MALT リンパ腫が多い．リンパ腫はあらゆる肉眼型を呈し，びまん性の皺襞の腫大を認めるものもあるが，隆起型や潰瘍型を呈することが多い．確定診断には，免疫染色を含めた病理組織診断が必須であり，HE 染色では類円形異型リンパ球のびまん性増殖を認めるが，本症例は内視鏡像，病理組織像からも除外できる．（×）

以上より，正解は d. となる．（**解答 d.**）

〈福澤誠克〉

問題 19 (2016年度出題)

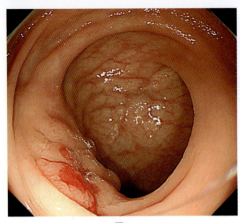
図 a

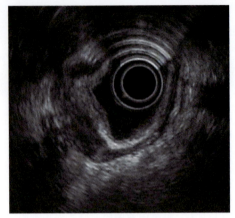
図 b

40歳の女性．2年前より排便時に血液が付着することがあった．直腸S状部の内視鏡像と超音波内視鏡像を示す（図a，b）．正しいのはどれか．2つ選べ．

a．病変の大きさが予後予測に用いられる．
b．診断には免疫染色が有用である．
c．*Helicobacter pylori* 除菌療法が有効なことがある．
d．LH-RH アナログが用いられる．
e．リンパ節郭清を伴う外科的手術の適応である．

解説

臨床経過，内視鏡画像および超音波内視鏡像により疾患名を問い，その後その疾患についての知識を問う問題である．症例は40歳女性，2年前より排便時に血液の付着を認めている．直腸の内視鏡像は易出血性の隆起性病変を認める．隆起成分は周囲との境界がはっきりせず，なだらかな隆起を呈し，表面性状は凹凸不整で，頂部は顆粒状の変化を認める．内視鏡像からは粘膜下腫瘍様病変，転移性腫瘍，悪性リンパ腫，また大腸癌も鑑別に挙げられる．超音波内視鏡像は第4層の著明な肥厚とともに第3層の一部不明瞭化を認める．内部エコーは比較的均一な低エコー腫瘤として描出される．40歳女性で慢性的な血便を主訴とし，上記内視鏡所見，超音波所見より，まず腸管子宮内膜症を念頭に置く必要がある．

腸管子宮内膜症の診断には，問診，理学的所見に加え内視鏡，超音波内視鏡，注腸などの画像検査が重要であるが，診断が困難な場合もある．腸管子宮内膜症は，異所性内膜症の中でも最も頻度が高く，好発部位は直腸，S状結腸ついで回盲部に多くみられる．主訴は腹痛や血便が多いが，月経周期と関連があるものは約半数程度とされる．内視鏡所見の多くは粘膜下腫瘍様隆起として観察され，襞のひきつれを伴う場合もある．注腸造影検査では粘膜下層，固有筋層の線維化を反映し，長軸方向に垂直に走行する襞（transverse ridging）が特徴的な所見とされる．粘膜面には所見を認めないことも多く生検での診断率は10%以下であるが，近年，超音波内視鏡下穿刺吸引法（EUS-FNA）を用いた生検では診断率の向上が報告されている．

> **選択肢解説**

a．腸管子宮内膜症では病変の大きさにより予後が決定するわけではない．（×）

b．腸管子宮内膜症の病理組織像は内膜腺と子宮内膜間質の両成分を認める場合もあるが，診断が困難な場合はサイトケラチンなどの免疫組織学的検索を行う必要がある．（○）

c．腸管子宮内膜症の治療としては薬物療法および外科切除が挙げられる．薬物療法が第一選択となるが，*Helicobacter pylori* 除菌療法は有用ではない．（×）

d．症状が軽度の症例では薬物療法(LH-RH アナログ，ダナゾール，低用量ピルなど)が第1選択となる．（○）

e．外科的手術は閉塞症状が高度な例，挙児希望がある例，悪性を否定できない例では選択されることがあるが，リンパ節郭清は必要ない．（×）

以上より，正解は b．d．となる．（**解答 b．d．**）

〈福澤誠克〉

問題 20 （2016年度出題）

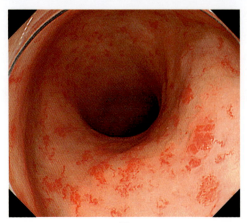

図

72歳の男性．前立腺癌の治療歴がある．1か月前から時に血便がみられ，貧血を指摘された．大腸内視鏡像を示す（図）．正しいのはどれか．2つ選べ．

- a．直腸に好発する．
- b．潰瘍は形成しない．
- c．副腎皮質ステロイドが著効する．
- d．アルゴンプラズマ凝固法（APC）が有用である．
- e．癌の合併はみられない．

解説

前立腺癌の治療歴と血便の臨床症状，特徴的な内視鏡像にて解答を導く設問である．内視鏡像では，拡張した異所性新生血管を全周性に認める．前立腺癌に対する放射線治療後で，少なくとも半年以降に診断される放射線性直腸炎の晩期障害である．急激な大量出血は起こしにくいため，排便ごとの少量出血が持続し，慢性貧血になることもある．内視鏡診断と治療のタイミングを決めるうえで，放射線照射方法と最終照射の聴取が必要である．放射線照射方法では，従来から行われている外照射や強度変調放射線治療（IMRT）後に発症することが多く，頻度は低いが，陽子線（重粒子）や密封小線源単独治療でも起こりうる．放射線障害には，早期（数か月〜半年以内）と晩期（半年以降）がある．早期障害は可逆性であるため侵襲のある医療行為は控える．一方，晩期障害として発症した放射線性直腸炎では，血便のためにQOLが低下している場合は，argon plasma coagulation（APC）凝固法による血管凝固治療が有効である．放射線性腸炎は病期および重症度を反映したSherman分類が活用される．Grade Ⅰは拡張血管の出現により，出血を伴う病態である．その範囲によりGrade Ⅰ-a（散在・限局性），Grade Ⅰ-b（全周・びまん性）に分類すると内視鏡を用いた治療計画が行いやすい．Grade Ⅱは，拡張血管に潰瘍を伴う場合である．潰瘍範囲や深さによっては，高圧酸素療法などの検討が必要である．Grade Ⅲは狭窄，Grade Ⅳは瘻孔と重症度があがり，人工肛門などの外科的対処が必要なこともある．原発臓器による照射部位や，照射方法により発症部位や重症度に傾向があるため，原疾患担当医や放射線治療医との連携が必要である．

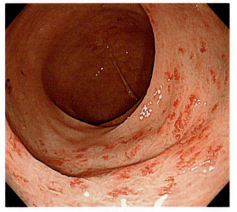

図1　初回内視鏡診断時

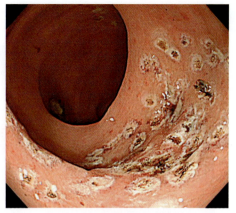

図2　APC凝固治療による炭化

> **選択肢解説**

a. 好発部位は，前立腺癌の治療後であれば下部直腸の前壁中心に全周に及ぶこともある．一方，子宮頸癌の治療後で外照射と腔内照射の併用があればS状結腸遠位側にみられることもある．骨盤内臓器術後の癒着の影響で，骨盤内小腸に照射の影響が現れることもあり，罹患部位は照射方法による．（○）

b. 照射方法や放射線量により，直腸潰瘍を形成する場合がある．（×）

c. 有効な治療手段がなかった時代は，炎症性腸疾患に準じて，ステロイド坐薬で治療がされた時代もあったが，その有用性についてhigh volumeでの検証はされていない．（×）

d. APC凝固法は，内視鏡下に行う非接触性高周波電流であり，炭化した粘膜がプローブにつきにくく，短時間の通電で浅い炭化が行えるため，脆弱な粘膜の治療に適している．APC機器が備わっている施設においては第1選択の治療方法である．APC凝固法は，罹患範囲（限局性・びまん性）に応じて計画的に施行するのが安全であり，同一部位に長時間の通電を避けるようにする（**図1，2**）．（○）

e. 放射線照射範囲に出現した癌の報告はあるが，放射線腸炎関連癌はまれである．稀少病態であるため実態について解明されていないが，慢性的な活動性炎症に関連して発癌する可能性を考慮した観察が必要である．（×）

以上より，正解はa．d．となる．（**解答 a．d．**）

〈千野晶子〉

問題 21 (2016年度出題)

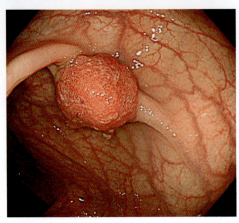

図 a

図 b

横行結腸の通常観察像と拡大観察像を示す（図 a, b）．診断として最も適切なのはどれか．

a．鋸歯状腺腫
b．管状腺腫
c．粘膜内癌
d．粘膜下層浸潤癌
e．進行癌

解説

内視鏡像の代表的所見より，大腸腫瘍の質的診断と早期大腸癌の深達度診断をする設問である．病変は横行結腸の隆起性病変であり，肉眼型は Is 型（無茎性），大きさ 10 mm 程度の病変と考える．図 a の通常観察では，強い発赤と緊満感を伴う不整な形状より早期大腸癌を強く疑う．1 枚の内視鏡像のみでの判定は難しいが，十分に送気された状態での観察では病変両側に襞集中を疑う所見もみられることより粘膜下浸潤を疑う．図 b はクリスタルバイオレット染色による拡大観察像で，腺管の辺縁不整像と内腔狭小化，輪郭不明瞭とする所見も認め，pit pattern 診断は V_I 高度不整と判断し，T1（粘膜下層浸潤）癌と診断する．大腸腫瘍の質的診断において，色素散布（インジゴカルミン）による通常観察を追加することで陥凹の有無の情報が得られるため，特に平坦型病変において有用である．染色法（クリスタルバイオレット）による拡大観察により pit pattern 診断が可能となる．特にV型 pit の判定は，早期大腸癌の深達度診断において最も重要である（図 1）．

選択肢解説

a．腺管構造が鋸歯状を呈する腫瘍性病変であり，拡大観察では鋸歯状構造を反映した腺管の縁の鋸歯状模様が観察できる．（×）

b．腺腫（良性腫瘍）では，通常観察で設問のような緊満感は認めず，pit pattern で概ねⅢL またはⅢs，Ⅳ型であることが多い．（×）

c．通常観察で提示された設問の画像のみの場合は，粘膜内癌も鑑別に挙げられる．この場合拡大観察による深達度診断を加えて，総合的に評価する必要がある．粘膜内癌では，V型 pit pattern の領域が観察されても，V_I 軽度不整（腺管の大小不同，不整配列）までのこと

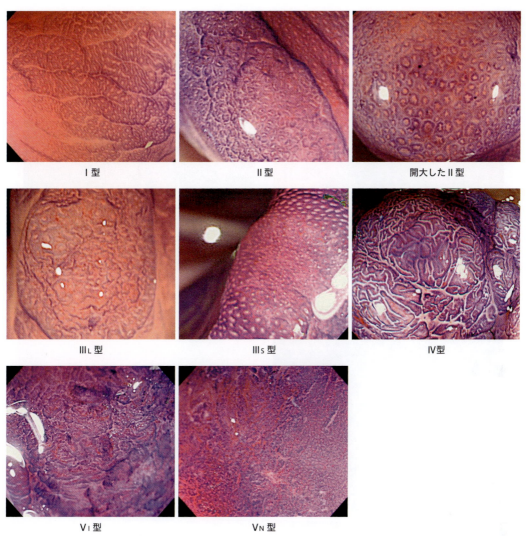

図1　大腸腫瘍性病変における pit pattern 診断

　　が多い．（×）
d．通常位観察で緊満感を有する隆起性病変で襞集中から強く疑い，拡大観察所見全体にV_I高度不整の所見を認めることで，確診できる．（○）

e．T2（MP）癌を示唆する潰瘍形成や壁変形（壁硬化）は認めない．（×）

　以上より，正解は d. となる．（**解答 d.**）

〈千野晶子〉

問題 22

(2016 年度出題)

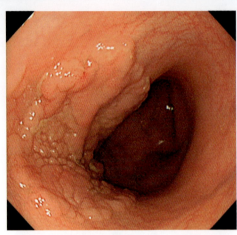
図 a

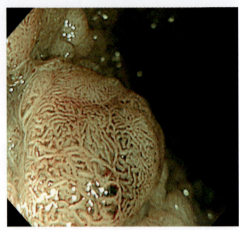
図 b

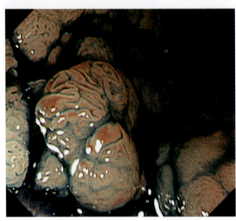
図 c

40 歳の女性．S 状結腸に 40 mm 大の病変を認めた．通常観察像と結節部の NBI および色素拡大画像を示す（図 a, b, c）．考えられる疾患はどれか．2 つ選べ．

- a．過形成性ポリープ
- b．Sessile serrated lesion（SSL）
- c．腺腫
- d．粘膜内癌
- e．SM 高度浸潤癌

解説

　大腸腫瘍に対する内視鏡観察は白色光観察に始まり，NBI 非拡大観察，NBI 拡大観察，色素内視鏡非拡大観察，色素内視鏡拡大観察と一連の流れがある．

　白色光で病変の色調や表面性状を観察し，空気の出し入れで，病変の硬さを確認する．襞の引き

つれや襞集中などは，空気量によって変化する．
　NBI観察の非拡大では，病変の境界診断と色調を確認し，拡大観察で腫瘍表面の微細血管模様(vessel pattern)と表面pit様構造(surface pattern)を判断(The Japan NBI Expert Team：JNET分類)し，腫瘍・非腫瘍の鑑別から質的診断まで行う．
　インジゴカルミン散布法はコントラスト法であり，病変の境界や凹凸の診断が可能である．拡大観察にてpit patternを診断する．
　癌を疑う場合(V型pit)，V型pitの不整の程度を正確に診断するにはクリスタルバイオレット染色が有用である．
　図aは白色光観察でS状結腸に40 mm大の0-Is+Ⅱa(LST-G結節混在型)病変を認める．ただし本症例はLSTの亜分類がやや難しくLST-NGとの境界病変であろう．空気量はある程度あるが病変中心でやや硬さを認める．
　図bは中心結節部のNBI拡大観察像である．
　Vessel pattern；口径整，均一な分布．
　Surface pattern；整と判断しJNET type 2Aと診断する．
　本症例の予想病理組織は腺腫～低異型度癌(Tis)．
　図cはインジゴカルミン散布拡大像で，**図b**と同部位の拡大である．Pit patternはⅣ型である．

> **選択肢解説**

a． 過形成性ポリープは白色光で退色調，NBI拡大所見はJNET type 1，色素拡大観察でⅡ型pit patternを呈する．(×)

b． Sessile serrated lesion(SSL)の色調は白色調，mucous capを有することが多い．NBI拡大は基本JNET type 1であるが，dark spotsといわれる黒色点やVMV(varicose microvascular vessel)，dilated and branching vessels(DBVs)などの太い蛇行した血管を認める．色素拡大ではⅡ型pitやⅢ_H型pitと鋸歯状変化を認める．(×)

c．d． 腺腫および粘膜内癌は本所見からもっとも考えられる．なお腺腫と粘膜内癌の正確な鑑別は内視鏡では難しいことが多い．(○)

e． SM高度浸潤癌は，白色光観察で緊満感や襞の引きつれを認め，NBI拡大観察ではJNET type 3を呈すことが多い．また色素拡大観察でV_I高度不整からV_N型pitを呈する．(×)

以上より，正解はc．d．となる．(**解答 c．d．**)
　本症例はESDで一括切除がなされ高分化管状腺癌で治癒切除が得られた．

〈斎藤　豊〉

問題 23 (2016年度出題)

60歳の男性．大腸内視鏡で直腸に20 mm大の病変を認め（図），ESDを行った．病理組織学的所見で垂直断端陰性であったが，以下の所見が得られた．リンパ節郭清を伴う腸切除を考慮すべき所見はどれか．

a．乳頭腺癌
b．間質の線維化
c．SM浸潤距離 250 μm
d．浸潤先進部の簇出 Grade 1
e．リンパ管侵襲陽性

図

解説

内視鏡治療後の外科手術を考慮する因子を問う問題である．

直腸の20 mm大の陥凹性病変である．病変中央に境界明瞭な陥凹局面を認め，空気量も十分入っているが襞の集中を認め，通常観察でSM浸潤を疑う．

拡大内視鏡観察が必須の病変である．拡大観察でSM高度浸潤が否定できれば内視鏡治療の適応となるが，本症例はnon-lifting signが予想され，またSM浸潤も完全に否定できないためESDによる一括切除が必要である．

大腸癌治療ガイドラインでは，低分化腺癌・印環細胞癌・粘液癌　浸潤度≧1,000 μm 脈管侵襲陽性，簇出 G2/3のいずれか1つでも認めた場合は郭清を伴う腸切除を考慮する．垂直断端陽性の場合は，郭清を伴う腸切除となっている．

選択肢解説

a．乳頭腺癌：高分化であり，リンパ節転移のリスクではない．（×）
b．間質の線維化はdesmoplastic reactionでSM癌で認めることが多いが，ガイドラインの転移リスクには含まれない．（×）
c．SM浸潤距離 1,000 μm以上が転移リスクであり 250 μmであれば，ほかのリスク因子が陰性であれば転移のリスクはきわめて低く，経過観察でよい．（×）
d．浸潤先進部の簇出 Grade 2，3が転移リスクとなる．（×）
e．リンパ管侵襲陽性，静脈侵襲陽性は，リンパ節転移の危険因子のうち最も重要なものの1つと考えられる．（○）

以上より，正解はe．となる．（**解答 e．**）

〈斎藤　豊〉

問題 24 (2016年度出題)

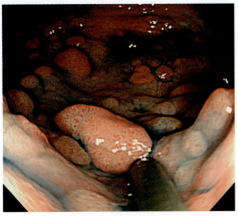
図 a

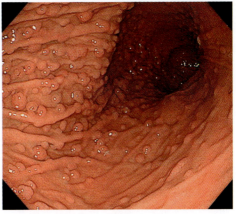
図 b

大腸内視鏡像と上部消化管内視鏡像を示す(図 a, b). 本症の随伴症状でないのはどれか.

- a. 脳腫瘍
- b. 網膜色素上皮肥大
- c. 軟部腫瘍
- d. 十二指腸腺腫
- e. 肛門周囲膿瘍

解説

　内視鏡像から疾患を推定させ, その随伴病変を問う問題である.

　大腸内視鏡像ではやや発赤した密在する多発小隆起性病変がみられ, その色調と表面形状から腺腫性の消化管ポリポーシスが疑われる. また, 上部消化管内視鏡でも胃に多発するポリープがみられ, 大腸のみならず上部消化管にも病変が併存していることがわかる. 胃上部の背景粘膜と同色の小隆起性病変の多発であり, 胃底腺ポリポーシスと思われる.

　家族性大腸腺腫症(FAP)は消化管, 特に大腸全域に100個以上のポリープがびまん性に発生する遺伝性の癌好発性疾患で, 放置した場合の発癌リスクはほぼ100%である. 原因遺伝子は *APC* 遺伝子の変異で, 本邦の発生頻度はおよそ 1/17,400 である. 発端者を中心に家系調査を施行し, 厳重なサーベイランスを行うことが重要である.

　肉眼病理所見ではポリープ数は100個から15,000個にわたる. 全大腸に5,000個以上になるとポリープがカーペット状に敷き詰められた状態になり, 密在型と呼ばれる. それ以下のものは非密在型となる. 密在型では大腸癌の発生年齢が非密在型より5歳若くなり, 同年齢では深達度が深い傾向がある.

　一方, 1,000個未満を非密在型, 1,000個以上を密在型とする分類もある.

　FAPのうち常染色体優性遺伝の形式をとるものは古くから知られる classical FAP と呼称され, 病変の局在や随伴病変より以下の病型に分類される.

1) 単純型家族性大腸腺腫性ポリポーシス：大腸

以外のほかの臓器に病変を認めない消化管ポリポーシスのみの病型．大腸の腺腫性ポリポーシスの数により密在性と非密在性に分けられる．

2）Gardner症候群：消化管腺腫性ポリポーシスに骨腫，デスモイドを含む軟部組織腫瘍を伴うものでFAPの10%を占める．

3）Turcot症候群：消化管ポリポーシスに中枢神経腫瘍（神経膠腫，神経芽細胞腫など）を合併したもの．

腺腫性ポリポーシスではしばしば腫瘍性あるいは非腫瘍性の大腸外随伴病変が合併する．

胃底腺ポリポーシス，胃腺腫，十二指腸腺腫，乳頭部腺腫，デスモイド腫瘍，皮下の軟部腫瘍・骨腫などの腫瘍性病変と歯牙異常は，FAPの補助診断として参考になる．

FAP患者においては，*Helicobacter pylori*非感染者に胃底腺ポリポーシスが多い傾向がある．しかし，FAPの胃底腺ポリープの一部は悪性化する可能性もあるためサーベイランスが必要である．FAP患者には，陥凹型や隆起型の胃腺腫が発生する．

先天性網膜色素上皮肥大（congenital hypertrophy of the retinal pigment epithelium：CHRPE）は網膜上の不連続平坦な色素性病変で，臨床症状はなく治療の必要はない．視力に影響はなく，悪性化もしない．しかしFAP患者の約80%に合併し，出生時より認め大腸腺腫より早期に出現することから，小児などのFAP補助診断に有用である．

選択肢解説

a．病型の1つであるTurcot症候群では神経膠腫などの中枢神経系腫瘍（脳腫瘍）を伴う．（×）

b．網膜色素上皮肥大（CHRPE）は上述のようにFAP患者の約80%に合併し，大腸腺腫より早期に出現することから，補助診断に有用である．（×）

c．Gardner症候群は骨腫や皮様嚢腫，デスモイドなどの軟部腫瘍を伴う病型でFAPの約10%を占める．（×）

d．Gardner症候群では大腸のみならず，上部消化管にも多発ポリープがみられ，十二指腸の病変は腺腫ないしカルチノイドである．（×）

e．肛門周囲膿瘍はCrohn病ではしばしば，潰瘍性大腸炎でもまれに随伴する症状であるが，本症例ではほとんどみられない．（○）

以上より，正解はe．となる．（**解答 e.**）

〈白井孝之〉

問題 25 (2017年度出題)

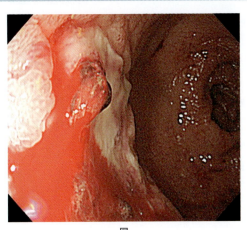

図

2週間前から大腿骨頸部骨折で入院加療中であったが，突然大量の血便を認めたため，緊急内視鏡を行った．直腸の内視鏡像を示す（図）．この疾患について正しいのはどれか．2つ選べ．

a．若年者に好発する．
b．女性よりも男性に好発する．
c．基礎疾患を有することが多い．
d．歯状線近傍に好発する．
e．予後は不良である．

解説

大腿骨頸部骨折の入院中に起こった突然の血便に対する直腸内視鏡所見から疾患名を問い，その後その疾患についての知識を問う問題である．

大腿骨頸部骨折で入院加療中ということから寝たきり状態にあると考えられる．このような患者に突然，大量の無痛性の血便がみられ，内視鏡像で直腸に露出血管を伴う潰瘍を認めたことから，急性出血性直腸潰瘍と診断できる．

急性出血性直腸潰瘍の臨床的特徴は，以下の通りである．①重篤な基礎疾患を有する高齢者に多い．②発症は突然で，無痛性大量の血便または肛門出血で始まる．③潰瘍は歯状線に接するかその近傍あるいは下部直腸に局在し，潰瘍は浅く，形は地図状あるいは帯状を呈し，全周性の場合もあり，多発ないし単発性で，露出血管を伴うこともある．④経過は一般に良好であるが，基礎疾患の重症度に依拠する傾向がある．

成因に関してはストレス説，宿便説，NSAIDs坐剤説，敗血症説，血栓形成説などが挙げられてきたが，現在では動脈硬化などの血流低下の準備状態にあり，仰臥位寝たきり状態という身体的要因が重なった場合に，下部直腸粘膜の血流量が減少し，潰瘍を形成すると考えられている．

選択肢解説

a．急性出血性直腸潰瘍は70歳以上の高齢者に多い．（×）
b．急性出血性直腸潰瘍は男性よりも女性に多くみられる．（×）
c．急性出血性直腸潰瘍は基礎疾患を有することが多く，基礎疾患としては脳血管障害，動脈硬化疾患，整形外科疾患，悪性腫瘍など多岐

にわたるが，なかでも寝たきり状態が高リスク群となる．（○）

d．急性出血性直腸潰瘍は歯状線直上，肛門から5cm以内の下部直腸に好発する．（○）

e．急性出血性直腸潰瘍に対する治療として，内視鏡的止血術が第1選択であり，HSE（hypertonic saline epinephrine）局注，クリップ・ヒータープローブ・止血鉗子による止血，EBL（endoscopic band ligation），APC（argon plasma coagulation），などが行われている．内視鏡的止血に難渋した場合や内視鏡的止血術では出血をコントロールできない場合には経肛門結紮術，動脈塞栓術，直腸切断術などの治療を行うことも有用とされている．止血が得られれば本症例の予後は良好とされており，止血処置が非常に重要である．（×）

以上より，正解はc．d．となる．（**解答 c．d．**）

〈佐田美和〉

問題 26 (2017年度出題)

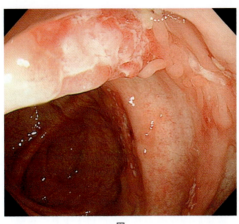

図

56歳の男性．大腸がん検診で便潜血陽性を指摘されたため大腸内視鏡検査を受けた．上行結腸の内視鏡像を示す（図）．正しいのはどれか．2つ選べ．

- a．本邦における罹患率は増加傾向にある．
- b．好発部位は回盲部である．
- c．組織学的に非乾酪性類上皮細胞肉芽腫を特徴とする．
- d．補助診断法としてIFN-γ遊離試験が有用である．
- e．抗TNFα抗体製剤の治療効果が高い．

解説

内視鏡像から疾患名を問い，その後その疾患についての知識を問う問題である．

内視鏡像は上行結腸にみられる輪状傾向を有する不整形潰瘍性病変で，周囲に炎症性ポリープを伴っている．潰瘍の近接像であるため周囲粘膜の情報は得づらいが，周囲粘膜にも血管透見像の乱れがあるようであり，慢性に経過する炎症性疾患の存在が推測される．炎症性疾患であれば，病変部位，潰瘍形態，周囲粘膜所見などから疾患を鑑別していくことになるが，散在性，多発性に存在する上行結腸の不整形潰瘍で潰瘍は輪状傾向を有し，慢性の経過を辿っていることから腸結核が考えられる．Nonsteroidal anti-inflammatory drug (NSAID)起因性腸症でも上行結腸に輪状傾向を有する潰瘍を形成するが，本症例では内視鏡像から慢性の経過を読み取れる点が合致しない．Crohn病も回盲部を中心に潰瘍性病変を高率に形成するが，Crohn病は縦走潰瘍を特徴とする．腸結核は回盲部を中心に腸管病変を形成し，回盲弁開大，萎縮瘢痕帯，輪状潰瘍といった所見を特徴とするが，近年は軽微な腸管病変のみを認める症例が増加している．

選択肢解説

- a．本邦における肺結核患者数は1987年の登録開始以降漸減し，2015年には14,581名と半数以下にまで減少している．肺結核に引き続いて二次的に発症することが多いとされる腸結核は毎年300例前後報告されていたが，2015年以降は漸減している．（×）
- b．結核菌はリンパ親和性が高いことから，リンパ装置が豊富な回盲部を中心に病変を形成す

ることが特徴である．近年の小腸内視鏡検査機器の進歩に伴い小腸結核例の報告が増加しているが，多くは回盲部病変との重複例である．（○）

c．結核の組織像における確定診断は乾酪性肉芽腫または結核菌を証明することである．結核にみられる典型的な乾酪性肉芽腫は比較的大型で癒合性がみられ，中心の乾酪化巣，それを取り囲む大型類上皮細胞とLanghans型巨細胞からなる中間層，さらに最外層のリンパ球環の3層からなる．ただし，生検組織における乾酪性肉芽腫の検出頻度は必ずしも高くない．なお，非乾酪性類上皮細胞肉芽腫を特徴とするのはCrohn病である．（×）

d．患者全血検体を用いてヒト型結核菌の特異抗原であるESAT-6とCFP-10を添加し，Tリンパ球から放出されたIFN-γを定量ないし，IFN-γ産生細胞数を定量する方法である．本試験はBCG接種やほとんどの非結核性抗酸菌による影響を受けない．（○）

e．抗TNFα抗体製剤は潰瘍性大腸炎やCrohn病といった炎症性腸疾患に対する治療薬である．腸結核の治療は抗結核薬4剤(INH, RFP, PZA, EB)を2か月，その後はRFPとINHを4か月継続するのが基本である．（×）

以上より，正解はb．d．となる．（**解答 b. d.**）

〈江﨑幹宏〉

問題 27 (2017年度出題)

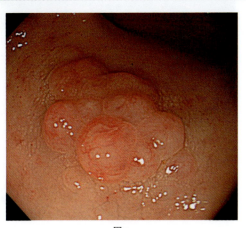
図 a

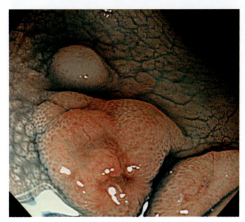
図 b

55歳の女性．大腸内視鏡検査にて，直腸腫瘍を指摘されて受診した．大腸内視鏡像（図 a，b）で，疑うべき内視鏡診断はどれか．

a．過形成性ポリープ
b．リンパ管腫
c．神経内分泌腫瘍
d．悪性リンパ腫
e．GIST

解説

直腸粘膜下腫瘍を大腸内視鏡像より鑑別する問題である．図 a の内視鏡像は通常観察である．腫瘍表面は平滑で表層の毛細血管は拡張し，淡い発赤調を呈する．小型の結節状病変が多発し，集簇している．図 b の内視鏡像はインジゴカルミン色素散布による近接像である．立ち上がりに周辺の粘膜と同様の模様を認めることから，病変は大小不同の粘膜下腫瘍隆起の多発集簇であり，一部で頂部の陥凹を認める．内視鏡像より鑑別に挙げられる疾患は，rectal tonsil（直腸扁桃），リンパ濾胞，悪性リンパ腫が挙げられる．Rectal tonsil とリンパ濾胞は，経過中に自然消退しうる良性リンパ濾胞性ポリープ（benign lymphoid polyp）であるが，確定診断には，病理組織像にて胚細胞内のリンパ腫細胞がないことの確認が必要

で，正確な診断のためには十分な組織が必要であり，粘膜切除術（EMR）で病理組織を採取されることもある．大腸悪性リンパ腫は大腸悪性腫瘍の＜1％とまれであり，隆起型・潰瘍型・MLP（multiple lymphomatous polyposis）型・びまん型・混合型と多様を呈する．組織型では，MALT（mucosa-associated lymphoid tissue）リンパ腫やびまん性大細胞型 B 細胞リンパ腫（diffuse large B-cell lymphoma：DLBCL）の頻度が高く，T 細胞リンパ腫や濾胞性リンパ腫もみられる．確定診断には，生検組織による病理診断のみならず免疫染色によるマーカー検索が必須となり，時に分子遺伝子学的検査も必要となる．組織採取時には，HE 染色用検体以外にもなま検体の採取が必要となる．上記鑑別疾患を想定し，確定診断のために必要な追加検査と注意事項を認識する必要がある．

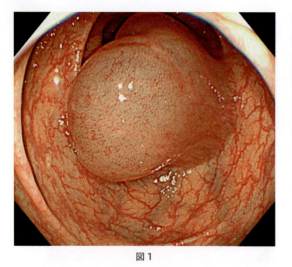

図1

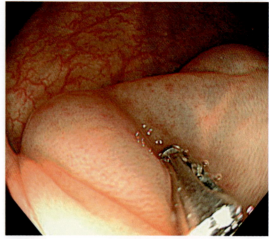

図2

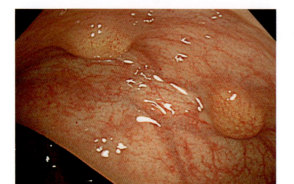

図3

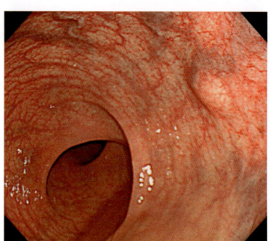

図4

> **選択肢解説**

a．過形成性ポリープは，上皮性の非腫瘍性大腸ポリープである．やや透明感を有し，淡い発赤を呈する病変もあるが，内視鏡像より粘膜下腫瘍の集簇であることが判断できれば，容易に除外できる．（×）

b．リンパ管腫の好発部位は右側結腸に多く，淡青・蒼白色・青色調であることが多く，透光性・透明感を有するのが特徴である．亜有茎性〜半球状でほとんどが単発の粘膜下腫瘍である（**図1**）．鉗子で圧迫すると，病変は容易に変形する（**図2**）．超音波内視鏡にて，内部無エコー〜低エコー性腫瘤として描出される．特徴的な内視鏡像より診断し，生検組織診断は重要ではないが，その内部構造は，薄い結合組織と1層の内皮細胞からなる囊胞が粘膜下層にみられ，生検すると透明な内容液がでてくる．大きくなるとまれに腸重積を発症することがある．（×）

c．神経内分泌腫瘍（neuroendocrine tumor：NET）は，直腸粘膜下腫瘍で最も代表的ながん類似性悪性病変である．直腸NETの多くは単発で黄色調を呈する弾性硬の半球状の粘膜下腫瘍で，透明感はない．5%程度に2〜3個の多発例が存在し，まれに無数個の発症例の報告があるが，本症例のように集簇するこ

とはない(**図 3**)．（×）

d．本選択肢のなかで，前述の解説の内視鏡所見に最も矛盾しない．本選択肢にはない，rectal tonsil やリンパ濾胞は通常内視鏡観察では類似しており，内視鏡像のみで診断するのは困難である．本症例は，生検組織により粘膜内に大型異型細胞がシート状に増生しており，免疫組織学的検索(B-cell：CD5－，CD10－，CD20＋，BCL2＋，MIB1 index〜70％，BCL6＋MUM1＋)も加え，悪性リンパ腫 DLBCL と診断された．（○）

e．GIST (gastrointestinal stromal tumor)は，腫瘍性粘膜下腫瘍の非上皮性腫瘍であり間葉系細胞を起源とする肉腫である．大腸の壁内発症の GIST は内肛門括約筋直上の下部直腸に多く，大きさが 5 cm 以上は悪性度の高い所見となる．排便障害や肛門部違和感，出血を契機に検査を行い 2〜3 cm 以上で発見されることが多い．超音波内視鏡検査にて第 4 層に由来する低エコーで，不整形および内部エコーが不均一も悪性度の高い GIST を疑い，超音波内視鏡下穿刺生検(EUS-FNA)にて確定診断をつける．**図 4** のように 2 cm 以下で発見された場合は，平滑筋腫や直腸 NET，メラノーマのように硬くて充実性の小型粘膜下腫瘍の鑑別は内視鏡像のみでは困難であり，超音波内視鏡検査と組織診断が必須である．直腸 GIST に透明感や壁内多発例は認めない．（×）

以上より，正解は d．となる．（**解答 d.**）

〈千野晶子〉

問題 28 (2017年度出題)

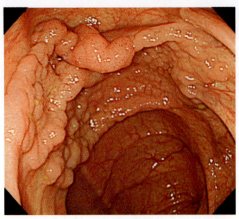

図

上行結腸に半周性の側方発育型腫瘍（LST）が存在した（図）．
次に行うべき検査はどれか．2つ選べ．

a．生検
b．IEE（NBI・BLI）拡大
c．トルイジンブルー染色
d．ヨード染色
e．インジゴカルミン散布

解説

大腸腫瘍に対する内視鏡観察は白色光観察に始まり，NBI 非拡大観察，NBI 拡大観察，色素内視鏡非拡大観察，色素内視鏡拡大観察と一連の流れがある．

白色光で病変の色調や表面性状を観察し，空気の出し入れで，病変の硬さを確認する．襞の引きつれや襞集中などは，空気量によって変化する．

NBI 観察の非拡大では病変の境界診断と色調を確認し，拡大観察で腫瘍表面の微細血管模様（vessel pattern）と表面pit様構造（surface pattern）を判断し（JNET 分類，**表 1**），腫瘍・非腫瘍の鑑別から質的診断まで行う．

インジゴカルミンはコントラスト法であり，病変の境界や凹凸の診断が可能である．拡大観察にて pit pattern を診断する．

癌を疑う場合（Ｖ型 pit），Ｖ型 pit の不整の程度を正確に診断するにはクリスタルバイオレット染色が有用である．

図では白色光観察で上行結腸に 50 mm 大の 0-Is＋Ⅱa〔LST-G 結節混在型（Mix）〕病変を認める．

表面性状と色調から，腫瘍性病変であることがわかる．腺腫か早期癌である．

選択肢解説

a．生検で仮に腺腫あるいは高分化腺癌が診断されても内視鏡診断が深達度Mまでであれば治療方針は内視鏡治療であり，生検により治療方針に変更はない．また生検をすることで特に表面型腫瘍では線維化をきたし内視鏡治療が困難となる場合がある．（×）
b．通常光白色光で，明らかな陥凹局面は認めな

表1 JNET分類（大腸拡大NBI分類）

NBI	Type 1	Type 2A	Type 2B	Type 3
Vessel pattern	・認識不可[*1]	・口径整 ・均一な分布 （網目・らせん状）[*2]	・口径不同 ・不均一な分布	・疎血管野領域 ・太い血管の途絶
Surface pattern	・規則的な黒色または白色点 ・周囲の正常な粘膜と類似	・整（管状・樹枝状・乳頭状）	・不整または不明瞭	・無構造領域
予想組織型	過形成性ポリープ	腺腫〜低異型度癌(Tis)	高異型度癌(Tis/T1a)[*3]	高異型度癌(T1b〜)

*1. 認識可能な場合，周囲正常粘膜と同一径．
*2. 陥凹型については，微細血管が点状に分布されることが多く，整った網目・らせん状血管が観察されないこともある．
*3. T1bが含まれることもある．

Type 2B → 色素拡大内視鏡診断(pit pattern 診断)へ
Low-confidence なType 3 も色素拡大で確認

い．また粗大結節を認めるが，緊満感など認めず明らかなSM浸潤を示唆する所見はない．次にすべきは，色素散布を必要としないIEE（NBI・BLI）拡大観察で，結節部や発赤部を中心に，関心領域を拡大観察し，JNET分類を評価することである．（○）

c．トルイジンブルー染色は食道扁平上皮癌（SCC）の染色に古くから用いられていた．食道上皮が欠損した場合，そこに付着した壊死物質を青色に染色することを利用しヨード（SCCが不染となる）とトルイジンブルーの2重染色が用いられてきた．ヨード染色は現在も一般的に用いられているが，トルイジンブルー染色は最近はあまり使用されない．（×）

d．上記cで説明したように，IEE（NBI・BLI）が普及した現在もヨード染色は食道SCCの範囲診断の gold standard として使用される．大腸領域においては肛門扁平上皮癌の範囲診断に用いられることがあるが頻度は少ない．（×）

e．NBI・BLIの評価とともにインジゴカルミンはコントラスト法であり，病変の境界や凹凸の診断が可能である．拡大観察にて pit pattern を診断する．本症例はNBI拡大観察で結節部も含め JNET type 2A であったため，腺腫から低異型度の粘膜内癌までの診断であり，将来的には色素拡大観察を省略できる可能性はある．（○）

以上より，正解はb．e．となる．（**解答 b．e．**）

本症例は粘膜内癌を考え，内視鏡治療が第1選択となった．しかしながら腫瘍径が5cm程度あることから，SM微小浸潤癌の可能性も否定できずESDで一括切除が施行された．

結果的には粗大結節部以外のⅣ型 pit の部位でSM高度浸潤（1,300μm）を認め追加外科手術が施行された．本症例からもわかるようにNBI・BLIや pit pattern 診断にも限界もあり（特にLST-Gに対するpitの感度は50％程度，一方，特異度は98％），半周を超える大きな病変に対する多分割EMRは避けるべきである．

〈斎藤　豊〉

問題 29

(2017年度出題)

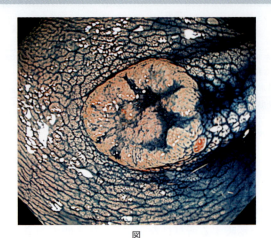

図

65歳の男性．直腸 Rb に径 10 mm 大の 0-Ⅱa+Ⅱc 病変を認め（図），内視鏡的一括摘除が施行された．病理組織結果は tub1，pT1（SM 1,250μm），budding grade 2，ly0，v0，HM0，VM1 であった．今後の治療方針として正しいのはどれか．

a．経過観察
b．追加内視鏡治療
c．追加外科的手術
d．放射線療法
e．化学療法

解説

　直腸 T1（SM）癌の内視鏡摘除後の追加治療に関する知識を問う問題である．なお，本症例は色素観察にて中心に辺縁不整な陥凹を認め，拡大観察所見がなくとも SM 深部浸潤が疑われる病変であるが，病変が下部直腸に存在することから摘除生検として内視鏡的摘除が先行されている．

　『大腸癌治療ガイドライン 2019 年度版』によると，内視鏡的摘除された pT1（SM）大腸癌の追加治療の適応基準（**図1**）として，①垂直断端陽性（癌が粘膜下層断端に露出しているもの）の場合は郭清を伴う追加腸切除が望ましい．②摘除標本の組織学的検索で以下の一因子でも認めれば，追加治療としてのリンパ節郭清を伴う腸切除を考慮するとされている．

(1) SM 浸潤度 1,000μm 以上
(2) 脈管侵襲陽性
(3) 低分化腺癌，印環細胞癌，粘液癌
(4) 浸潤先進部の簇出（budding）Grade 2/3

選択肢解説

a． 摘除標本の病理組織学的所見が pT1（SM）癌であり，①VM1（垂直断端陽性），②リンパ節転移リスク因子として，SM 浸潤度 1,000μm 以上，budding Grade 2 を有することから，本症例はリンパ節郭清を伴う腸切除すべき症例である．よって，経過観察は不適である．（×）

b． 追加内視鏡治療の適応は，局所遺残病変が HM1（側方断端陽性）の，粘膜内病変である．本症例のように VM1 では局所深部遺残の可

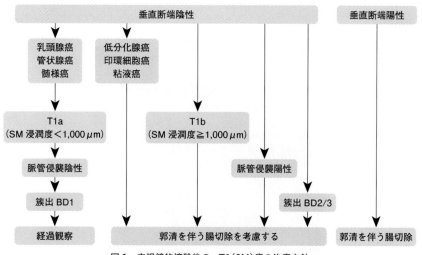

図1 内視鏡的摘除後のpT1(SM)癌の治療方針
〔大腸癌研究会(編集):大腸癌治療ガイドライン医師用2019年版.金原出版,2019より〕

能性があるため,追加内視鏡治療の適応でない.(×)

c.リンパ節郭清を伴う追加腸切除を考慮すべき病理組織所見である.(○)

d.術後補助放射線療法の適応は,「深達度pT3(SS/A)以深またはpN陽性,外科剝離面陽性(RM1)または外科剝離面への癌浸潤の有無が不明(RMX)」である.本症例はリンパ節郭清を伴う追加腸切除が原則である.(×)

e.術後補助放射線療法の目的は直腸癌の局所制御率の向上であり,その適応の原則は,R0切除が行われたStage Ⅲ大腸癌化学療法である.現在,大腸pT1(SM)癌に対する十分なエビデンスはない.(×)

以上より,正解はc.となる.(**解答c.**)

〈岡 志郎〉

問題 30 (2017年度出題)

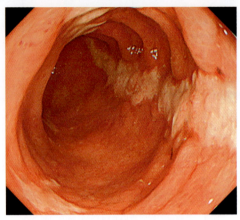

図

80歳の女性．腹痛と血便を主訴に来院した．大腸内視鏡像を示す（図）．この疾患について正しいのはどれか．**2つ選べ**．

- a．動脈硬化などの基礎疾患を有することが多い．
- b．好発部位は下行結腸である．
- c．胃・十二指腸に特徴的な所見を有する．
- d．病理にて非乾酪性類上皮細胞肉芽腫を認める．
- e．副腎皮質ステロイドが著効することが多い．

解説

大腸内視鏡所見から疾患の診断を行い，その疾患についての知識を問う問題である．内視鏡所見では，撮像範囲内の肛門側から口側へ連続する，浅く表面に白苔を付した縦走潰瘍と全周性の発赤を認める．虚血性大腸炎の所見として矛盾のないものである．本設問の画像では明瞭でないが，潰瘍の発赤が白い線でうろこ模様にみえることも本症例の重要な所見の1つである．内視鏡的に縦走潰瘍を認める場合，一般に鑑別としてはCrohn病などの炎症性腸疾患，エルシニア腸炎や腸管出血性大腸菌感染症などの腸管感染症，抗菌薬起因性急性出血性大腸炎，collagenous colitisなどが挙げられる．縦走潰瘍と言っても，例えばCrohn病における一般的な縦走潰瘍は本症例の画像のように浅いものではなく，潰瘍周囲に炎症性ポリープや敷石像など隆起を伴っていることが多いなど，疾患ごとに特徴的な所見を呈する点や好発部位の違いが鑑別の一助となる．なお，80歳と高齢である点も虚血性大腸炎の診断を後押しするだろうが，昨今は高齢発症の炎症性腸疾患も増加しており，高齢であるというだけで炎症性腸疾患を鑑別から除外するべきではないだろう．また，腸管出血性大腸菌などの感染症の所見は右側結腸に優位であるが，左側結腸に虚血性大腸炎と類似した内視鏡像を認める場合もあるため便培養での鑑別も省略するべきではない．

選択肢解説

a．虚血性大腸炎の発症機序には不明な点も多いが，動脈硬化性の変化や微小血管の痙縮などの血管側因子と腸蠕動や腸管内圧亢進など腸管側因子による腸管粘膜や腸管壁の血流低下

で虚血性変化をきたして生じると推定されている．動脈硬化および高血圧症などの基礎疾患は虚血性大腸炎のリスク因子である．基礎疾患の治療は再発予防の面からも重要である．（○）

b．虚血性大腸炎の好発部位は左側結腸領域であり，脾彎曲部，下行結腸，S状結腸で起きやすいとされる．脾彎曲部から下行結腸領域は上腸間膜動脈と下腸間膜動脈の血流支配が交わる点(Griffith点)，および下腸間膜動脈と内腸骨動脈の血流支配が交わる点(Sudeck点)は虚血になりやすい．虚血性大腸炎はこの2点を中心に生じることが多いため，下行結腸に生じやすくなる．（○）

c．Crohn病と正しく鑑別できているか問われている設問である．Crohn病に特徴的な上部消化管病変として，胃の竹の節状外観と十二指腸のnotch様陥凹が挙げられる．虚血性大腸炎は上部消化管に特徴的な病変を有さない．（×）

d．虚血性大腸炎における特徴的な病理組織所見は腺管の立ち枯れ像(腸管粘膜が腺管の形状を保ちながらも腺上皮が脱落した所見)，上皮傷害による杯細胞減少，粘膜固有層の浮腫，出血，炎症細胞浸潤などである．慢性期には担鉄細胞の出現を認める場合もある．非乾酪性類上皮細胞肉芽腫は鑑別疾患のうち，Crohn病に特徴的な病理組織所見である．（×）

e．虚血性腸炎の一般的な治療方針は絶食・補液による腸管安静と対症療法である．ステロイド投与が奏効する場合が多いのは炎症性腸疾患である．（×）

以上より，正解はa．b．となる．（**解答 a．b．**）

〈浦岡俊夫〉

問題 31 (2017年度出題)

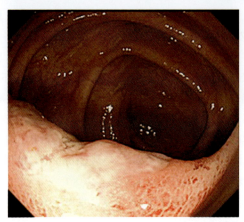

図

27歳の男性．発熱，腹痛，1日15行以上の水様性下痢を2日前より認めた．回盲部の内視鏡像を示す（図）．正しいのはどれか．**2つ選べ**．

- a．鶏肉の摂取が主な原因である．
- b．回盲部周囲のリンパ節腫脹がみられる．
- c．抗菌薬の使用は禁忌である．
- d．Guillain-Barré症候群の原因となる．
- e．溶血性尿毒症症候群の原因となる．

解説

　発熱，腹痛とともに水様性下痢が出現した若年男性の症例である．問題文中にそれ以外の記載がないことから，健常人に急性の経過で出現した下部消化管症状と考えられ，感染性腸炎が鑑別診断としてまず挙げられる．提示された下部消化管内視鏡所見をみると，回盲弁上に潰瘍形成が確認される．急性の経過を辿り，大腸に粘膜病変を形成する感染性腸炎としては細菌性腸炎が多く，起炎菌としてはサルモネラ，カンピロバクター，腸管出血性大腸菌，赤痢菌などが挙げられる．感染性腸炎を疑った場合には便培養検査を実施するが，培養検査で必ずしも起炎菌が検出されるわけではないこと，培養結果が判明するまでに数日を要すること，さらには，日常臨床では内視鏡検査所見のみから起炎菌を推定する必要がある場面にも遭遇しうることから，細菌性腸炎の内視鏡的特徴を理解しておく必要がある．

　サルモネラ腸炎，カンピロバクター腸炎ではともに右側結腸に病変を形成するが，サルモネラ腸炎では右側結腸優位に罹患することが多く，直腸には粘膜病変を認めないことが多い．一方，カンピロバクター腸炎では，直腸・S状結腸に粘膜病変を認める頻度が高い．両疾患の粘膜傷害を比較した場合，サルモネラ腸炎でより高度な粘膜病変を形成することが多いが，カンピロバクター腸炎では40～50％の症例で回盲弁上に潰瘍形成を認めるとされ，本症例に特徴的な内視鏡所見の1つとされている．腸管出血性大腸菌腸炎では，右側結腸に病変の主座を認めることが多く，全周性の浮腫状，発赤粘膜，縦走するびらん・潰瘍形成がみられる．重症例では2cm以上にも及ぶ著明な腸管壁肥厚が確認される場合がある．細菌性赤痢

感染は旅行者下痢症に分類され，日常診療で遭遇する機会はまれであるが，直腸・S状結腸を中心に発赤，びらんの形成を認める．

　本症例は，回盲弁上に潰瘍形成を伴う感染性腸炎が考えられることから，診断としてはカンピロバクター腸炎が挙げられる．

選択肢解説

a．カンピロバクター腸炎は鶏肉およびその加工品の経口摂取が感染源となることが多い．（○）
b．回盲部周囲のリンパ節腫脹を特徴とするのはエルシニア腸炎である．（×）
c．カンピロバクター腸炎では，エリスロマイシン，クラリスロマイシンなどのマクロライド系抗菌薬の投与が推奨され，あるいはホスホマイシンも多く行われている．（×）
d．Guillain-Barré症候群の約8割に何らかの先行感染が認められるとされているが，本症例の1割程度ではカンピロバクター（*Campylobacter jejuni*）腸炎の先行発症がみられるとされている．（○）
e．溶血性尿毒症症候群を合併するのは腸管出血性大腸菌腸炎である．（×）

　以上より，正解はa．d．となる．（**解答 a．d．**）

〈江﨑幹宏〉

問題 32 (2018年度出題)

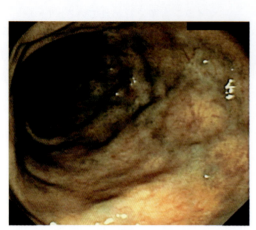
図 a

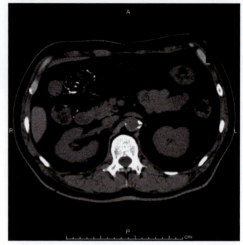
図 b

68歳の男性．下部消化管内視鏡検査，腹部単純CT画像を示す（図a，b）．正しいのはどれか．

a．潰瘍やびらんを合併することはない．
b．腸閉塞症状の原因にはならない．
c．アントラキノン系下剤の常用が原因となる．
d．血便の原因にはならない．
e．病理組織学的には膠原線維の血管周囲性沈着を認める．

解説

　内視鏡画像と腹部単純CT画像から疾患を診断し，その臨床的像と病理組織学的な特徴を問う問題である．設問中の内視鏡所見で茶色から暗青色の粘膜と襞肥厚を認め，腹部単純CT所見で右側結腸周囲の血管の石灰化を認めることから特発性腸間膜静脈硬化症と診断できる．本疾患の病理組織学的特徴として，①静脈壁の著明な線維性肥厚と石灰化，②粘膜下層の高度の線維化と粘膜固有層の著明な膠原線維の血管周囲性沈着，③著明な石灰化を示す静脈に隣接する動脈にも石灰化を伴う，④粘膜下層の小血管壁への泡沫状細胞の出現が挙げられることから，基本的な病態は腸間膜静脈の硬化に伴う灌流障害により引き起こされる虚血性の大腸病変と考えられている．

　内視鏡所見上，類似の粘膜色調変化という観点から本疾患と鑑別を要する疾患として，大腸黒皮症と虚血性腸炎が挙げられる．大腸黒皮症（**図1**）は大腸粘膜へのリポフスチン沈着が原因となり，粘膜の色調は茶色から黒色調に観察される．特発性腸間膜静脈硬化症との鑑別点として，大腸黒皮症は襞肥厚を伴わず，びらんや潰瘍なども観察されないことが挙げられる．臨床的にも大腸黒皮症は腹部症状がなく，下剤の服用歴などを確認すれば鑑別ができる．虚血性腸炎（**図2**）は大腸を栄養する血管の可逆性閉塞に基づく粘膜虚血によって生じる疾患である．重症例では粘膜が暗赤色調に観察されることがあり特発性腸間膜静脈硬化症との鑑別が問題になることがあるが，病変は区域性で左半側結腸に好発し周囲に発赤や縦走潰瘍を伴うことが多く，臨床的に虚血性腸炎は急激な強い

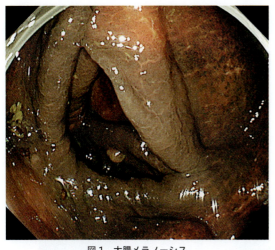

図1　大腸メラノーシス

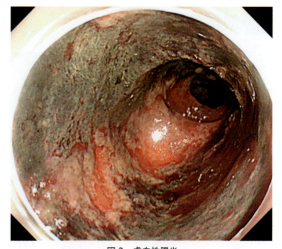

図2　虚血性腸炎

腹痛や血性下痢として発症するのに対し，特発性腸間膜静脈硬化症は慢性の経過を辿る．

> [!NOTE] 選択肢解説

a．特発性腸間膜静脈硬化症は粘膜虚血の結果，びらんや潰瘍を伴う症例もある．潰瘍は多発傾向があり内視鏡像は非特異的で円形や不整形の潰瘍を呈することが多く，縦走傾向を示すことは少ない．（×）

b．特発性腸間膜静脈硬化症は高度の線維化を背景としているため，腸閉塞をきたすことがある．病因は明らかではないが本疾患を発症する患者は漢方薬を内服している場合が多く，腸閉塞を認めた場合は被疑薬休薬と保存治療で改善を認める症例も存在する．一方で，保存治療に反応しない場合は腸切除術が必要になるが，その罹患範囲が広範囲に及ぶ場合は結腸亜全摘術が選択されることがある．（×）

c．センノシドなどのアントラキノン系下剤が原因とされるのは大腸メラノーシスである．特発性腸間膜静脈硬化症は大多数の症例で長期間の漢方薬内服歴が存在し，特に加味逍遙散や黄連解毒湯に含まれるサンシシとの関連が疑われている．そのため，本症例を疑った場合は薬歴の詳細な聴取が必要である．（×）

d．特発性腸間膜静脈硬化症の主な臨床症状は腹痛，下痢，嘔気や嘔吐などの腸閉塞症状だが，潰瘍から出血を認める症例も存在する．内視鏡的止血術で止血困難な症例や繰り返し出血する症例など出血のコントロールに難渋する場合は腸切除術が必要になる．（×）

e．特発性腸間膜静脈硬化症では病理組織学的特徴として，膠原線維の血管周囲性沈着を認める．膠原線維の沈着という観点からcollagenous colitis と鑑別を要する場合があるが，collagenous colitis は粘膜上皮直下の膠原線維帯（collagen band）であるのに対し，腸間膜静脈硬化症は血管周囲の膠原線維沈着として上皮直下以外でも膠原線維の沈着が観察されることや血管壁の線維性肥厚などから鑑別できる．（○）

以上より，正解はe．となる．（**解答 e.**）

〈浦岡俊夫〉

問題 33 (2018年度出題)

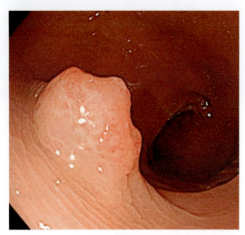

図 a

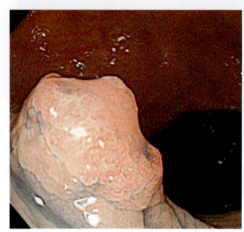

図 b

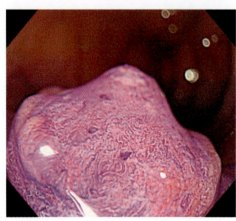

図 c

73歳の男性．大腸がん検診で便潜血陽性を指摘された．下部消化管内視鏡検査を示す（図 a, b, c）．最も考えられるのはどれか．

- a．Sessile serrated lesion（SSL）
- b．管状腺腫
- c．粘膜内癌
- d．粘膜下層高度浸潤癌
- e．進行癌

解説

大腸腫瘍性病変における内視鏡診断の基本的な問題である．大腸内視鏡検査に携わる内視鏡医は，大腸腫瘍の診断と治療適応の有無やその手段を選択する際に，通常観察所見のみならず，拡大内視鏡診断の知識と必要性を理解しておくことが望ましい．設問の内視鏡所見は，小型浸潤癌の代

表的な病変であるが，小さいゆえに過小評価され治療法が選択されてしまう可能性のある留意すべき病変である．しかし，設問の情報のみでは，大きさの目安がなく，実際の病変の大きさと病変の主座はわからないため，特徴的な内視鏡所見から診断をする必要がある．

> 選択肢解説

a．Sessile serrated lesion（SSL）は，色調は白色単一で平坦型であることが多く，SSLに癌を併存した病変でない場合においては，病変内の凹凸不整は目立たない．設問図a，bの通常観察のみの所見で鑑別は可能である．（×）

b．管状腺腫ならばⅢL型かⅣ型の整ったpit patternを呈し，非癌病変が確認できるが，本症例は不整な腺管の配列を呈するため除外できる．（×）

c．粘膜内癌は，設問図bの色素内視鏡観察所見で陥凹内隆起と立ち上がりの粘膜下腫瘍様隆起に着目できれば除外される．
　通常観察で管状腺腫と進行癌も考えにくいが，設問図cの，クリスタルバイオレット染色による拡大観察所見を加味しても除外することができる．（×）

d．粘膜下層高度浸潤癌に特徴的な通常観察所見である陥凹内隆起と立ち上がりの粘膜下腫瘍様隆起を有し，拡大観察所見では病変内部全体にⅤI型高度不整のpit patternを呈することから，総合的な診断で確診が得られる．病変は，下行結腸の大きさ7 mm，肉眼形はIs＋Ⅱc型の小型SM癌であった．本症例は同時多発癌で進行癌を合併していたこともあり，初回外科的手術による摘出を行った．病理組織診断では，Well differentiated adenocarcinoma，深達度T1b（SM 2,600 μm；粘膜筋板同定不可），Ly0，V0であった（図1）．
　大腸腫瘍の内視鏡診断で重要なのは，①通常観察での腫瘍および非腫瘍の鑑別と，癌および非癌の鑑別である．さらに，SM癌を示

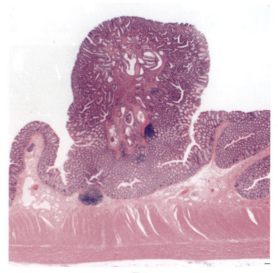

図1

唆する通常観察所見は拡大所見を加味した総合的な診断のためにも重要な所見である．②拡大内視鏡所見では，色素散布によるコントラスト法やnarrow band image（NBI）拡大観察でも，Ⅴ型以外の粘膜模様は判定でき，管状腺腫や鋸歯状病変，癌および非癌などの質的診断に有用である．③癌を疑う病変においては，クリスタルバイオレットによる染色法での精密検査を追加し，pit patternでⅤ型pitの判定を行うことにより，深達度診断となる量的診断が可能となる．早期大腸癌の診断には，上記①〜③を用いた総合的な診断が有用であり，必要に応じて超音波内視鏡（EUS）を行うこともある．

　本問では，SM癌を示唆する通常観察所見として代表的な陥凹内隆起と立ち上がりの粘膜下腫瘍様隆起を有する病変であった．その他の代表的所見には著明な陥凹，緊満感，襞集中，壁硬化像（弧の硬化像，台状挙上）がある．（○）

e．進行癌ならば，粘膜模様は荒廃し確認できないことで診断できる．（×）

以上より，正解はd．となる．（**解答 d.**）

〈千野晶子〉

問題 34 (2018 年度出題)

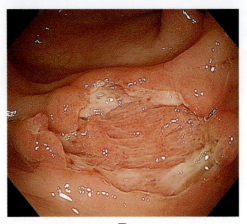

図

38歳の女性．3か月前から発熱，腹痛が出現し，口腔内アフタ，関節痛，結節性紅斑を伴うようになった．S状結腸の内視鏡像を示す（図）．終末回腸から全大腸に同様の病変が多発していた．最も考えられる疾患はどれか．

a．潰瘍性大腸炎
b．IgA 血管炎
c．腸管 Behçet 病
d．腸結核
e．ループス腸炎

解説

設問から全身性疾患を疑い，内視鏡所見から診断名を選択する問題である．まず病歴に着目すると，発熱，腹痛，口腔内アフタ，関節痛などの全身症状と皮膚症状として結節性紅斑の記載がある．これらの症状が共通して認められる代表的疾患は Crohn 病と Behçet 病であり，次いで潰瘍性大腸炎や膠原病や血管炎などの可能性も考えられる．内視鏡所見ではS状結腸に辺縁の明瞭な粘膜欠損が認められる．しかし，白苔は潰瘍底辺縁にわずかに認められるのみであり，筋層と思われる発赤調の構造物が観察される．周囲の粘膜はわずかに発赤・腫脹しているが，上皮性腫瘍を疑わせる表面構造は読み取れない．以上の所見から，いわゆる抜き打ち様潰瘍（punched-out ulcer）の所見と判断できる．腸型 Behçet 病における消化管病変の1つとして，回盲部に好発し潰瘍底が広く漏斗状ないし火山口様の深い潰瘍が知られている．また，提示写真のような抜き打ち様潰瘍が消化管の広範囲に多発することもある．ただし，提示写真のみから Crohn 病を完全に否定することは困難である．また，サイトメガロウイルス腸炎でも打ち抜き様潰瘍が認められることがある．一方，全身症状からエルシニア腸炎の可能性も否定できないが，通常症状が遷延することはなく，主な罹患部位は終末回腸である．なお，腸管 Behçet 病に類似した消化管病変をきたす疾患として，近年染色体異常のトリソミー8が注目されている．

選択肢解説

a．潰瘍性大腸炎では，通常直腸から連続性に血管透見像の消失した粗糙粘膜が認められ，自然出血や粘液付着がみられる．重症例では潰瘍を伴うが，抜き打ち潰瘍の頻度は低い．また，提示写真では潰瘍周囲に潰瘍性大腸炎を示唆する所見はない．（×）

b．IgA血管炎は小動脈の血管炎と皮膚の紫斑を特徴とするアレルギー性疾患であり，従来はSchönlein-Henoch紫斑病と呼ばれていた．消化管では十二指腸・小腸に浮腫と粘膜下出血がみられ，潰瘍を伴うこともある．大腸に病変が発生することもあるが，その所見は地図状の発赤にとどまることが多い（**図1**）．（×）

c．前述のように抜き打ち様潰瘍が認められ，病歴も本症例に合致している．（○）

d．腸結核の好発部位は回盲部であり，遠位大腸に病変が認められることは極めてまれである．また，内視鏡所見として輪状潰瘍，輪状配列する多発小潰瘍，あるいは帯状潰瘍が特徴的であり，改善と再発を繰り返すため介在粘膜に萎縮瘢痕帯と呼ばれるが血管透見像の乱れを伴う．（×）

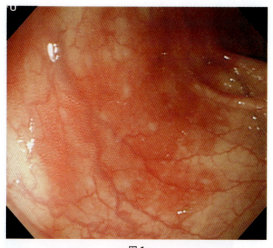

図1

e．ループス腸炎の病態は多彩である．最も頻度が高いのは急性浮腫性小腸炎であり，次いでリンパ管拡張症による蛋白漏出性胃腸症をきたすことがある．まれに血管炎による遠位大腸の多発潰瘍が発生することもあるが，その潰瘍は比較的大きく不整形であり，抜き打ち潰瘍を呈することはない．（×）

以上より，正解はc．となる．（**解答 c.**）

〈松本主之〉

問題 35 (2018年度出題)

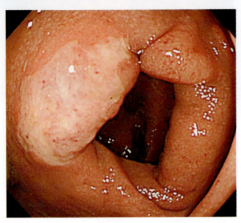
図 a

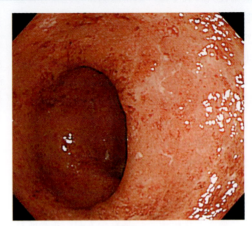
図 b

45歳の男性．30歳時に発症した潰瘍性大腸炎（直腸炎型）の寛解期で通院中であったが，1週間前から水様性の下痢と腹痛にて来院した．回盲部（図a）と上行結腸（図b）の内視鏡像を示す．正しいのはどれか．2つ選べ．

- a．人畜共通感染症である．
- b．全大腸におよぶ潰瘍形成が特徴である．
- c．組織培養検査で診断できる．
- d．経口メサラジン製剤の増量が必要である．
- e．副腎皮質ステロイドの適応である．

解説

　内視鏡像から疾患名を診断し，その疾患についての知識を問う問題である．背景疾患に潰瘍性大腸炎があることから，罹患部位と内視鏡像から潰瘍性大腸炎の再燃であるのか，感染性腸炎の合併なのか鑑別が必要となる．代表的な腸炎で，回盲部に潰瘍を形成する炎症性腸疾患，感染性腸炎，薬剤性腸炎における潰瘍形態の特徴が鑑別疾患を絞り込むことに役に立つ．潰瘍性大腸炎は罹患部位から連続する活動性の所見（顆粒状粘膜および浮腫状粘膜）を認めること，全大腸炎型では重症度により多発潰瘍が大腸全体に認めるが，個々の潰瘍の大きさに差はない．重症な感染性腸炎として，腸管出血性大腸炎（EHEC）では，右側結腸に激しい出血と浮腫を認め，潰瘍主体の所見とはいえない．サルモネラ腸炎は，不整形の小さい潰瘍が多発し，本疾患との鑑別は比較的困難であるが，浮腫が強い．カンピロバクター腸炎は，回盲弁の浅い潰瘍が特徴的であり，感染症のため単発ではなく，結腸にも粘膜の発赤びらんや浮腫を伴い，多発する大小の発赤斑を有する．サイトメガロウイルス腸炎では円形の打ち抜き潰瘍を特徴とするが，潰瘍底に白苔は有さず，周囲の浮腫は目立たない．アメーバ性大腸炎では，浮腫を伴うたこいぼびらんが膿汁分泌を伴い，潰瘍周囲の境界も不整形で汚い．感染性腸炎の原因菌の流行にも留意する必要がある．1990年代後半まではサルモネラと腸炎ビブリオが多かったが，2000年頃から減少し，ノロウイルスとカンピロバクターが増加してきている．厚生労働省公表による2017年度の原因微生物別の食中毒患者数によると，最

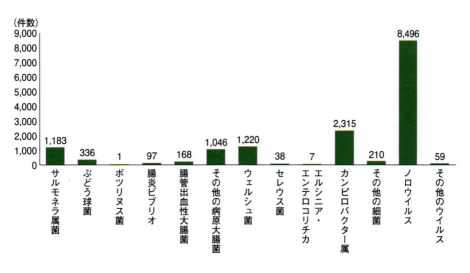

図1 原因別食中毒発生件数(2017年度)
〔厚生労働省食中毒統計調査．https://www.mhlw.go.jp/toukei/list/112-1.html より〕

も報告数の多い原因微生物はノロウイルスで8,496例，細菌性ではカンピロバクター属が2,315例と最多であり，次いでウェルシュ菌，サルモネラ属菌がそれぞれ1,220例，1,183例と続く（**図1**）．

選択肢解説

a．食中毒の原因としては，*Campylobacter jejuni*（*C. jejuni*）が90％以上と言われている．鶏や牛，豚などの家畜や野鳥などの野生動物の腸管に常在しており，それらを生食，加熱不十分の状態で摂取することにより感染すると考えられている．また，犬や猫といった愛玩動物からも感染することがあるとされ人畜共通感染症である．患者数は夏季に多いが，12月にも患者数が多く通年で注意が必要である．（○）

b．カンピロバクターの臨床症状は下痢や腹痛，発熱のほかに血便を呈することであるが，潰瘍性大腸炎の再燃時の症状と同様であり誤診しやすい．十分な食事歴を聴取することなく，内視鏡検査を施行した結果，内視鏡所見で鑑別を強いられることもあるだろう．本疾患は，潰瘍性大腸炎の直腸炎型が持病であり，連続性の再燃か，上行結腸にみられる激しい大小の発赤斑と，特徴的な回盲部の潰瘍で気がつくことができれば，問診の再聴取にて診断に近づくことができる．（×）

c．カンピロバクターは鞭毛を有するグラム陰性螺旋菌で，空気中では長期間生存できない微好気性の性質をもつ．現在，医療施設で実施されている検査法としては，細菌培養法と顕微鏡検査法があり，糞便培養よりも直接採取した組織による培養が最も感度が高い．しかし，内視鏡検査が困難な場合や，適切な細菌培養設備を有していない状況においては，糞便中のカンピロバクター抗原迅速診断キットが注目されているが，その感度は組織培養に劣るとの報告もある．（○）

d．*C. jejuni* による腸炎は自然治癒傾向があるため，ほとんどの場合対症療法が主体となるが，重症例や易感染性要因をもつ患者には抗菌薬を使用する．カンピロバクターはキノロン耐性株が多いため，抗菌薬加療を要する重症度でかつ起因菌をカンピロバクターと推定する場合にはマクロライド系抗菌薬を投与することが望ましい．（×）

e．使用してはいけない．（×）

以上より，正解はa．c．となる．（**解答 a．c．**）

〈千野晶子〉

問題 36　　　　　　　　　　　　　　　　　　　　　（2018年度出題）

潰瘍性大腸炎関連大腸腫瘍について正しいのはどれか．2つ選べ．

a．病変の境界は明瞭である．
b．色素散布が拾い上げ診断に有用である．
c．狙撃生検が有用である．
d．多発癌の頻度は低い．
e．低分化型腺癌が最も多い．

解説

潰瘍性大腸炎（UC）関連大腸腫瘍に関する臨床病理学的知識を問う問題である．UCは8〜10年以上経過した症例において大腸癌（colitic cancer）を合併する頻度が高いことが知られている．colitic cancerの前癌病変として，あるいは癌周囲にdysplasiaと呼ばれる異型上皮が存在し，臨床上dysplasiaを早期診断することが重要である．

選択肢解説

a．UC関連大腸腫瘍は平坦病変が多く，病変部と背景粘膜の境界が不明瞭なものが多い．また，背景粘膜に慢性炎症を伴うため拾い上げ診断は困難なことが多い．（×）

b．UC関連大腸腫瘍は，寛解期に内視鏡検査を行うことが重要である．白色光観察では，発赤や褪色した色調変化に着目しながら観察するが，病変の存在を疑った場合には，積極的にインジゴカルミンの色素散布を行う．これにより，病変の顆粒状あるいは絨毛状の表面構造が認識しやすくなり，dysplasia/colitic cancerの拾い上げ診断に有用である．（〇）

c．欧米ではdysplasiaの発見目的としたサーベイランス内視鏡検査時に，全大腸より10 cm間隔で複数個の生検を無作為に行うランダム生検が行われているが，非効率的である．最近，dysplasiaを効率的に発見するために色素観察も含めた狙撃生検の有用性が本邦から報告されている．（〇）

d．UC関連大腸腫瘍は直腸およびS状結腸に最も多く発生するが，炎症を背景に発生するために多発することが多い．（×）

e．通常の癌はほとんどが腺癌であるのに対し，colitic cancerでは低分化型腺癌の割合が高いとされているが，本邦の報告では高分化型腺癌が約半数を占め最も多い．（×）

以上より，正解はb．c．となる．（解答 b．c．）

〈岡　志郎〉

問題 37 (2018年度出題)

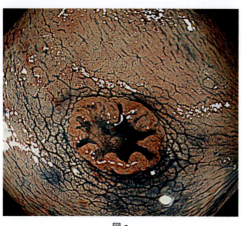
図 a

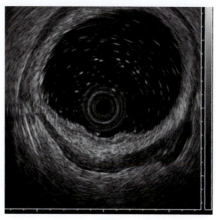
図 b

60歳の男性．健康診断にて便潜血陽性を指摘され精査目的で受診した．大腸内視鏡検査(図 a)，超音波内視鏡検査(図 b)を示す．正しいのはどれか．

a．肉眼型は 0-Ⅱa である．
b．陥凹部の生検は必須である．
c．EUS で第3層の断裂を認める．
d．非腫瘍性病変であり経過観察でよい．
e．内視鏡的摘除の適応である．

解説

早期大腸癌の色素内視鏡および超音波内視鏡(EUS)所見から治療方針を問う問題である．『大腸癌取扱い規約 第9版』によると「0型(表在癌)は病変が小さいことが多いので，肉眼型は内視鏡所見で判断する．その際，組織発生や腫瘍，非腫瘍の違いを考慮せずに，病変の形を全体像として捉える．肉眼型はたとえ病理組織学的検索の結果，進行癌であっても変更しない」と記載されている．その際，十分に送気し腸管壁を伸展した状態でインジゴカルミンを散布しさまざまな角度から観察したうえで判定するとしている．なお，Ⅱc と表現される陥凹は，領域性や局面といったある程度の面積を有する境界のある陥凹面を指す．

選択肢解説

a．本症例は，扁平隆起の中心に棘状の陥凹面を有する病変であり，0-Ⅱa+Ⅱc である．(×)
b．拡大観察による optical biopsy により病変の質的診断が可能であること，表面型病変では生検後の線維化により治療時に影響(non-lifting sign 陽性)を及ぼす可能性が高いことから，本症例では生検は不要である．(×)
c．EUS では第1層から第3層まで層構造が保たれており，粘膜内病変であることが診断可能である．(×)
d．不整な陥凹面の性状から上皮性腫瘍(癌)の診断は容易である．(×)
e．色素観察からは粘膜下層浸潤癌の可能性も考えられるが，EUS 所見で粘膜下層高度浸潤は否定できるため，内視鏡的摘除が治療法の

第 1 選択である．（○）
以上より，正解は e. となる．（**解答 e.**）

〈岡　志郎〉

問題 38 （2018年度出題）

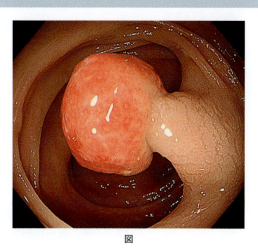

図

12歳の女児．排便後のトイレに血液が付着していたことに母親が気づき，本人を連れて来院した．S状結腸内視鏡検査で図に示す病変がみられた．この病変の組織像として正しいのはどれか．

- a．腺管の囊胞状拡張
- b．異型リンパ球浸潤
- c．上皮細胞の核腫大
- d．腺管分枝像の増加
- e．粘膜筋板の樹枝状増生

解説

　内視鏡所見から診断を想起し，その診断に合致する病理組織所見を選択する問題である．患者は血便を主訴とする若年女児であり，大腸に隆起性病変が認められる．これらの臨床像から予測される代表的疾患は，単発性の過誤腫性ポリープと家族性大腸腺腫症，若年性ポリポーシス，Peutz-Jeghers（P-J）症候群などの消化管ポリポーシスであり，遠位大腸に発生するその他の非腫瘍性病変の可能性も念頭に置くべきである．ただし，提示された内視鏡像をみるかぎり単発病変で，小病変も併存しないようである．次に内視鏡所見に注目すると，病変はやや発赤した頭部を有する亜有茎性隆起であり，表面に拡大した円形の腺口開口部が一定の間隔をおいて観察される．しかし，密な腺管・絨毛状構造や鋸歯状の表面構造ははっきりしない．すなわち，隆起表面に腺窩上皮と非上皮性組織が混在する病変と考えられる．ただし，亜有茎性であること，周囲粘膜が正常であることから直腸粘膜脱症候群やcap polyposisは否定的である．

　以上より，過誤腫性ポリープを第1に考えるべきであり，鑑別疾患として，若年性ポリープ，P-J型ポリープ，炎症性筋腺管ポリープなどが挙げられる．これらのうち，P-J型ポリープと炎症性筋腺管ポリープは発赤がきわめて強いのが特徴で，さらに前者では表面に絨毛状・脳回状の表面構造が認められ，後者は高齢者に好発し表面がイチゴ状を呈することが多い．そこで，改めて病歴を振り返ると本症例が若年者であることから，内視鏡診断としては若年性ポリープが最も考えられる．

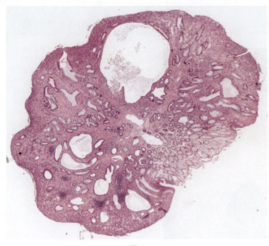

図1

選択肢解説

a. 若年性ポリープの主な組織像は炎症性肉芽組織に類似した間質組織であり，豊富な毛細血管と線維芽細胞とともに炎症細胞浸潤がみられる．その間質中に囊胞状に拡張した腺管が分布する（**図1**）．腺上皮は既存の固有腺上皮の形態を保持している．（○）

b. 異型リンパ球はリンパ増殖性疾患で認められる．遠位大腸に発生するものとしてはMALTリンパ腫やびまん性大細胞型B細胞リンパ腫が発生する．しかし，いずれも正常粘膜に覆われた無茎性隆起や潰瘍性腫瘤を呈する．マントル細胞リンパ腫は多発隆起を呈することがあるが，若年者にみられることはない．（×）

c. 若年性ポリープにみられる腺上皮は非腫瘍性であり，腺腫・癌のように核が腫大することはない．（×）

d. 腺管分枝像が増加する大腸病変は，腺腫・癌，鋸歯状病変などの腫瘍性病変が多く，若年性ポリープでみられることはない．一方，P-J型ポリープは粘膜筋板の樹枝状増生と上皮の過形成を特徴とし，腺管分枝が認められる．（×）

e. 前述のように，粘膜筋板の樹枝状増生はP-J型ポリープに特徴的な組織所見である．（×）

以上より，正解はa．となる．（**解答 a．**）

〈松本主之〉

問題 39 (2018年度出題)

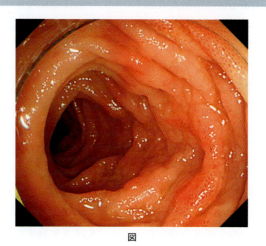

図

48歳の男性．下痢，腹痛，発熱を認め救急外来を受診した．腹部CTで多数の腸間膜リンパ節の腫大がみられた．終末回腸の内視鏡像を示す（図）．原因菌として最も考えられるのはどれか．

a．カンピロバクター
b．エルシニア
c．腸炎ビブリオ
d．サルモネラ
e．腸管出血性大腸菌

解説

問題文に書かれた，症候，経過の特徴と内視鏡像から感染性腸炎の鑑別診断を問う問題．提示画像のみならず，問題文中に述べられたほかの画像診断所見も重要である．

エルシニア腸炎は，*Yersinia enterocolitica* ないし *Yersinia pseudotuberculosis* による腸管感染症で，同菌は4℃でも増殖しうる好冷菌である．このため，低温（28℃）での培養が菌の検出に有用である．ペア血清を用いた抗体測定が診断に役立つこともある．その臨床像は年齢により差がみられ，乳幼児では下痢症，幼小児期以降は終末回腸炎，虫垂炎，腸間膜リンパ節炎などが主体である．提示した内視鏡像は終末回腸のもので，一見特徴が乏しいが，Kerckring襞上の発赤，びらん，浮腫，リンパ濾胞の腫大などがみられる．こ

れらは本症例の内視鏡所見として矛盾しないものである．その他，同部のびらんを伴う半球状隆起，所謂たこいぼ様びらんが認められることも少なくない．リンパ組織への親和性が高い結果と考えられる．この部の腸管壁の肥厚や周囲のリンパ節腫大は超音波やCTで高率に描出され，1cmを超えるものも珍しくない．

選択肢解説

選択肢はいずれも感染性腸炎（食中毒）の代表的な原因菌である．

a．カンピロバクター腸炎は2～11日と比較的潜伏期の長い感染症で，少量の菌で感染が成立するため，包丁，まな板などの調理器具から感染することもある．短期間の高熱を伴い，下痢，血便，腹痛を呈し，内視鏡像は浮腫や種々の程度のびらん，潰瘍で，S状結腸に最

も高頻度に認められるが，ほかの部位にも認められる．回盲弁上に潰瘍を伴うことが比較的特徴で，この部の潰瘍は治癒までに1か月程度を要する．晩期合併症として，約20％に Guillain-Barré 症候群を生じる．腸管周囲のリンパ節腫大は顕著ではなく，該当しない．（×）

b．前述のように，本症例はエルシニア腸炎に矛盾しない症状，内視鏡所見と特徴的なリンパ節腫大を伴っている．（○）

c．腸炎ビブリオは海産魚類から感染し，6～24時間と比較的短い潜伏期をもって，下痢，時に血便を呈する．微熱や悪心，嘔吐もみられる．同菌が腸管内で産生する耐熱性溶血毒は腸管上皮細胞に対し強い細胞毒性を示す．病変の主座は小腸で，内視鏡像は回腸終末部の浮腫，びらん，回盲弁の腫大などで，病変発生部位はエルシニア腸炎と重なるが，顕著なリンパ節腫大はみられない．（×）

d．サルモネラ感染症は，*Salmonella enterica*, *Salmonella bongori* による潜伏期6～48時間と短いのが特徴の急性腸炎で，発熱，腹痛，水様性下痢を呈することが多い．汚染食品や感染経路も種々みられる．鶏卵を感染源としたものでは鶏の生殖管ないし卵巣に保有された菌より経殻，経卵膜ないしは直接卵黄に汚染が起こり，その摂取により感染する．

内視鏡所見は多彩であり，発赤，出血，びらん，縦走潰瘍までさまざまだが，これらの一部は虚血などの二次変化で生じた可能性もある．好発部位はS状結腸以深の結腸と回腸終末部で後者が最多である．リンパ節の腫脹は3割程度に認められる．（×）

e．腸管出血性大腸菌による腸炎は vero toxin 産生能を有する血清型 O157，O26，O111 などの菌株によるもので，潜伏期は2～8日と比較的長い．発熱後，悪心，嘔吐，腹痛，下痢を呈し，約半数で鮮血便を呈する．HUSは血便出現の1週前後に1割以下の患者に生じるが，乳幼児，高齢者ではその発症率が高く注意を要する．内視鏡像では病変部位は全大腸にわたるが，その主座は深部（右側）大腸で，高度の浮腫，発赤，びらん，粘膜出血が全周性にみられるが，一方で健常粘膜の介在もみられる．CTやUSでは高度の浮腫性壁肥厚が全周性にみられる．リンパ節腫大は約半数で認められる．

カンピロバクター腸炎，腸管出血性大腸菌感染症は臨床像や内視鏡像が異なり本症例の特徴は典型的とは言えない．腸炎ビブリオやサルモネラ感染症は好発部位や内視鏡所見は一部重複，類似するが，いずれも潜伏期の短い急性腸炎で，リンパ節腫大はエルシニア腸炎ほど顕著ではない．（×）

以上より，正解は b. となる．（**解答 b.**）

〈白井孝之〉

問題 40　(2019 年度出題)

Lynch 症候群について**誤っている**のはどれか．

- a．遺伝子検査の適応決定の基準としてベセスダ基準がある．
- b．大腸癌が高頻度に発生する．
- c．マイクロサテライト不安定性が陽性である．
- d．子宮内膜癌を発症することが多い．
- e．*BRAF* 遺伝子変異が病態発生の原因である．

解説

総論：ミスマッチ修復遺伝子の生殖細胞系列変異を原因とする常染色体優性遺伝性疾患であり，大腸癌を主として，子宮内膜癌や他の悪性腫瘍などが発生する疾患群である．全大腸癌の 1～5％を占めるとされており，患者だけでなくおよびその家系内に腫瘍が発生するため注意が必要である．その呼称について Lynch 症候群の Lynch は，疾患概念を確立した Dr. Henry Lynch の名にちなんだ名称となっている．また以前は HNPCC（hereditary non-polyposis colorectal cancer：遺伝性非ポリポーシス大腸癌）と呼ばれていたが，昨今は Lynch 症候群と呼称することが本邦ガイドラインで推奨されている．

病因：すでに原因遺伝子として 4 種類のミスマッチ修復遺伝子—*MLH1* 遺伝子，*MSH2* 遺伝子，*MSH6* 遺伝子，*PMS2* 遺伝子が同定されている．それに応じてマイクロサテライト不安定性を生じてその診断に用いられている．

臨床像：一般の大腸癌に比べ若年発症，多発性（同時性，異時性），右側結腸に好発し，低分化腺癌の頻度が高い，粘液癌・印環細胞様分化，腫瘍内リンパ球浸潤がみられるなどの組織学的特徴がある．大腸癌以外には，子宮内膜癌をはじめ，卵巣癌，胃癌，小腸癌，胆道癌，膵癌，腎盂・尿管癌，脳腫瘍，皮膚腫瘍など多彩な悪性腫瘍が発生するため注意が必要である（**表 1**）[1]．

診断法：まず，第 1 次スクリーニングとしてアムステルダム基準II（**表 2**）[1,2]あるいは改訂ベセスダ基準（ベセスダガイドラインと言われることもあり，**表 3**）[1,3]を満たすかを確認する（**図 1**）[2]．次に第 2 次スクリーニングとして MSI 検査または免疫組織学的検査を行う．第 2 次スクリーニングで異常が認められた際には，ミスマッチ修復遺伝子（mismatch repair gene：MMR）の生殖細胞系列での遺伝子検査を実施し，変異が検出されると，Lynch 症候群と確定診断される．

表 1　Lynch 症候群における関連腫瘍の累積発生率(70 歳まで)

種類	累積発生率
大腸癌	54～74％（男性） 30～52％（女性）
子宮内膜癌	28～60％
胃癌	5.8～13％
卵巣癌	6.1～13.5％
小腸癌	2.5～4.3％
胆道癌	1.4～2.0％
膵癌	0.4～3.7％
腎盂・尿管癌	3.2～8.4％
脳腫瘍	2.1～3.7％
皮脂腺腫瘍	不明

〔Stoffel E, Mukherjee B, Raymond VM, et al : Calculation of risk of colorectal and endometrial cancer among patients with Lynch syndrome. Gastroenterology 137 : 1621-1627, 2009 より〕

選択肢解説

a．Lynch 症候群を疑った際に行われる第 1 次スクリーニングとして改訂ベセスダ基準もしくはアムステルダム基準IIが用いられ，強く疑われた際はマイクロサテライト不安定性検査（microsatellite instability 検査：MSI）や MMR 遺伝子の免疫組織化学的検査などの遺伝子検査が推奨される．（○）

表2 アムステルダム基準Ⅱ（1999）

少なくとも3人の血縁者がHNPCC（Lynch症候群）関連腫瘍（大腸癌，子宮内膜癌，腎盂・尿管癌，小腸癌）に罹患しており，以下のすべてを満たしている．
1. 1人の罹患者はその他の2人に対して第1度近親者である．
2. 少なくとも連続する2世代で罹患している．
3. 少なくとも1人の癌は50歳未満で診断されている．
4. 腫瘍は病理学的に癌であることが確認されている．
5. FAPが除外されている．

〔大腸癌研究会（編）：遺伝性大腸癌診療ガイドライン2020年版．金原出版，62-64，2020／Vasen HF, et al：New clinical criteria for hereditary nonpolyposis colorectal cancer（HNPCC, Lynch syndrome）proposed by the International Collaborative group on HNPCC. Gastroenterology 116：1453-1456, 1999 より〕

表3 改訂ベセスダガイドライン（2004）

以下の項目のいずれかを満たす大腸癌患者には，腫瘍のMSI検査が推奨される．
1. 50歳未満で診断された大腸癌．
2. 年齢に関わりなく，同時性あるいは異時性大腸癌あるいはその他のLynch症候群関連腫瘍*がある．
3. 60歳未満で診断されたMSI-Hの組織学的所見**を有する大腸癌．
4. 第1度近親者が1人以上Lynch症候群関連腫瘍に罹患しており，そのうち1つは50歳未満で診断された大腸癌．
5. 年齢に関わりなく，第1度あるいは第2度近親者の2人以上がLynch症候群関連腫瘍と診断されている患者の大腸癌．

*：大腸癌，子宮内膜癌，胃癌，卵巣癌，膵癌，胆道癌，小腸癌，腎盂・尿管癌，脳腫瘍（通常はターコット症候群にみられるglioblastoma），ムア・トレ症候群の皮脂腺腫や角化棘細胞腫
**：腫瘍内リンパ球浸潤，クローン様リンパ球反応，粘液癌・印環細胞癌様分化，髄様増殖

〔大腸癌研究会（編）：遺伝性大腸癌診療ガイドライン2020年版．金原出版，62-64，2020／Umar A, et al：Revised Bethesda Guidelines for hereditary nonpolyposis colorectal cancer（Lynch syndrome）and microsatellite instability. J Natl Cancer Inst 96：261-268, 2004 より〕

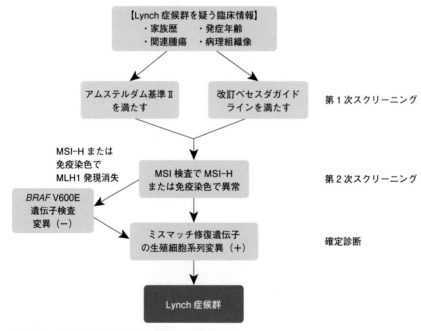

図1 Lynch症候群の診断手順
マイクロサテライト不安定性（microsatellite instability：MSI），高頻度MSI（high-frequency MSI：MSI-H）．

〔Vasen HF, et al：New clinical criteria for hereditary nonpolyposis colorectal cancer（HNPCC, Lynch syndrome）proposed by the International Collaborative group on HNPCC. Gastroenterology 116：1453-1456, 1999 より〕

b. 男性では54〜74％，女性では30〜52％に生涯大腸癌が発生すると報告されており男女合わせると60〜70％と高率に認められることが知られている．（○）
c. Lynch症候群では，ミスマッチ修復遺伝子に異常がありゲノム内に加わった変異が修復されず特にゲノムの中に存在する1〜数塩基の繰り返し配列であるマイクロサテライト領域に変異が蓄積する．そのため腫瘍組織のマイクロサテライトのリピート数にばらつきがみられるマイクロサテライト不安定性が，原則全例で認められることとなる．（○）
d. 子宮内膜癌は生涯で28〜60％と高率に発生することが知られている．（○）
e. *BRAF*遺伝子の異常は非遺伝性の散発性の大腸癌に認められることがあり原則的にLynch症候群ではその変異は認められない．（×）

以上より，正解はe．となる．（**解答 e.**）

文 献

1) 大腸癌研究会（編）：遺伝性大腸癌診療ガイドライン2020年版．金原出版，62-64，2016
2) Vasen HF, et al：New clinical criteria for hereditary nonpolyposis colorectal cancer（HNPCC, Lynch syndrome）proposed by the International Collaborative group on HNPCC. Gastroenterology 116：1453-1456, 1999
3) Umar A, et al：Revised Bethesda Guidelines for hereditary nonpolyposis colorectal cancer（Lynch syndrome）and microsatellite instability. J Natl Cancer Inst 96：261-268, 2004

〈吉田直久〉

問題 41 (2019年度出題)

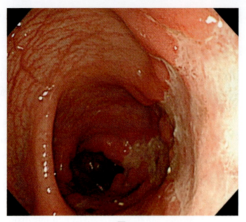

図

19歳の男性．6か月前より腹痛と時折37℃台の微熱が出現した．2か月前より泥状便4～5回/日と排便前後の腹痛が出現し来院した．血液検査所見はHb 9.0 g/dL，総蛋白 5.5 g/dL，アルブミン 2.2 g/dL，CRP 8.4 mg/dLであった．下行結腸の内視鏡像を示す（図）．この疾患の治療薬で保険適用ではないのはどれか．

a．5-アミノサリチル酸製剤
b．ブデソニド
c．タクロリムス
d．アザチオプリン
e．抗TNF-α抗体製剤

解説

病歴と大腸内視鏡所見から疾患の診断を行い，その治療薬について，現在本邦では保険適用されているのか，いないのかを問う問題である．

まず病歴から読み取れることについてであるが，19歳と若い男性であること，腹痛や微熱などの症状が6か月前から出現，持続しているとのことより急性疾患ではなく慢性疾患を考える病歴である．2か月前より泥状便と腹痛も出現してきたとのことで下部消化管疾患の症状が疑われる．血液検査ではHb 9.0 g/dLと貧血を認め，総蛋白 5.5 g/dL，アルブミン 2.2 g/dLと低栄養状態が認められ，CRP 8.4 mg/dLと炎症反応の上昇が認められている．

次に大腸内視鏡所見であるが，下行結腸に白苔を有する縦走潰瘍が認められている．縦走潰瘍の対側の粘膜の血管透見性は認められており，ほぼ正常の粘膜に認められる．大腸に縦走潰瘍をきたす疾患としてCrohn病や潰瘍性大腸炎，虚血性大腸炎などが代表的疾患として挙げられる．潰瘍性大腸炎では粘膜の連続性，びまん性の炎症所見が特徴であり，縦走潰瘍を伴っている場合でも，その周囲の粘膜には炎症所見が認められる．また虚血性大腸炎は急性疾患であり，今回の病歴とは合わない．

病歴と内視鏡所見よりCrohn病が考えられる．なお，本邦では潰瘍性大腸炎患者の男女比はほぼ1：1であるのに対し，Crohn病は男女比が2：1と男性に多いのが特徴である．

この問題は Crohn 病に対して保険適用ではない薬剤を選択することになる．

> **選択肢解説**

a．5-アミノサリチル酸製剤のメサラジンには時間依存性と pH 依存性があるが，Crohn 病に保険適用されているのは時間依存性のみである．一方，潰瘍性大腸炎には時間依存性，pH 依存性の双方が保険適用になっている．（×）

b．ブデソニドはアンテドラッグ型のステロイド剤で，腸管局所にて抗炎症作用を示し，吸収後速やかに不活化され全身性の副作用が軽減される．軽症から中等症の Crohn 病で，病変の主座が回腸から上行結腸の場合に投与される．潰瘍性大腸炎では局所製剤のブデソニドフォーム剤が保険適用されているが内服薬は保険適用されていない．（×）

c．タクロリムスはカルシニューリン阻害薬の内服薬である．潰瘍性大腸炎に保険適用されており，難治例（ステロイド抵抗例）に対して投与される．Crohn 病については保険適用されていない．（○）

d．アザチオプリンは免疫調節薬のチオプリン製剤で，Crohn 病，潰瘍性大腸炎双方に保険適用されている．Crohn 病ではステロイド依存例の寛解導入および寛解維持に，潰瘍性大腸炎ではステロイド依存例の寛解維持に用いられる．なお，6-メルカプトプリンは両疾患とも保険適用はされていないので注意が必要である．（×）

e．抗 TNF-α 抗体製剤は Crohn 病ではインフリキシマブとアダリムマブの 2 剤が保険適用になっている．二次無効（治療効果が減弱してくる）の際には通常インフリキシマブは 5 mg/kg で 8 週間投与のところ，倍量の 10 mg/kg への増量や 5 mg/kg で最短 4 週ごとの短縮投与が可能である．アダリムマブは通常 40 mg を 2 週ごとの投与であるが，二次無効時は倍量の 80 mg を 2 週ごとに増量して投与が可能である．潰瘍性大腸炎ではインフリキシマブとアダリムマブのほかにゴリムマブの 3 剤が保険適用となっているが，いずれも増量や短縮投与は認められていない．（×）

以上より，正解は c. となる．（**解答 c.**）

〈横山　薫〉

問題 42 (2019年度出題)

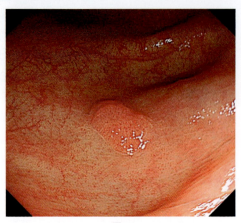
図 a

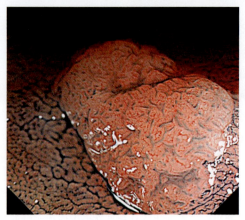
図 b

75歳の男性．S状結腸の通常内視鏡像と色素内視鏡像を示す（図 a, b）．最も考えられるのはどれか．

a．過形成性ポリープ
b．鋸歯状腺腫
c．管状腺腫
d．粘膜下層高度浸潤癌
e．進行癌

解説

S状結腸の通常内視鏡像と色素内視鏡像から腫瘍・非腫瘍の鑑別および腺腫と診断した場合の組織型を問うための問題である．内視鏡像は大きさ6 mm程度の扁平な隆起性病変である．病変表面の色調はやや発赤調を呈し，表面性状は顆粒状を呈している．色素内視鏡像（弱拡大像）では溝状の浅い陥凹を認め，ⅢL pit patternを呈していることがわかる．これらの所見を適切に読影できるかが診断のポイントである．大腸内視鏡における腫瘍・非腫瘍の診断は内視鏡診断学の第1段階である．近年，IEE観察および拡大観察の有用性が論じられているが，非拡大観察（通常観察および色素観察）による腫瘍・非腫瘍の鑑別は大腸内視鏡診断学の基礎となる．

選択肢解説

a．過形成性ポリープは大腸内視鏡において日常的によく遭遇する病変であり，S状結腸から直腸に好発し，大きさは10 mm未満で特に5 mm未満の病変が多い．色調は褪色から同色調が多く，まれに発赤を呈する病変もある．表面性状は通常観察では平滑で，肉眼型は表面隆起または無茎性隆起を呈することが多い．インジゴカルミン散布にて近接で観察するとⅡ型pit patternを確認することができる（**図1**）．（×）

b．病理組織学的に通常型の腺腫と類似した腫瘍性異型を呈する鋸歯状腺腫（serrated adenoma：SA）は sessile serrated lesion（SSL）と区別して，traditional type の SA（TSA）と呼ばれている．左側大腸に好発し，5〜10 mm大の発赤調の隆起性病変である．

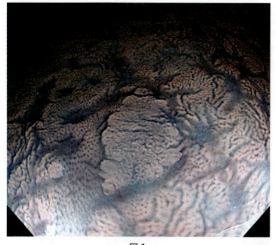

図1

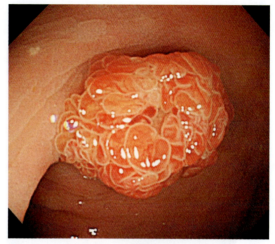

図2

腫瘍表面が松毬状を呈し，その特徴的な所見から通常内視鏡診断は容易である（**図2**）．（×）

c．内視鏡的に摘除される腫瘍性ポリープの大部分は腺腫である．腺腫の約80％以上は管状腺腫である．管状腺腫の色調は正色調から発赤調を呈し，表面性状は顆粒・小結節状であるが，大きくなると分葉状や桑実状になることもある．肉眼形態は小型の病変では無茎性隆起を呈する場合が多いが，大型になると有茎性や亜有茎性隆起を呈する．インジゴカルミン散布により，小さな病変ではやや浅い溝状の陥凹を認め，大きな病変であれば，分葉構造がより明瞭に観察されることも診断のポイントになる．また近接することで隆起主体の病変であればⅢL pit patternを呈することが多く，陥凹性病変ではⅢL/Ⅲs pit patternを呈することが多い．（○）

d．腺腫と早期癌を区別することは内視鏡診断においても困難な場合も多い．その理由としては大腸癌の多くはadenoma-carcinoma sequenceによる発癌過程を呈することが理由となる．その中でも癌を疑う通常内視鏡所見としては腫瘍径の増大とともに，色調変化，陥凹，二段隆起，易出血など，さらに粘膜下層高度浸潤癌においては表面不整，緊満感，襞集中などの所見があるが，設問の病変では指摘できない．（×）

e．進行癌で最も多い肉眼型は潰瘍限局型（2型）であるが，通常内視鏡所見は腫瘍の中央が深い陥凹を呈し，明瞭な周堤を呈するものである．設問の病変では指摘できない．（×）

以上より，正解はc．となる．（**解答 c.**）

〈福澤誠克〉

問題 43 (2019年度出題)

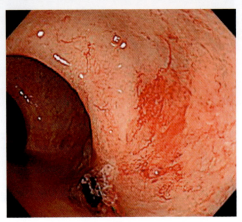
図 a

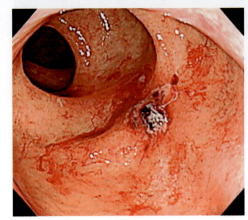
図 b

60歳の女性．1年前に子宮頸癌に対する放射線治療が行われた．血便のため，大腸内視鏡検査を行った（図 a, b）．適切な治療法はどれか．

a．アルゴンプラズマ凝固法（APC）
b．レーザー照射
c．エタノール局注
d．高張ナトリウム-エピネフリン（HSE）局注法
e．内視鏡的クリップ法

解説

内視鏡像から疾患名を診断し，その疾患についての対処法を問う問題である．

放射線照射の治療歴から，放射線性腸炎による血便と判断できる．放射線性腸炎は，放射線照射範囲に隣接する腸管に生じる有害事象で，照射中から照射後数週間以内に出現する．早期障害は可逆性であるのに対し，照射後数か月以降に発症する晩期障害は非可逆性である．晩期障害の内視鏡所見は，下部直腸にみられる拡張した毛細血管の増生であり，異所性（表層）のため易出血である．拡張血管に併存してびらんや潰瘍を形成する場合，洗浄しても落ちない白苔によって確認される．さらに重症化すると狭窄または，深い潰瘍が進行し穿孔や隣接臓器への瘻孔（腸管腟瘻，腸管膀胱瘻など）まで発展することもある．これらの病態は，晩期障害の慢性炎症による粘膜の脆弱によるものであるため，対処法は病態に応じて慎重に選択すべきである．子宮頸癌に対する骨盤外照射後の好発部位は下部直腸であるが，腔内照射が併用されている場合にはS状結腸にも病変を認めることがある．

本症例は，晩期障害の直腸病変であり，有症状（顕血便，貧血など）であれば，止血治療の適応と考える．内視鏡的止血術の適応は，活動性出血の程度と範囲，施行部位により，目的に応じた止血術を選択する．

選択肢解説

a．APC凝固法の原理は，イオン化されたアルゴンガス（アルゴンプラズマ）の放出と同時に，高周波電流を放電することによりアルゴンプラズマビームを発生させ，組織凝固と止

血を図る．粘膜浅層の広範囲な焼灼に適した非接触型のAPC専用の装置が必要である．脆弱な放射線性腸炎の出血の治療に対し，安全で有用性が高い．（○）
b．非接触型の凝固が可能で，APC凝固装置が開発される前には，腫瘍焼灼や出血の治療に使用されていた．しかし，大がかりな装置であることや術者の眼球保護も要するなどの簡便性に欠け，設置されている施設の減少により現在では行われなくなっている．（×）
c．純エタノールの脱水・固定作用により血管を収縮し，血管内皮細胞を障害して血栓を形成し止血を図る．噴出性出血に対し，血管周囲から圧迫を加えつつ出血の勢いを抑えていく方法で，局注総量が3 mLを超えると穿孔の危険性がある．脆弱な放射線性腸炎には適さない．（×）
d．エピネフリンの血管収縮作用と高張食塩水による物理化学的な組織の膨化，血管壁のフィブリノイド変性，血栓形成により止血する．激しい出血で視野確保が困難なときに，勢いを抑えてほかの止血法を併用したり，一時止血のために選択する手法である．（×）
e．出血点が限局されている粘膜深部からの拍動性出血の場合には，可及的に循環動態を保つためにクリップ法が必要な場合がある．本症例は，表層血管からの広範囲の湧出性出血であり，内視鏡的クリップ法は適さない．（×）

以上より，正解はa．となる．（**解答 a.**）

〈千野晶子〉

問題 44 (2019年度出題)

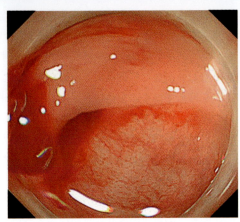
図 a

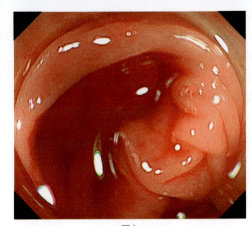
図 b

84歳の女性．血便を主訴に来院され緊急大腸内視鏡検査を行った．S状結腸の同一部位の内視鏡像を示す(図 a, b)．適切な内視鏡治療法はどれか．**2つ選べ**．

- a．内視鏡的クリップ法
- b．アルゴンプラズマ凝固法(APC)
- c．エタノール局注
- d．内視鏡的硬化療法(EIS)
- e．内視鏡的結紮術(EBL)

解説

　内視鏡像から出血源となっている大腸疾患名を問い，その内視鏡的止血方法を問う問題である．大腸憩室は，大腸壁の一部が囊状に外方に突出した状態で，そのほとんどは固有筋層を含まない仮性憩室であり，多発することが多い．欧米では大半が左側結腸に発生するが，本邦では右側結腸に高率であり，加齢に伴い左側結腸憩室の割合が増加する．大腸憩室出血は憩室内の直動静脈が機械的に破裂して起こる．大腸憩室出血は，男性，高齢者で有意に多いとされるが，低用量アスピリンや非ステロイド性消炎鎮痛薬(NSAIDs)の服用も危険因子として挙げられており，超高齢社会にありアスピリンやNSAIDs服薬者の増加する本邦ではその発生頻度は上昇傾向にある．一般的に，憩室保有者における累積出血率は10年で10%程度とされるが，再出血率は1年で20%以上，2年で30%以上と比較的高い．本症例のように内視鏡下に活動性出血部位が同定できれば内視鏡的止血術が可能であるが，検査時すでに止血している場合には，多発憩室内に凝血塊が貯留し出血源同定が困難なことも少なくない．大腸憩室出血例の多くは保存的治療で止血が得られるが，内視鏡的止血術が困難で動脈塞栓術や手術が必要となるような重症例も存在する．なお，患者の循環動態が安定している場合には，腸管洗浄液による前処置を行うことが望ましく，先端フードを装着し観察する．

選択肢解説

a．大腸憩室出血では，血管を直接的に挫滅させるクリップ法が第1選択となる．なお，出血血管を直接クリップで絞扼できない場合は憩

室開口部をクリップで縫縮する．（○）
b．大腸憩室のほとんどは固有筋層を欠く仮性憩室であり憩室壁が薄いため，組織侵襲が強い熱凝固法は穿孔のリスクがあり禁忌である．（×）
c．エタノール局注法は出血血管の周囲に純エタノールを局注し，血管周囲組織ならびに血管内皮細胞を凝固壊死させ止血を図る方法である．固有筋層を欠く大腸憩室では穿孔のリスクがあり用いない．（×）
d．内視鏡的硬化療法は静脈瘤内もしくは静脈瘤外に硬化剤を注入し，静脈瘤を血栓化，閉塞させることを意図した治療法である．大腸憩室出血の止血法としては用いない．（×）
e．内視鏡先端に装着したフード内に静脈瘤を吸引しゴム製O-リングを用いて結紮する静脈瘤治療手技を応用し，出血している憩室を吸引反転させ結紮止血する方法である．近年，本法の高い有効性が報告されているが穿孔例の報告もあり，安全性に関するデータの蓄積が必要である．（○）

以上より，正解はa. e. となる．（**解答 a. e.**）

〈江崎幹宏〉

問題 45 (2019年度出題)

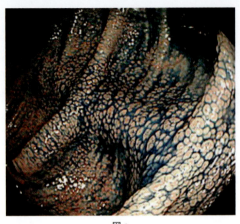
図 a

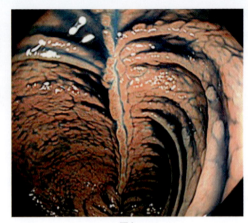
図 b

72歳の女性．3か月前から水様性下痢が出現し改善しないため来院した．高血圧に対しCa拮抗薬，逆流性食道炎に対しプロトンポンプ阻害薬を内服治療中である．内視鏡像を示す（図a，b）．誤っているのはどれか．

- a．中年以降の女性に好発する．
- b．便培養が診断に有用である．
- c．薬剤との関連が示唆される．
- d．生検によるマッソン・トリクローム染色が診断に有用である．
- e．副腎皮質ステロイドの有用性が報告されている．

解説

Collagenous colitis に関する臨床的知識を問う問題である．Collagenous colitis は1976年にLindström CG により慢性水様性下痢を主症状とする大腸の炎症性疾患として提唱された疾患である．以前は内視鏡所見に乏しいとされてきたが，約30％に何らかの内視鏡所見の異常があるとされる．代表的な内視鏡所見として，発赤，浮腫状粘膜，血管透見不良，ハウストラ消失，アフタ・びらん，粗糙・顆粒状粘膜（図a），線状縦走潰瘍（linear mucosal defect）（図b），蜘蛛の巣状血管などが挙げられている．なお，最終診断は生検による病理組織所見において，粘膜上皮直下に10μm以上肥厚したcollagen bandを証明することである．

選択肢解説

- a．中高年以降の女性に好発し，男女比は1：7で平均罹患年齢65歳と報告されている．（○）
- b．感染性腸炎との関連は明らかでない．（×）
- c．薬剤（NSAIDs，PPI 特にランソプラゾール）との関連性が高いことが報告されている．ランソプラゾール関連発症の特徴的な内視鏡所見として，浮腫を伴わない線状縦走潰瘍（linear mucosal defect）が報告されており，ほかの原因とは鑑別できるとされる．（○）
- d．生検診断にマッソン・トリクローム染色を用いることで，より明瞭に肥厚したcollagen bandを確認することができる．（○）
- e．治療に関しては，薬剤関連性では原因薬剤の中止で症状は改善する．対症療法として，整

腸剤や止痢剤の投与が行われるが，無効であれば，5-ASA 製剤，副腎皮質ステロイドの有用性が報告されている．（○）

以上より，正解は b. となる．（**解答 b.**）

〈岡　志郎〉

問題 46 (2019年度出題)

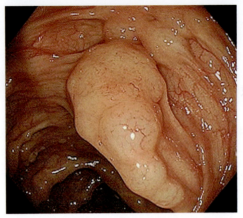

図

48歳の男性．大腸癌検診で便潜血陽性を指摘されたため，大腸内視鏡を受けた．上行結腸に図に示す所見がみられた．この患者で確認すべき事項はどれか．2つ選べ．

- a．有機溶媒曝露の有無
- b．抗菌薬内服の有無
- c．糖尿病治療歴の有無
- d．性交渉歴
- e．悪性腫瘍の家族歴

解説

患者は無症状であり便潜血陽性のため大腸内視鏡検査を受けた．すなわち，内視鏡所見のみから疾病を想起し，原因を問う出題である．そこで内視鏡像をみると，画面中央に正常粘膜に覆われた比較的大型の隆起が認められ，その表面に凹凸がみられる．色調は周囲粘膜とほぼ同様である．また表面は平滑であり緊満感と明るい光沢を伴っている．さらに，同様の性状を有する小型の隆起が主病変に接するように多発している．これらの内視鏡所見から多房性・多発性の粘膜下腫瘍を呈する病変を鑑別することになる．大腸の粘膜下腫瘍様隆起として頻度が高いのは，脂肪腫，リンパ管腫，消化管間質腫瘍（GIST），神経内分泌細胞腫瘍（NET），転移性腫瘍，血管腫，顆粒細胞腫，炎症性線維様ポリープ（IFP），神経原性腫瘍，腸管嚢胞状気腫症（PCI）などである．これらのなかで深部大腸に好発し，明るい光沢と多房性を呈するのは，リンパ管腫ないしPCIということになる．リンパ管腫は粘膜下層で嚢胞状に拡張したリンパ管内の液体を反映した透明感と，リンパ管拡張による白点を伴うことが多い．これに対して，本症例ではむしろ血管の拡張を伴っているので，リンパ管以外の構造が粘膜下に存在することが推測される．以上より，最も考えられる疾患はPCIである．両疾患を鑑別する方法としてEUSはきわめて有用とされるが，本症例では通常内視鏡所見のみでもPCIと診断できる．

PCIは腸管壁の粘膜下あるいは漿膜下に多数の含気性小嚢胞を生じ，腸管内腔にポリポーシス様の多発性隆起性病変をきたす疾患である．発生に関する仮説として，管腔内の圧上昇（機械説），腸管内のガス産生増加（細菌説），有機溶媒への慢性

曝露(化学説)，胸腔内圧上昇(肺原説)，粘膜下層の血管と周囲組織のガス分圧差(拡散説)などが唱えられている．

> 選択肢解説

a．有機溶媒曝露は化学説の根拠となっており，PCI の患者では必ず聴取すべき病歴である．(○)
b．前述のように，腸内細菌と PCI には密接な関係があるとされる．しかし，抗菌薬との明らかな関係は示されていない．(×)
c．糖尿病治療薬のなかで，α-グルコシダーゼ阻害薬は機械説を説明する代表的な薬剤であり，近年では PCI の原因として最も多い．同薬の作用により小腸を非吸収性に通過した糖類が大腸内のガス産生亢進の原因となり PCI に至る．(○)
d．大腸病変を惹起する性行為感染症はアメーバ性大腸炎や梅毒などであり，PCI と性行為感染症の間に明らかな関係は示されていない．(×)
e．大腸多発隆起を伴う遺伝性大腸癌の代表的疾患は家族性大腸腺腫症であり，ついで Peutz-Jeghers 症候群，若年性ポリポーシス，Cronkhite-Canada 症候群などが多い．いずれも大腸内視鏡所見として粘膜下腫瘍様病変を呈することはない．(×)

以上より，正解は a. c. となる．(**解答 a. c.**)

〈松本主之〉

問題 47 (2019年度出題)

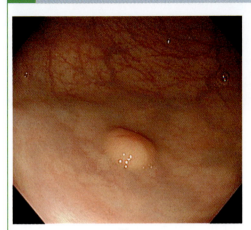
図 a

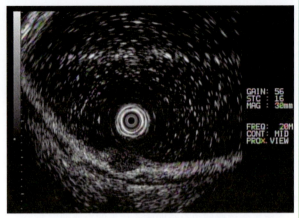
図 b

50歳の男性．スクリーニングの下部消化管内視鏡検査で直腸に病変を認めた．内視鏡像と超音波内視鏡像を示す（図a, b）．この病変に関して正しいのはどれか．2つ選べ．

a．消化管では直腸に好発する．
b．内視鏡治療の適応である．
c．顔面紅潮を伴うことが多い．
d．クロモグラニンAによる免疫染色は陰性である．
e．放射線照射の適応である．

解説

内視鏡と超音波検査所見から疾患名を考え，その後疾患についての知識を問う問題である．内視鏡像は5mm程度の半球状の隆起性病変で，やや黄色調を呈している．表面は非腫瘍粘膜で覆われており，粘膜下腫瘍の形態をとっている．超音波内視鏡では第2，3層に主座を置く均一な低エコー腫瘍で粘膜下層にとどまる病変である．大腸の粘膜下腫瘍としては神経内分泌腫瘍（NET），脂肪腫，リンパ管腫，GIST，平滑筋腫，悪性リンパ腫などが鑑別にあがるが，直腸の病変で黄色調であることやや硬さがありそうな印象からNETが想定される．

選択肢解説

a． NETは本邦においては膵と直腸に多く，欧米で多いとされる小腸（中腸由来）は少ないとされ，消化管の中では直腸に好発する．（○）

b．『膵・消化管神経内分泌腫瘍（NEN）診療ガイドライン』では腫瘍径1cm以下で深達度がsmにとどまり，中心陥凹・潰瘍形成を認めない腫瘍は転移率が低く，EUSやCTなどの画像診断でリンパ節転移，遠隔転移の所見を認めない場合，内視鏡治療の適応とされている．切除標本の病理診断で脈管侵襲，多数の核分裂像，Ki-67指数高値などを認める場合は転移のリスクが高く追加治療の検討を行うとされている．消化管NETは発見時に粘膜内にとどまっていることは少ないため通常のポリペクトミーやEMRでは切除断端が陽性となる可能性が高いためEMRでも吸引法（ESMR-LやEMR-Cなど）や2チャンネル法などの工夫がなされている．また，ESD

も高い切除断端陰性率が報告されている．

　本症例は1cm未満のNETで超音波内視鏡で粘膜下層にとどまる病変と考えられるため内視鏡治療の適応となる．（○）

c．顔面紅潮はカルチノイド症候群でみられる症状の1つである．本邦ではカルチノイド症候群を呈する中腸由来の消化管NETの頻度は5.2％と少なく，後腸由来の病変，特に直腸NETが多く，無症状で発見されることが多いためカルチノイド症候群をきたすことはまれである．（×）

d．NETにおいては，病理組織学的分類は確定診断や治療効果予測という役割を担っている．免疫組織化学染色はその補助として用いられている．膵・消化管神経内分泌腫瘍（NET）診療ガイドラインにおいてKi-67指数によるgradingが推奨されているほか，chromogranin A，synaptophysinによる1次抗体を用いた免疫組織化学染色が推奨されている．したがってchromogranin Aによる免疫染色は陽性となる．（×）

e．直腸NETの治療は1cm以下で深達度がSMにとどまる場合は内視鏡治療が推奨されている．また，2cmを超える場合や1〜2cmでも固有筋層浸潤，脈管侵襲，局所リンパ節転移の疑いがある場合は外科的切除が推奨されている．現在のところ消化管NETの原発巣に対する放射線照射については推奨できるだけの十分なエビデンスはない．（×）

以上より，正解はa．b．となる．（**解答 a．b.**）

〈浦岡俊夫〉

第4章

胆・膵

イントロダクション

　胆膵疾患に対する内視鏡診療のほとんどが側視鏡であるERCP（endoscopic retrograde cholangiography）と，前方斜視鏡であるEUS（endoscopic ultrasonography）で行われる．したがって，胆膵疾患に対する内視鏡診療は直視鏡の理解と基本操作が必要条件となる．

　本領域は偶発症も比較的多く，時に重症膵炎などで致死的となるため，治療内視鏡においては，十二指腸鏡の基本操作とともに，外科的治療も含めた合併症に対する戦略が必要となる．専門医試験ではこれらERCP，EUSの理解とともに，良性・悪性の胆膵疾患についての基本的知識，血液データの評価を要し，他の補助的画像診断（US，CT，MRI）の読影も必要となる．

*

　最近3年間の出題傾向について概説する．

　必須編としては，ERCP関連ではEST（endoscopic sphincterotomy）の適応，切開方向などの基本，ERCP後膵炎，convex EUS（主に短軸で病変をとらえ，EUS-FNAが可能）とradial EUS（主に長軸で病変をとらえる）の違い，EUS-FNA（EUS-guided fine needle aspiration biopsy）の適応，胆囊隆起性病変の診断などが問われている．

　応用編としては，胆道・膵管ステントの適応は繰り返し問われている．膵癌の診断と，その診療内容の正確な判断も求められている．近年，術前化学療法（neoadjuvant chemotherapy）の有効性が示され，開存期間が長い胆道ステント挿入が必要となってきた．膵癌の鑑別として充実性腫瘍を形成する膵内分泌腫瘍（pancreatic neuroendocrine tumor）や自己免疫性膵炎（autoimmune pancreatitis：AIP）と，囊胞形成を伴う膵管内乳頭腫瘍（intraductal papillary mucinous neoplasm：IPMN），SPN（solid pseudopapillary neoplasm），SCN（serous cystic neoplasm），MCN（mucinous cystic neoplasm）などの特徴的画像（胆管・膵管像と超音波画像）は勉強しておく必要

がある．一方，急性閉塞性胆管炎・胆囊炎の内視鏡診療はTokyoガイドラインにより方針が示されている．経口胆道鏡（peroral cholangioscopy：POCS）・膵管鏡（peroral pancreatoscopy：POPS）の機器の改良が進み，普及しつつある．その適応疾患を把握する必要がある．

　最近注目されているinterventional EUSの領域も理解する必要がある．本法は主に高度先進施設で胆道・膵管ドレナージとして行われるが，健常部位を介してステント挿入が可能となる．膵炎に伴う炎症性囊胞・膿瘍のドレナージとして行われている．

　今後，出題が予想される項目を列挙する．

■ EST と EPBD について

　膵胆道処置の基本はESTとEPBD（endoscopic papillary balloon dilation）の理解と，適応疾患の把握である．十二指腸乳頭機能温存の立場からESTは通常，鉢巻襞を越えない程度とする．若年者や出血の高リスク症例ではEPBDを選択する．EPBDは出血のリスクは少ないが，膵炎のリスクは比較的高いとされている．このため自然脱落型の膵管ステントの使用が推奨されている．

■ EUS（radial/convex）・EUS-FNA

　これらの超音波端子が装着された内視鏡は，先端硬性部が長く，前方斜視鏡となるため，挿入時に咽頭損傷をきたす可能性がある．Radial EUSでは，360°の超音波画像が得られ，対象臓器の長軸観察に比較的優れている．しかしFNAは不可能である．一方，convex EUSでは，超音波画像の視野は180°以下であるが，標的臓器の短軸像をより詳細に把握でき，EUS-FNAが可能である．したがってconvex EUSは，単独で確定診断（画像診断と病理診断）が可能である．いずれの機種でも，US，CT，MRCPで描出不能であった胆膵の10 mm以下の小病変も，診断可能

である．EUS-FNAでは細胞診・組織診が可能であり，後者では構造異型の診断とともに，免疫染色の併用により詳細な診断が可能となり，遺伝子パネル診断にも用いられている．EUS-FNAは胆膵悪性腫瘍，縦隔・腹腔内リンパ節病変，自己免疫性膵炎などの診断にも用いられている．

■ 内視鏡的ステント挿入について

胆道疾患については，良性・悪性狭窄によるステント挿入の基本的理解が重要である．慢性膵炎では，まず膵管狭窄・膵石が発生し，やや遅れて胆道狭窄や十二指腸狭窄を伴うことが多い．良性狭窄では抜去可能なプラスチックステント（PS）を挿入する．悪性胆道狭窄・閉塞では，基本的には病理診断が確定後，金属ステント（self expandatory metallic stent：SEMS）を挿入するが，病変の局在や，生命予後に応じた戦略が必要である．

十二指腸乳頭部腫瘍に対する内視鏡的切除術は，腺腫性病変に対し完全生検として行われ，通常，内視鏡生検で癌の診断がなされていれば適応とならない．

悪性胆道閉塞に対するmulti-stent挿入を行うことがある．ステントが十二指腸乳頭部にかかれば，膵炎のリスク，胆嚢管にかかれば閉塞性胆嚢炎のリスクがある．

最近，肝移植後などの良性狭窄解除にも短期的なSEMS使用が認められている．

■ 経口胆道鏡（POCS）・膵管鏡（POPS）

近年，disposalで，術者単独でも施行可能なPOCS・POPSが開発された．これまでESWL（extracorporeal shock wave lithotripsy）を行っていた難治性胆道巨大結石も，POCSによりその存在診断と，EHLを併用した直視下の切石が可能となった．まれではあるが，胆管内乳頭状腫瘍（intraductal papillary neoplasm of the bile duct：IPNB）の局在診断，側方進展度診断にも有用である．一方，POPSはIPMNの診断に有用であり，主膵管型で8 mm以上の拡張膵管ではPOPSが可能であり，細胞診・組織診が可能である．さらに膵石治療にも，EHL併用の直視下切石が試みられている．

■ 胆道結石の診療―ESTとラージバルーンによる切石（endoscopic papillary large balloon dilation：EPLBD）

20 mmを超える大きな胆道結石も，ラージバルーン（径12 mm以上）の登場により，内視鏡的な切石が可能となっている．さらに合流部結石などの難治性胆道結石も，経口胆道鏡（POCS）・EHL（electronic hydraulic lithotripsy）併用による直視下切石が可能となっている．EPLBDの合併症として，出血・消化管穿孔・重症膵炎の可能性があり，このため特に膵炎予防の観点から，まずESTを行ってからラージバルーンで十二指腸乳頭部を拡張するように推奨されている．

■ Interventional EUS

Convex EUSによる超音波画像を観察しながら，拡張した胆管・膵管を穿刺し，局所のドレナージが可能である．また腹腔内の3rd-spaceに発生した炎症性膿瘍・嚢胞に対する超音波内視鏡下ドレナージEUS-guided cyst drainage（EUS-CD）も行われている．十二指腸球部から総胆管へアプローチするEUS-guided choledochduodenostomy（EUS-CDS），胃内から肝左葉のB2/3を穿刺するEUS-guided hepatogastostomy（EUS-HGS）がある．さらに緊急手術や，経皮的ドレナージの代替法として，胃前庭部もしくは十二指腸球部から胆嚢を穿刺するEUS-guided gallbladder drainage（EUS-GBD）も行われている．いずれの手技も難易度・偶発症のリスクが高いため，各学会より施行にあたり注意喚起がなされており，国内では大学病院などの先端施設で慎重に行われている．

■ 術後腸管に対する内視鏡診療

胃全摘後，B-Ⅱ術後，膵頭十二指腸切除後，肝切除後，膵切除後の術後胆道・膵管狭窄，さら

には術後腸管閉塞・狭窄に対する内視鏡診療の有効性が認められている．Single/double balloon による内視鏡が行われている．内視鏡も short type と long type がある．最近，その成功率は 80〜90% 以上に向上し，これまで再手術を余技なくされていた患者へのメリットは大きい．しかし，本手技も重篤な合併症のリスクを有し，腸管穿孔や出血のリスク，さらには今永法などの術式における術後腸管内視鏡では，CO_2 送気を行っても，空気塞栓などの致死的な偶発症の報告がある．

■ 専門医のための胆膵内視鏡診断における重要な疾患

- 膵癌診断のための膵液細胞診，ブラシ細胞診は，特に膵体-尾部病変で切除の可能性がある場合は EUS-FNA に優先して行われる．EUS-FNA が胃内から行われるため，わずかではあるが，癌細胞の tract seeding の可能性がある．
- IPMN の局在診断，細胞診，POPS も進展度診断のため行われる．
- 胆道癌の進展度診断時の直接胆道造影，IDUS（intraductal ultrasonography）による超音波診断，さらに step biopsy を行い，切除範囲の確定を行う．
- 胆嚢隆起性病変は EUS により局在診断と粘膜構造の観察からその深達度診断まで可能である．
- 膵嚢胞性疾患：SCN，MCN，SPN また嚢胞形成を呈する PNET 診断
- AIP および IgG4 関連硬化性胆管炎はしばしば悪性腫瘍との鑑別を要する，ステロイド治療が有効な良性疾患である．
- PSC（primary sclerosing cholangitis）：IBD を合併する若年と，高齢者の二峰性発症を呈し，特徴的な胆管像（beaded appearance, diverticular porch など）を呈し，胆道悪性腫瘍や，IgG4 関連硬化性胆管炎と鑑別を要する．

〈窪田賢輔〉

問題 1 （2014年度出題）

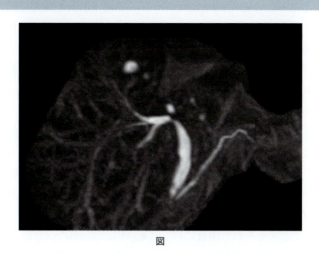

図

32歳の男性．肝移植のドナーとして肝左葉切除術を受けた．術後2か月後に眼球結膜の軽度の黄染に気づき受診した．血液検査所見；白血球 6,200，赤血球 452万，血小板 36万，総ビリルビン 3.5 mg/dL，直接ビリルビン 3.0 mg/dL，AST 68 IU/L，ALT 98 IU/L，ALP 920 IU/L（基準 115〜359），γ-GTP 320 IU/L（基準 8〜50），CRP 1.4 mg/dL．MRCP像を示す（図）．治療的 ERCP を計画した．ERCP 下に行う処置として適切でないのはどれか．

a．バルーンカテーテルによる胆管拡張術
b．ダイレーターカテーテルによる胆管拡張術
c．ENBD
d．プラスチックステントによる EBS
e．Uncovered metallic stent による EBS

解説

　病歴，理学的所見，血液検査所見，MRCP像から病態を考えさせ，治療方針について問う問題である．肝移植のドナーとして肝左葉切除術の2か月後に閉塞性黄疸をきたしており，MRCP像からは，肝門部での胆管狭窄により右前区域枝と右後区域枝がいわゆる"泣き別れ"の状態になっていることがわかる．狭窄の原因としてもちろん胆管癌などの悪性疾患も鑑別診断に挙がるが，術後からの期間を考えるとこの症例では肝切除術による医原性の"良性"肝門部胆管狭窄を一番に考えるのが妥当であろう．良性胆管狭窄による閉塞性黄疸の治療としては，内視鏡的あるいは経皮的にバルーンなどを使った胆管拡張術を行い，ドレナージチューブを留置することが行われるが，1回の治療で完治することは少なく 6〜12か月ごとの再治療が必要となることが多い．数年間の単位で治療・経過観察が必要となる良性胆管狭窄を治療するにあたり，一番大事なことは"不可逆な処置は施行しない"ことである．EST も含めて，不可逆な処置は，症例の10年後，20年後を考慮したうえで，有益性が相当高いと考えられるときのみ施行することが重要である．

選択肢解説

a．良性胆管狭窄の治療法としてよく施行される．上流側，下流側の胆管径を参考にしてバ

ルーンサイズを決定し拡張する(6〜8 mm のバルーンを用いることが多い). 狭窄がきつい場合, ダイレーターカテーテルを用いた胆管拡張後にバルーンカテーテルの挿入を施行する. (○)

b. バルーンカテーテルなどが通過困難であるときにダイレーターカテーテルでの狭窄解除を行う. 肝移植後の症例などでは肝の再生により胆管が高度に屈曲している症例も多く, ダイレーターカテーテルの挿入にも苦労を要することがある. (○)

c. ENBD はバルーンカテーテルなどで十分狭窄部の拡張が得られたと考えられた場合に再狭窄の有無を調べる目的で数日間留置することがある. 数日後に ENBD 造影を施行し狭窄部の状態を確認し, 拡張が得られていると判断されればそのまま抜去が可能となる. (○)

d. プラスチックステントによる EBS はバルーンカテーテルなどでの胆管拡張後, 再狭窄の可能性が高い症例に施行する. 近年では十二指腸主乳頭を越えて胆管内にプラスチックステントを留置し, 逆行性感染のリスクを減らす手技(inside stent)が良性胆管狭窄の治療に有用であることが報告され, 施行されるようになっている. Inside stent は EST などの乳頭処置をしなくても 2〜3 本のステント留置が可能であり, 抜去も可能であることから不可逆性ではなく, 開存期間も通常の EBS と比較し長期間であり, 現状では良性胆管狭窄のドレナージ方法としては最良と考えられる. (○)

e. Uncovered metallic stent による EBS は手術不能の悪性胆管狭窄に施行されるべき手技であり, 一度挿入してしまったら抜去は不能である. 長期の経過観察が必要となる良性胆管狭窄には絶対に施行すべきでない. (×)

以上より, 正解は e. となる. (**解答 e.**)

〈川嶋啓揮〉

問題 2 (2014年度出題)

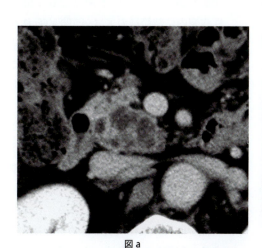

図 a

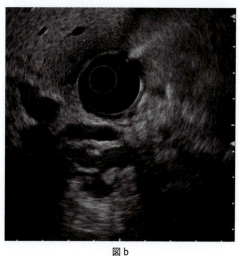

図 b

図 c

72歳の男性．心窩部痛を主訴に来院した．腹部超音波にて主膵管拡張を指摘され精査を行った．造影CT像（図a），超音波内視鏡像（図b），ERCP像（図c）を示す．本症例に関して正しいのはどれか．

- a．アルコールが原因である．
- b．乳頭開口部の開大を認める．
- c．主膵管内結石を認める．
- d．ステロイド治療の適応である．
- e．組織学的に卵巣様間質を認める．

解説

腹部造影CT，超音波内視鏡（EUS），ERCP所見から疾患名を問い，その後その疾患についての知識を問う問題である．腹部造影CT所見では，膵頭部に多房性の囊胞性病変を認め，内部に一部

造影される結節があるようにみえる．EUS所見は，十二指腸からの観察で，30 mm大の多房性囊胞性病変が描出されている．内部に結節様のエコー認められるが，Bモードの観察のみでは粘液塊か結節かの判定は困難である．ERCP所見では10 mm程度に拡張した主膵管内に透亮像が認められ，粘液あるいは結節の存在が示唆されるがCT，EUSで描出された囊胞性病変は造影されていない．以上の所見から手術適応が十分考慮されるIPMNの可能性が高いと診断できる．

選択肢解説

a．アルコールが原因である膵疾患として慢性膵炎が挙げられる．慢性膵炎例では主膵管の拡張をきたすことはあるが珠々状に拡張することが多く，多房性の囊胞性病変を伴うことはまれである．また，本症例では膵実質に石灰化の所見も認められないことなどから鑑別可能と考えられる．（×）

b．粘液の排出による乳頭開口部の開大所見はIPMNの特徴的な所見である．（○）

c．本症例ではERCP所見にて主膵管内に透亮像を認めるが，X線非陽性であり柔らかい印象がある．またEUS所見でも多房性囊胞性病変内に結節様のエコーが認められるが音響陰影を伴わないことより石灰化した結石は考えにくい．本問の画像所見からだけでは，はっきりと否定はできないが，bの選択肢との比較で正しくない選択肢となる．（×）

d．膵疾患においてステロイド治療の適応となるものとして自己免疫性膵炎が挙げられる．本症例では膵の腫大，膵管のびまん性狭細化像など自己免疫性膵炎に特徴的な画像所見は認められないため鑑別可能である．（×）

e．組織学的に卵巣様間質を認めるのはMCNである．MCNの囊胞はいわゆるcyst in cystの形態であり，IPMNのぶどうの房状の形態とは異なる．主膵管の拡張は伴わないことがほとんどである．また，ほぼ女性に発生する疾患であることからも否定的である．（×）

以上より，正解はb．となる．（**解答 b.**）

〈川嶋啓揮〉

問題 3

(2014 年度出題)

内視鏡的乳頭切除術で正しいのはどれか.

- a. 膵管非癒合症例では禁忌である.
- b. 抗血栓薬の休薬は必要としない.
- c. 十分な局注液の注入が必要である.
- d. 腫瘍切除後に膵管ステント留置が望まれる.
- e. 腫瘍の胆管内進展が 10 mm 以内であれば治療適応である.

解説

内視鏡的十二指腸乳頭切除術(endoscopic papillectomy：EP)を施行するうえで，最低知っておかねばならない適応・治療手技・偶発症についての基本的知識を尋ねる問題である．EP は 1983 年に癌に対する姑息的治療として本邦で最初に報告されたが，現在では腺腫や腺腫内癌に対する根治的治療として認識されている．十二指腸乳頭病変に対する外科的治療は侵襲が大きく，EP は侵襲の点で明らかに優れ価値のある治療法であることは間違いないが，適応を誤ると，外科的切除であれば助かった症例を死亡させてしまう可能性もあり，適応の確立および正確な進展度診断および安全性確保が求められている．

適応は，胆管，膵管への進展のみられない乳頭部腺腫，腺腫内癌症例である．Oddi 括約筋に浸潤のない粘膜癌では転移再発はみられず，これも適応としてよいという意見もあるが，確実な術前評価が容易でないことから統一した見解は得られていない．

EP の適応の決定には，①腫瘍(腺腫もしくは癌)であること，②Oddi 括約筋に浸潤のないこと，③十二指腸固有筋層を越えて胆管，膵管への進展がないこと，④転移を認めないこと，についての判定が必要である．適応決定のための術前検査としては造影 CT，MRI＋MRCP などで上腹部全体の観察＋転移の有無の確認を行うことと，EUS，ERCP＋IDUS による乳頭部から胆管・膵管にかけての局所の評価が必要である．Oddi 括約筋の描出をはじめ EUS，ERCP＋IDUS で的確な進展度診断を行うにはこれらの検査に精通している必要がある．

EP の手技については，消化管ポリペクトミーと同様にスネアを用いて，病変の十二指腸粘膜下の広がりと胆管・膵管の貫通する十二指腸固有筋層を念頭にスネアリングを行い，切開波(最近は切除後出血を考慮して切開波と凝固波を自動調節する endocut mode を使用するとの報告も増えている)にて切除する．局注は正確な深部までの切除をかえって困難にするとの意見も多い．切除後，胆管口・膵管口を確認し，切除標本を確実に回収するとともに速やかに膵管ステントを留置する．遺残が疑われる場合や出血のある場合にはアルゴンプラズマ凝固やクリッピングで処置し，終了とする．切除標本の取り扱いでは，検体内の胆管・膵管を同定できる形でのホルマリン固定を行い，腺腫の場合には切除断端を，癌の場合には切除断端に加え病変の Oddi 括約筋への浸潤の程度を含めた深達度や脈管浸潤の有無を検索する．治療に伴う偶発症としては出血，急性膵炎が最も多く，次いで十二指腸穿孔，胆管炎，後期偶発症として胆管口・膵管口の狭窄が報告されている．

選択肢解説

a. EP 後には急性膵炎予防のために膵管ステントを留置するが，副乳頭機能の発達している症例や膵管非癒合の症例では急性膵炎が起こりづらく，膵管ステント留置は不要と考えられている．(×)

b．偶発症として最も頻度の高いのが出血であり，出血のコントロールはこの治療手技の安全性に関わる重要なポイントである．（×）

c．局注は正確な深部までの切除をかえって困難にするとの意見も多く，必須とされていない．（×）

d．治療に伴う偶発症としては急性膵炎は出血についで多く，予防のために膵管ステントを留置が有効とされている．（○）

e．十二指腸固有筋層を越えて胆管，膵管への進展がない病変であることがEP適応条件の1つである．（×）

以上より，正解はd．となる．（**解答 d.**）

〈新倉則和〉

問題 4 (2014年度出題)

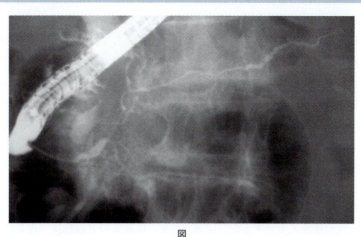

図

72歳の男性．健康診断の腹部超音波で膵腫大を指摘された．白血球 9,000，赤血球 450 万，血小板 29 万．総ビリルビン 1.1 mg/dL，AST 38 IU/L，ALT 42 IU/L，ALP 352 IU/L（基準 115～359），γ-GTP 48 IU/L（基準 8～50），血清アミラーゼ 180 IU/L（基準 37～160），CRP 1.2 mg/dL．ERCP 像を示す（図）．治療薬として正しいのはどれか．

a．ゲンタマイシン
b．ウルソデオキシコール酸
c．ステロイド
d．ソマトスタチンアナログ
e．ゲムシタビン

解説

ERCP のびまん性不整膵管狭細像から自己免疫性膵炎を診断し，治療を尋ねる問題である．自己免疫性膵炎（autoimmune pancreatitis：AIP）の歴史は，1961 年にフランスの Sarles らが高 γ グロブリン血症や黄疸を呈し，飲酒歴がなく，石灰化や囊胞が存在しない膵の硬化性変化を有する 10 症例を膵の慢性炎症性硬化症として報告したことに始まる．近年，本邦で AIP の疾患概念が提唱され，自己免疫性膵炎診断基準 2011 には画像上の膵腫大（びまん性＋限局性）と主膵管の不整狭細像，血液検査で高 IgG4 血症，病理組織学的に高度のリンパ球と形質細胞の浸潤と線維化，強拡 1 視野あたり 10 個を超える IgG4 陽性形質細胞浸潤，花筵状線維化（storiform fibrosis），閉塞性静脈炎，膵外病変として硬化性胆管炎，硬化性涙腺炎，唾液腺炎，後腹膜線維症など IgG4 関連疾患に含まれるとされる疾患を合併することなどが含まれている．中高年の男性に好発し，膵癌との鑑別が肝要である．閉塞性黄疸で発症する例が多く，膵炎発作を呈することはまれで，ステロイド治療が奏効する．日本に多い高齢男性に多く（男女比は 5 対 1），病理学的に著明なリンパ球浸潤，形質細胞浸潤，IgG4 陽性形質細胞浸潤，花筵状線維化，閉塞性静脈炎を特徴とする lymphoplasmacytic sclerosing pancreatitis（LPSP）：1 型 AIP と，欧米に多い若年者で潰瘍性大腸炎を合併する例が多く，病理学的に好中球病変を呈する idiopathic duct-centric pancreatitis（IDCP）， granulocytic epithelial lesion（GEL）：2 型 AIP は画像所見は類似しているものの血液所見では類似点が少なく，別の病態である可能性が高い．

自覚的には軽度腹痛，全身倦怠感，黄疸，口渇感などを契機に受診することが多いが，自覚症状のない症例もある．血液検査では胆道系酵素の上昇，閉塞性黄疸，糖尿病を認めることが多く，血清学的には，IgG4 高値のほかに 50〜70％の症例で，高γグロブリン血症，高 IgG 血症，または自己抗体（抗核抗体，リウマチ因子など）陽性を示す．

典型例では腹部 US，EUS，CT，にて"ソーセージ様"のびまん性の膵腫大を呈するが，限局性腫大を呈する例では膵癌との鑑別が困難なことがある．造影 CT，造影 MRI では，膵腫大部に造影後正常膵とほぼ同様の造影効果が得られる（遅延性増強パターン）ことが多く，また被膜様構造（capsule-like rim）を認めれば AIP である可能性が高くなる．内視鏡的逆行性膵胆管造影（ERCP）における細くて壁の不整像を伴う膵管狭細像（問題の ERCP 像）は本症例に特徴的である．下部（膵内）胆管に狭窄を伴うことが多いが，上部胆管や肝内胆管に狭窄を認め，原発性硬化性胆管炎（PSC）様の所見を呈する例もあり，また胆管癌との鑑別が困難な症例もある．

病理組織学的には先述の通り日本では LPSP がほとんどである．

治療としてはステロイド治療が有効であり，ステロイド治療に反応する症例は AIP である可能性が高いが，膵癌の存在あるいは合併を否定できるものではないので，安易に診断的治療に頼るべきではない．また欧米では免疫抑制剤やリツキシマブの有効性も報告されているが，国内ではほとんど使用されていない．

▶ 選択肢解説

a．抗菌薬の有効性は報告されていない．（×）
b．原発性胆汁性胆管炎に対しては有効であるが自己免疫性膵炎には使用されない．（×）
c．AIP に有用なのはステロイドである．PSC 様の胆管像を呈する硬化性胆管炎合併症例でも，ステロイドの投与にて改善するため PSC との鑑別点となる．（○）
d．膵神経内分泌腫瘍（p-NET）に対して使用する．（×）
e．膵癌に対して使用する．（×）
以上より，正解は c．となる．（**解答 c.**）

〈新倉則和〉

問題 5 (2014年度出題)

経消化管的膵仮性囊胞ドレナージに多い偶発症として誤っているのはどれか.

- a. 急性膵炎
- b. 出血
- c. 囊胞感染
- d. ステント迷入
- e. 穿孔

解説

経消化管的膵仮性囊胞ドレナージに関する問題である．膵仮性囊胞の治療適応は腹痛や感染などの有症状例である．また増大例も治療介入が検討される．経消化管的膵仮性囊胞ドレナージの方法には内視鏡直視下ドレナージとEUSガイド下ドレナージがある．EUSガイド下ドレナージは，胃壁の膨隆を認めない症例でも施行可能で，穿刺経路の脈管の存在をリアルタイムに確認できることなどから多くの施設で行われるようになった．消化管壁との癒着を認め囊胞壁が安定した仮性囊胞が経消化管的ドレナージのよい適応となる．

その手技の実際は，EUSにて囊胞を確認し穿刺経路に介在する血管が存在しないことや穿刺距離が最短になるように仮性囊胞を描出し穿刺針で囊胞を穿刺する．ガイドワイヤーを囊胞内に留置し，ダイレーターや拡張用バルーンを用いて穿刺ルートを拡張する．その後，症例に応じて内瘻チューブや外瘻チューブあるいはその両者を囊胞内に留置する．近年ではメタリックステントによるドレナージも行われるようになった．

経消化管的膵仮性囊胞ドレナージの短期，長期成績はそれぞれ83〜95％，62〜100％と比較的良好な成績が報告されている．偶発症の発生頻度は4.0〜28.8％程度と報告されている．主な偶発症は出血，囊胞感染，穿孔・気腹症，ステント迷入・逸脱などである．

選択肢解説

- a. 経消化管的膵仮性囊胞ドレナージは消化管壁とそこに癒着した囊胞壁を穿刺しドレナージを行う．したがって膵実質を経由することはほとんどないか，あってもごく短い距離で膵を経由する．また，膵管に直接影響を与えることも少ない．本手技により急性膵炎が発生することはまれである．（×）

- b. 消化管壁や囊胞壁を穿刺する際にその穿刺経路に介在する血管を損傷することにより出血をきたすことがある．特に近年では行われることが少ない内視鏡直視下ドレナージではブラインドでの穿刺となるため出血の頻度は多くなる．また，囊胞内にガイドワイヤーやステントを留置することにより囊胞壁の脆弱な血管や仮性動脈瘤を損傷し出血を惹起する可能性もある．出血は本手技を行うにあたり，十分に留意すべき偶発症の1つである．（◯）

- c. 本手技の対象となる膵仮性囊胞はすでに感染を合併していることが多い．しかし，非感染性囊胞に対し，経消化管的に穿刺を行うことやドレナージチューブを挿入することで消化管と囊胞間を交通させることにより感染を惹起する危険がある．本手技は適切な抗菌薬投与を併用しながら行う必要性がある．（◯）

- d. EUSガイド下ドレナージの際には斜視鏡の電子コンベックス型超音波内視鏡が用いられることが多い．斜視鏡を用いて囊胞内に内瘻ステントを留置する場合，穿刺部位を確認しながらステントを消化管内腔にリリースする

ことが時に困難で，ブラインドでの操作になることがある．このような場合に，囊胞内へステントを迷入させてしまうことがあるので，慎重に操作する必要がある．また内瘻ステントが，後日蠕動などにより囊胞内へ迷入したり消化管内腔へ逸脱する偶発症が認められる．（○）

e．消化管壁と囊胞壁が十分に癒着していない時期や部位で本手技を行った場合，瘻孔形成が得られず穿孔や腹膜炎などの偶発症が発症する．また，ダイレーターやステントを穿刺軸とずれた状態で挿入することにより消化管壁と囊胞との距離が離れてしまい穿孔や気腹が生じる．（○）

以上より，正解はa．となる．（**解答 a．**）

〈今泉　弘〉

問題 6 （2015年度出題）

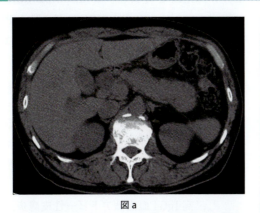

図 a

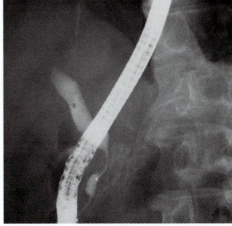

図 b

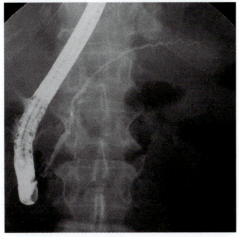

図 c

65歳の男性．背部痛と体重減少を主訴に来院した．総ビリルビン 5.2 mg/dL, AST 124 IU/L, ALT 250 IU/L, ALP 622 IU/L（基準 115～359），γ-GTP 595 IU/L（基準 8～50），LDH 412 IU/L（基準 176～353），CRP 0.03 mg/dL, CEA 1.2 ng/dL（基準5以下），CA19-9 121 U/mL（基準37以下）であった．単純CT像（図a）とERCP像（図b, c）を示す．この症例の疾患について正しいのはどれか．2つ選べ．

a．IgG3 上昇を認めることが多い．
b．病理組織に閉塞性静脈炎を認める．
c．炎症性腸疾患を合併することが多い．
d．プレドニゾロン投与が著効を示すことが多い．
e．超音波内視鏡下腹腔神経叢ブロックも治療の選択肢の1つである．

解説

臨床症状，血液生化学検査，CTおよびERCP像から疾患名を問い，さらにその疾患についての知識を問う問題である．血液生化学所見では黄疸，肝胆道系酵素とCA19-9の上昇を認める．腹部単純CTでは，膵体尾部のびまん性の腫大がみられ，内部のdensityは比較的均一である．また，総胆管の拡張も疑われる．図bのERCでは辺縁平滑な下部総胆管（膵内胆管）の狭窄とその上流胆管の拡張がみられ，下部胆管狭窄による閉塞性黄疸が疑われる．総胆管結石は明らかではない．図cのERPでは膵体尾部主膵管にびまん性の不整な狭細像を認める．膵癌でみられるような主膵管の途絶や拡張はみられず，膵全体に分枝膵管は良好に描出されている．以上の所見から下部胆管の狭窄による閉塞性黄疸を伴う1型自己免疫性膵炎（autoimmune pancreatitis：AIP）が強く疑われる．

1型AIPは，1992年にTokiらが「びまん狭細型慢性膵炎」として報告し，1995年にYoshidaらにより提唱された疾患であり，現在では高IgG4血症を特徴とするIgG4関連疾患の膵病変として理解されている．『自己免疫性膵炎臨床診断基準2018』[1]によると，AIPは中高年の男性に多く，膵の腫大や腫瘤とともに，しばしば本症例のように閉塞性黄疸を認めるため，膵癌や胆管癌などとの鑑別が必要とされている．また，高γグロブリン血症，高IgG血症，高IgG4血症，あるいは自己抗体陽性を高頻度に認め，しばしばIgG4関連硬化性胆管炎，IgG4関連硬化性唾液腺炎，後腹膜線維症など膵外のIgG4関連疾患を合併する．病理組織学的には，著明なリンパ球やIgG4陽性形質細胞の浸潤，花筵状線維化，閉塞性静脈炎を特徴とするlymphoplasmacytic sclerosing pancreatitis（LPSP）を呈する．ステロイドが奏効するが，長期予後は不明であり，再燃しやすく膵石合併の報告もある．

一方，臨床症状や膵画像所見は類似するものの，血液免疫学的異常所見に乏しく，病理組織学的には好中球上皮病変（granulocytic epithelial lesion：GEL）を特徴とするidiopathic duct-centric chronic pancreatitis（IDCP）が2型AIPとして欧米を中心に報告されているが，本邦では比較的まれとされている．

選択肢解説

a．1型AIPで上昇するのはIgG4である．高IgG4血症（135 mg/dL以上）は68～92％に認められ，その感度は84％で膵癌を対照とした特異度は98％と診断的意義が高い．しかし，高IgG4血症はアトピー性皮膚炎，天疱瘡，気管支喘息などでもみられ，膵癌や胆管癌でも血清IgG4が高値を示す症例があるため，注意する必要がある．（×）

b．病理組織学的には，著明なリンパ球やIgG4陽性形質細胞の浸潤，花筵状線維化，および閉塞性静脈炎などがAIPの特徴的な所見である．（○）

c．1型AIPはIgG4関連硬化性胆管炎，IgG4関連硬化性唾液腺炎，後腹膜線維症などの膵外病変を合併することが多い．そのIgG4関連硬化性胆管炎と鑑別を必要とする原発性硬化性胆管炎では，しばしば右側結腸優位の潰瘍性大腸炎などの炎症性腸疾患を合併する．（×）

d．1型AIPの治療としてはステロイド投与が有効なことが多く，寛解率は98％とされている．『自己免疫性膵炎診療ガイドライン2020』[2]では，0.6 mg/体重（kg）/日の経口プレドニゾロンを2～4週間の継続投与後，2～3か月を目安に漸減し，疾患の活動性をみながら，少なくとも5 mg/日の維持療法を約3年間続けることが推奨されている．（○）

e．1型AIPの主な症状は，上腹部不快感，軽度の上腹部痛や背部痛，胆管狭窄による黄疸，耐糖能異常による口渇や体重減少などである．検診などで膵の腫大を指摘され，全く無症状で診断される場合もある．超音波内視鏡下腹腔神経叢ブロックを要するような強い

腹痛を伴うことはほとんどない．（×）

以上より，正解は b．d．となる．（**解答 b．d．**）

文 献

1) 日本膵臓学会，厚生労働科学研究費補助金（難治性疾患等政策研究事業）「IgG4 関連疾患の診断基準並びに治療指針の確立を目指す研究」班：自己免疫性膵炎臨床診断基準 2018．膵臓 33：902-913，2018
2) 日本膵臓学会，厚生労働省 IgG4 関連疾患の診断基準並びに治療指針を目指す研究班：自己免疫性膵炎診療ガイドライン 2020．膵臓 35：465-550，2020

〈大原弘隆〉

問題 7　(2015年度出題)

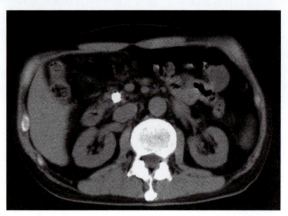

図 a

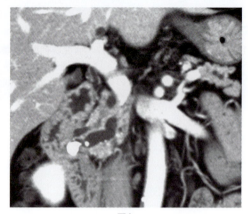

図 b

56歳の男性．繰り返す上腹部痛を主訴に受診．単純CT横断像，腹部造影CT冠状断を示す（図a，b）．この症例の治療法として最も適切なのはどれか．

- a．内視鏡的胆道ドレナージ
- b．ESWL（体外式衝撃波結石破砕療法）
- c．EUS-FNA
- d．膵頭十二指腸切除術
- e．化学療法

解説

臨床症状，単純および造影CT像から疾患名を問い，さらにその疾患の治療に関する知識を問う問題である．**図a**の単純CT横断像では，膵頭部付近の位置に結石を思わせる石灰化像を認める．**図b**の造影CT冠状断像では，膵頭部主膵管の拡張がみられ，その十二指腸側末端部に膵石を認める．膵頭部およびその周囲に腫瘍を思わせる所見は認めない．以上より，成因は明らかではないが，慢性膵炎により生じた膵石が十二指腸乳頭部近くの主膵管内に嵌頓し，その上流側の膵管内圧が上昇して膵管が拡張していると考えられる．その結果，慢性膵炎の急性増悪による上腹部痛を繰り返しているため，膵石を除去し，膵管内圧の上昇を軽減する治療が望まれる．

疼痛が持続する場合や急性疼痛発作を繰り返す膵石症例に対する治療法には，内科的治療（ESWL，内視鏡治療）と外科的治療（膵管減圧術，膵切除術）がある．治療法の選択は，まず侵襲度の低いESWLと内視鏡治療の適応を考えるが，膵管の強い屈曲などにより内視鏡治療が容易ではないと予想される症例では起こりうる偶発症や治療期間も考慮に入れたうえで，当初より外科的治療を含めて治療方針を慎重に検討する必要がある[1]．

選択肢解説

a．慢性膵炎により膵内胆管が狭窄し，閉塞性黄疸をきたした場合には内視鏡的胆道ドレナージが有効である．本症例では，**図b**の造影CT像からは明らかな胆管の拡張はみられず，閉塞性黄疸を併発している可能性は低いと考えられるため，内視鏡的胆道ドレナージ

術は適切な治療ではない．（×）
b. ESWLによる膵石治療が広く普及してからは，膵石の砕石は主にESWLで行われることが多く，内視鏡治療を単独で行うのは5 mm未満の比較的小さな結石に限られている．本症例の膵石は約1 cm近くあるため，まずESWLによる膵石の破砕が望まれる．その後，必要に応じて内視鏡的膵石除去術を追加して行う．（○）
c. 膵癌などの腫瘍性病変が疑われる場合にはEUS-FNAを行うことが推奨される．本症例では，CT上明らかな腫瘍像はなく，適切とは言えない．（×）
d. ESWLおよび内視鏡治療が困難と予想される場合には外科的治療が選択される．その際に，術後の膵内外分泌機能温存の観点から，できるだけ膵切除術を避け，膵管減圧術を選択することが望まれる．本症例に外科治療の適応を検討した場合でも，膵管空腸側々吻合術などの膵管ドレナージ術や膵頭部のくり抜きを追加するFrey手術を選択すべきであり，膵頭十二指腸切除術などの膵切除術は避けるべきである．（×）
e. 慢性膵炎に膵癌発生率が高いことはよく知られているが，提示されているCT画像からは，膵および周囲臓器に明らかな悪性腫瘍は認めない．そのため，化学療法は本症例に対する適切な治療法ではない．（×）

以上より，正解はb.となる．（**解答 b.**）

文献

1) 厚生労働省難治性膵疾患調査研究班，日本膵臓学会：膵石症の内視鏡治療ガイドライン2014. 膵臓 29：121-148, 2014

〈大原弘隆〉

問題 8 (2015年度出題)

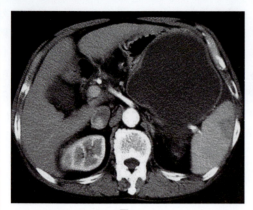
図 a

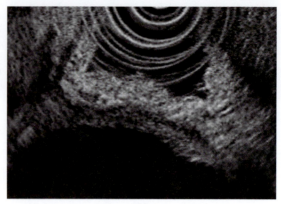
図 b

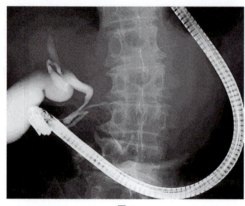
図 c

40歳の男性．アルコール性慢性膵炎急性増悪にて入院．退院2か月後に上腹部膨満感をきたし来院した．腹部造影CT像（図a），胃内からの超音波内視鏡像（図b），ERCP像（図c）を示す．この症例における治療法として最も適切なのはどれか．

- a．内視鏡的膵管口切開術
- b．内視鏡的経乳頭的膵管ドレナージ
- c．超音波内視鏡下経胃嚢胞ドレナージ
- d．経皮的嚢胞ドレナージ
- e．内視鏡的ネクロゼクトミー

解説

設問は，アルコールを原因とした慢性膵炎の急性増悪時に発症した膵嚢胞に対する治療法を選択する問題である．CT画像では，胃の後壁に接するように巨大な嚢胞が位置している．超音波内視鏡（以後EUS）画像では，数cmに渡って胃壁と嚢胞が接している．臨床上の経過として，退院後2か月経っており，胃壁と嚢胞壁の癒着は十分になされていると推察される．ERCP画像では，主膵管は膵体部で途絶しており，膵嚢胞と主膵管の交通は認めない．

表1 改訂 Atlanta 分類

	< 4weeks after onset of pancreatitis	> 4weeks after onset of pancreatitis	
Necrosis(−)	APFC	PPC(sterile)	経過観察
	APFC(infected)	PPC(infected)	相対適応（有症状，増大傾向，6 cm 以上かつ 6 週間以上経過）
Necrosis(＋)	ANC(sterile)	WON(sterile)	
	ANC(infected)	WON(infected)	相対適応（APFC，ANC は液状化している場合）

APFC：Acute peripancreatic fluid；急性膵周囲液体貯留，PPC：Pancreatic pseudocyst；膵仮性囊胞，
ANC：Acute necrotic collection；急性液状化壊死，WON：Walled-off necrosis；被包化膵壊死
〔Banks PA, et al：Classification of acute pancreatitis—2012：revision of the Atlanta classification and definitions by international consensus. Gut 62：102-111, 2013 より作成〕

　膵囊胞に関する治療方針に関しては，改訂 Atlanta 分類が広く用いられている（**表1**）[1]．（それによれば，膵囊胞は，①膵炎が起こってから 4 週間を超えるか超えないか，②壊死の有無，③感染の有無により分類され，感染を伴っている場合はすべて治療の相対適応，感染を伴っていない場合でも 4 週間を経過し壊死がない場合，4 週間を経過し壊死を伴うが感染を伴わない場合も，治療の相対適応となる．

　膵体部・尾部の膵囊胞において，主膵管と交通が明らかな場合は，第 1 選択は経乳頭的アプローチとなるが，交通のない場合は，超音波内視鏡下経消化管囊胞ドレナージ（通常は経胃的アプローチとなる）の対象となる．また，感染を伴った被包化膵壊死（walled-off necrosis：WON）の場合は，超音波内視鏡下で瘻孔を形成した後に，直視鏡で内視鏡下に壊死物質を取り除く内視鏡的ネクロゼクトミーが必要となる．

選択肢解説

a． 内視鏡的膵管口切開術は，乳頭部における膵液の排泄障害時に用いられる．本症例のように，主膵管と囊胞の交通のない場合は無効である．（×）

b． 内視鏡的経乳頭的膵管ドレナージは，前述のように，囊胞と主膵管に交通が明らかな場合に用いられる．本症例では，囊胞と主膵管の交通は認めないため，有効ではない．（×）

c． 超音波内視鏡下経胃囊胞ドレナージは，本症例には適切である．（○）

d． 経皮的囊胞ドレナージは，内視鏡的な治療が困難で，かつ，腹壁と密に接している場合に用いられる．本症例の第 1 選択とはならない．（×）

e． 内視鏡的ネクロゼクトミーは，超音波内視鏡下囊胞ドレナージが適切に行われたにもかかわらず，内部の壊死性物質による WON をきたした場合に用いられる．本症例では，CT および超音波内視鏡上も壊死性物質は認めない．（×）

　以上より，正解は c．となる．（**解答 c．**）

文　献

1) Banks PA, et al：Classification of acute pancreatitis—2012：revision of the Atlanta classification and definitions by international consensus. Gut 62：102-111, 2013

〈松田浩二〉

問題 9 (2015 年度出題)

胆膵の超音波内視鏡について正しいのはどれか．**2つ選べ**．

- a．胆囊の観察は胃内では難しい．
- b．下腸間膜静脈は膵頭部の指標となる．
- c．経十二指腸走査では，胆管は門脈のスコープ側に描出される．
- d．胆囊壁の層構造は4層構造で描出される．
- e．膵体尾部は左腎のスコープ側に描出される．

解説

　設問は，胆膵の超音波内視鏡施行時に観察される内容である．胆膵内視鏡の標準的なポジションは，ラジアル型・コンベックス型ともに，①経胃走査，②経十二指腸球部走査，③経十二指腸下行脚走査に大別される．各走査で標準的に描出される観察領域と指標を**表1**に示す．

選択肢解説

- a．胆囊は，経胃走査および経十二指腸球部走査で比較的容易に観察される（**図1**）．（×）
- b．膵頭部と膵体部の解剖学的な移行点は，膵癌取扱い規約のうえでは，上腸間膜静脈・門脈の左側縁とするとなっているが，超音波内視鏡画像の頭対移行部として観察されるのは，膵臓の背側部を走行する門脈の左側縁であり，下腸間膜動静脈ではない（**図2**）．（×）
- c．十二指腸球部および十二指腸下行脚からは，総胆管は門脈よりも探査子に近い部位に位置するため，胆管は門脈のスコープ側に描出される（**図3**）．しかしながら，コンベックス型での経胃走査において，総胆管は門脈の遠位側に描出される場合がある（**図4**）．（○）
- d．胆囊の壁構造は，解剖学的には粘膜層・粘膜固有筋層・漿膜下層・漿膜の4層構造であるが，EUSでは内腔側から高，低，高エコーの3層構造として描出される．一般に第1層の高エコー層は境界エコーと粘膜層（m），第2層の低エコー層は固有筋層（mp）と漿膜下層の浅層，第3層の高エコー層は漿膜下層ならびに漿膜を反映しているとされている．（×）
- e．膵体尾部は，経胃走査で描出されるが，胃壁からみて膵体尾部は左腎の前側に位置しているため，スコープ側に描出される（**図5**）．（○）

　以上より，正解はc．e．となる．（**解答 c．e．**）

〈松田浩二〉

表1　超音波内視鏡におけるトランスデューサの位置・観察領域・指標

走査位置	観察領域	指標
胃	膵体部 膵尾部	脾動脈・脾静脈 左腎 脾臓 上腸間膜動脈 腹腔動脈 大動脈
十二指腸球部	膵頭部 膵頭体移行部 膵体部 胆管 胆囊	門脈 上腸間膜静脈 脾静脈
十二指腸下行脚	膵頭部 膵頭体移行部 乳頭部 胆管 胆囊	大動脈 下大静脈 上腸間膜動脈 上腸間膜静脈 門脈

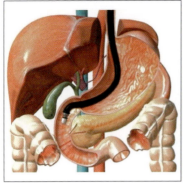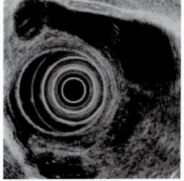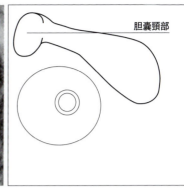

a：PULL 法

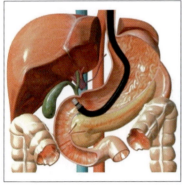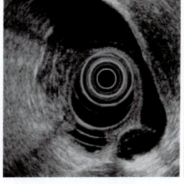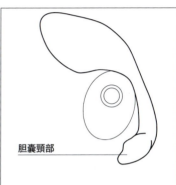

b：PUSH 法

図1　ラジアル型での経十二指腸球部走査における胆嚢
〔Inui K, et al：Standard imaging techniques in the pancreatobiliary region using radial scanning endoscopic ultrasonography. Digestive Endoscopy 16：S118-S133, 2004 より〕

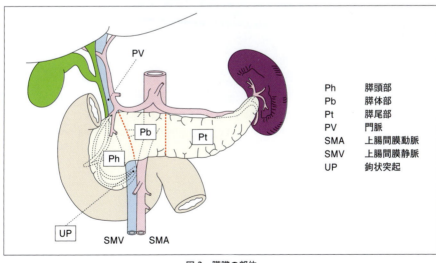

図2　膵臓の部位
膵頭部と体部の境界は上腸間膜静脈・門脈の左側縁とする．
膵頚部（SMV・PV の前面）と鉤状突起は頭部に含める．
膵体部と尾部の境界は大動脈の左側縁とする．
〔日本膵臓学会（編）：膵癌取扱い規約　第7版増補版．金原出版，p3，2020 より〕

第4章 胆・膵

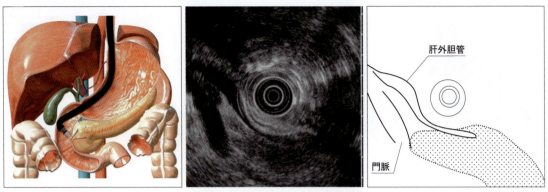

図3　ラジアル型での経十二指腸球部走査における肝外胆管と門脈の位置関係

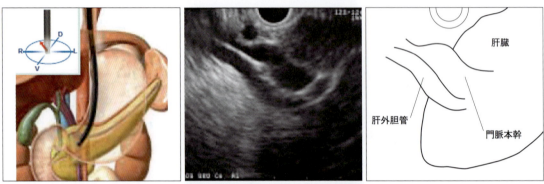

図4　コンベックス型での経胃走査により描出される門脈と肝外胆管の位置関係

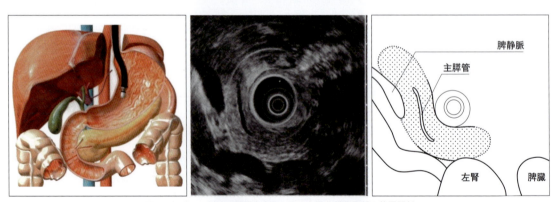

図5　ラジアル型での経胃走査における左腎と膵体尾部の位置関係

〔図3〜5：Inui K, et al：Standard imaging techniques in the pancreatobiliary region using radial scanning endoscopic ultrasonography. Digestive Endoscopy 16：S118-S133, 2004 より〕

問題 10 (2015年度出題)

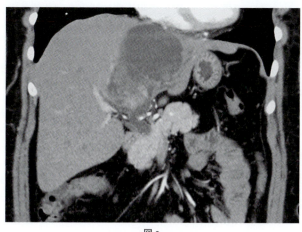

図 a

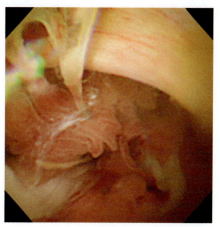

図 b

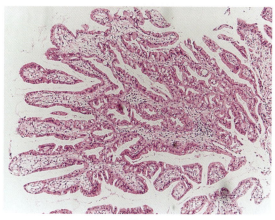

図 c

43歳の女性．倦怠感を主訴に受診．腹部超音波で肝左葉に囊胞性病変を指摘された．CT像，胆道鏡像，胆道鏡下胆管生検組織像を示す（図 a，b，c）．診断はどれか．

- a．肝膿瘍
- b．肝 MCN（Mucinous cystic neoplasm of the liver）
- c．IPNB（Intraductal papillary neoplasm of the bile duct）
- d．肝細胞癌
- e．肝芽腫

解説

最近，膵管内乳頭粘液性腫瘍（IPMN）のカウンターパートとして注目されている胆管内乳頭状腫瘍（intraductal papillary neoplasm of the bile duct：IPNB）の特徴的な画像所見に関する知識を問う問題である．IPNB は，2010年 WHO 分類で胆管癌の前浸潤性病変の1つとして認められ掲載されている．定義は，囊胞状の胆管拡張を伴い，胆管内腔に乳頭状に増殖している腫瘍とされている．病

理組織学的には，腫瘍性胆管上皮の管内乳頭状・非浸潤性増殖を特徴とし，組織学的に整然とした規則的な乳頭状構築を呈する腫瘍とされる．

図aは腹部造影CTの冠状断で，肝左葉を占める囊胞性病変を認める．内部に濃染する乳頭状腫瘍を認める．肝外胆管の拡張も認められる．**図b**は経口胆道鏡による内視鏡像で，拡張した胆管内に乳頭状腫瘍を認める．乳頭状を構築する1つひとつの構造の中には血管が透見できる．**図c**は病理組織像で，整然とした規則的な乳頭状構築を呈している．画像所見は，典型的なIPNBの所見を示している．

選択肢解説

a．肝膿瘍は造影CTで不均一な低吸収域を呈し，一部が濃染して乳頭状隆起に類似してみえることがある．しかしながら，肝膿瘍でみられる辺縁の濃染がないことから否定できる．（×）

b．肝MCNは最もIPNBと鑑別診断を要する疾患である．肝MCNは，多房性囊胞性腫瘍であり，胆管との交通を認めることは少ない．

病理組織学的には，囊胞上皮下に卵巣様間質を認めることが特徴的である．本症例は単房性で，胆道鏡で胆管内に腫瘍を認めることからMCNではない．（×）

c．腹部造影CTで内部に濃染する乳頭状腫瘍を認め，肝外胆管の拡張も認める．また，内視鏡像で拡張した胆管内に乳頭状腫瘍を認め，病理組織像でも整然とした規則的な乳頭状構築を呈していることから，IPNBと診断できる．（○）

d．提示されている造影CT像は，心臓内の造影剤濃度と膵の濃染状態から，動脈優位相と考えられる．肝細胞癌は動脈優位相で濃染するが，本症例では大部分が濃染していないので肝細胞癌ではない．（×）

e．肝芽腫は5歳以下の小児に多い腫瘍であり，造影CTで不均一に濃染する．腫瘍血流が豊富な腫瘍である．CT像から肝芽腫は否定的である．（×）

以上より，正解はc．となる．（**解答 c.**）

〈乾　和郎〉

問題 11

(2015年度出題)

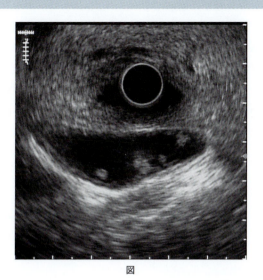

図

52歳の女性．検診で腹部超音波を施行したところ，胆嚢隆起性病変を認め精査を行った．超音波内視鏡像を示す（図）．この症例における対処法として正しいのはどれか．

a．経過観察
b．胆石溶解剤投与
c．経皮的胆嚢ドレナージ
d．EUS-FNA
e．体外衝撃波破砕術

解説

　超音波検診で発見された胆嚢隆起性病変の超音波内視鏡像から鑑別診断を行い，その疾患に対する事後管理を問う問題である．胆嚢隆起性病変は，人間ドックなどの検診において7～9%で発見されるが，病理組織学的には，胆嚢癌，胆嚢腺腫といった腫瘍性病変から過形成性ポリープ，コレステロールポリープ，炎症性ポリープなどの非腫瘍性病変が含まれている．したがって，鑑別診断が重要であり，正確な診断の下に経過観察か手術を行うかといった適切な事後管理が必要である．

　超音波内視鏡では，胆嚢内に複数個のポリープが描出されている．いずれのポリープも有茎性で，体部の一番大きなポリープは高輝度点状エコーを認め，典型的なコレステロールポリープの像を呈している．ほかのポリープも有茎性で，やや高エコーを呈している．したがって，診断はコレステロールポリープである．コレステロールポリープは非腫瘍性病変であり，切除する必要はなく，1年に1回の割合で経過観察を行えばよい．

選択肢解説

a．超音波内視鏡により典型的なコレステロールポリープの像が得られているので，この症例は経過観察を行えばよい．（○）
b．通常，胆石では音響陰影を伴うことが多いが，ビリルビンカルシウム石では音響陰影を伴わない．したがって，この症例が胆石であるとすればビリルビンカルシウム石ということになる．コレステロール胆石であれば，胆

石溶解剤投与（胆石溶解療法）を行うことになるが，ビリルビンカルシウム石では適応にならない．（×）

c．経皮的胆囊ドレナージは急性胆囊炎のときに行う治療法である．超音波内視鏡像から胆囊腫大，壁肥厚，デブリなどの所見を認めないので急性胆囊炎ではない．（×）

d．胆囊病変に対してEUS-FNAを行うことの是非については，まだ，コンセンサスが得られていないが，超音波内視鏡像で典型的なコレステロールポリープの像を呈していることから，EUS-FNAを行う必要は全くない．（×）

e．体外衝撃波破砕術の適応は，石灰化のないコレステロール胆石であり，本症例に対して行う治療法ではない．（×）

以上より，正解はa.となる．（**解答 a.**）

〈乾　和郎〉

問題 12 (2016 年度出題)

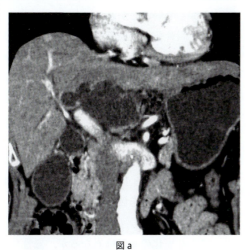

図 a

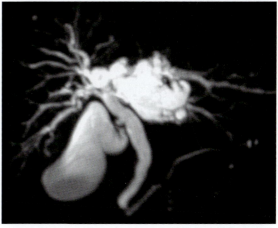

図 b

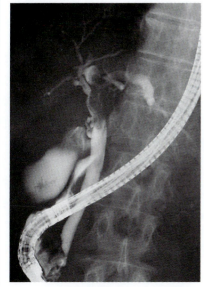

図 c

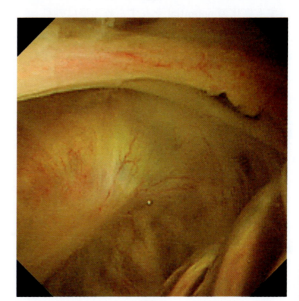

図 d

65歳の男性．上腹部痛，肝機能障害を主訴に来院した．白血球 9,400，総ビリルビン 0.7 mg/dL，AST 428 IU/L，ALT 264 IU/L，ALP 643 IU/L（基準 115〜359），γ-GTP 368 IU/L（基準 8〜50），血清アミラーゼ 74 IU/L（基準 37〜160），CRP 0.85 mg/dL であった．腹部造影 CT 像，MRCP 像，ERCP 像，経口胆道鏡像を示す（図 a，b，c，d）．この疾患の特徴として正しいのはどれか．**2 つ選べ**．

a．寄生虫が原因である．
b．総胆管結石を合併しやすい．
c．表層進展しやすい．
d．悪性化はまれである．
e．外科手術適応である．

解説

　粘液産生胆管腫瘍の診断と治療方針を問う問題である．その画像上の特徴は腫瘍が産生する粘液の貯留と，それによる胆管の拡張である．本疾患はしばしば，診断困難な閉塞性胆管炎発作を繰り返す．またCT，MRIで拡張した胆管像と粘液は確認できるが，腫瘍本体は胆道粘膜にあり存在診断が困難なことが多い．さらに肝門側と十二指腸乳頭側にも表層進展をきたすため，腫瘍の存在診断とその範囲について経口胆道鏡（POCS）が必須である．POCSでは胆道粘膜に限局した腫瘍が乳頭状，イクラ状に確認され，NBI画像で強調される．組織型は低悪性度癌のことが多く，良性であっても癌化のpotentialを有すため治療は外科切除とされている．Intraductal papillary neoplasm of the bile duct（IPNB）との異同が近年問題となっているが，病理学的にも決着がついていない．

選択肢解説

a．本症例はCTで左肝内胆管の拡張，ERCでは総胆管内の粘液による透亮像が確認できるため，粘液産生胆管腫瘍を疑う．寄生虫は石灰化所見が重要である．（×）

b．粘液産生胆管腫瘍は胆管内の粘液貯留による閉塞性胆管炎，黄疸を発症するが，総胆管結石は合併しないことが多い．（×）

c．粘液産生胆管腫瘍は表層進展しやすく，通常のCT，MRI，ERCP像ではその診断が極めて困難である．IDUSなど超音波診断でも不能なことがある．その際，POCSでは胆道粘膜に限局した腫瘍が乳頭状，イクラ状に確認できることが多く，腫瘍生検での範囲診断も可能であることから有用な検査である．**図d**では画面12時から1時方向にわずかに粘膜不整を有する腫瘍を確認できる．（○）

d．粘液産生胆管腫瘍の悪性化については，施設報告により癌化の頻度は異なるが，悪性化は比較的多いとされる．そのほとんどは低異型度癌であり，通常型の粘液非産生の胆管癌と比較して生命予後は良好である．（×）

e．治療に関しては，癌症例が比較的多く認められること，粘液による胆管炎などの症状を発現しやすいこと，適切な手術により完全に切除されれば予後は良好であることから外科的治療が第1選択である．（○）

以上より，正解はc．e．となる．（**解答 c．e．**）

〈窪田賢輔〉

問題 13 （2016 年度出題）

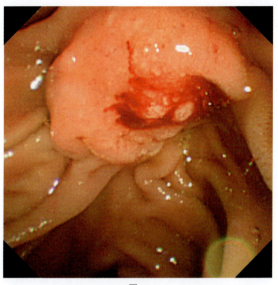

図 a

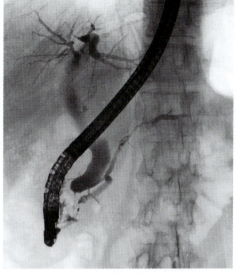

図 b

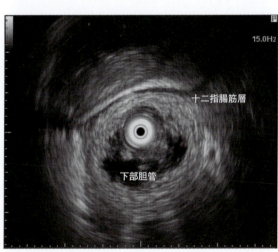

図 c

70 歳の男性．十二指腸乳頭部の内視鏡像，ERCP 像，IDUS 像を示す（図 a，b，c）．この患者について正しいのはどれか．**2 つ選べ**．

- a．下部胆管への進展が認められる．
- b．十二指腸筋層浸潤が認められる．
- c．内視鏡的乳頭切除術の適応である．
- d．内視鏡的乳頭括約筋切開術の適応である．
- e．外科的手術の適応である．

解説

　十二指腸乳頭部腫瘍の内視鏡診断と治療法を問う問題である．十二指腸乳頭部腫瘍の内視鏡診断には十二指腸鏡による肉眼診断，NBIを併用した腫瘍の側方進展診断と，EUSを用いた十二指腸筋層浸潤，膵管，胆管進展と膵実質浸潤が観察できる．さらにERCPに並行して行われるIDUS (intraductal ultrasonography)も，腫瘍の胆管進展，浸潤および十二指腸筋層浸潤の診断に有用である．なおEUS，IDUSによるOddi筋浸潤の有無の判定は賛否両論がある．内視鏡的乳頭切除術(EP)は専門施設で行われる手技であり，膵炎，出血，十二指腸穿孔のリスクがあるため，適応をしっかり認識しておく必要がある．EPの適応は現状では腺腫までとされ，EP術前に腫瘍生検で癌と診断された場合は不適である．EPは腫瘍の治療ではなく，本来は癌を否定できない場合の完全生検として行うものである．また術後，癌と診断された場合，上皮内癌であれば治療は完結するが，後になってリンパ再発を起こすことがある．

選択肢解説

a．図cはERCPに並行して行われたIDUS像であり，膵内胆管からスキャンしている．下部胆管壁が描出されているが，9時から2時方向の粘膜が不整に肥厚しており，癌浸潤の所見である．（○）

b．図cのIDUS所見では，低エコーの十二指腸筋層が保たれ，腫瘍の浸潤は陰性である．（×）

c．EPの適応は，腺腫でかつ膵，胆管への浸潤のない場合である．図cで腫瘍は胆管内に浸潤しており，適応外である．（×）

d．内視鏡乳頭切開術(EST)は基本的に乳頭部腫瘍の診断，治療に必須な手技ではない．ただし乳頭部腫瘍深部の組織採取を行う必要のある場合や，腫瘍による閉塞性黄疸のドレナージ治療に必要な場合には行われることがある．本症例においては腫瘍表面に癌浸潤があると考えられ，ESTは不要と思われる．（×）

e．図aから十二指腸乳頭部腫瘍は腫瘍表面にびらん，不整な粘膜像を呈し，自然出血が確認される．かかる所見は癌で矛盾しない．図cからもEPの適応とならず外科手術適応の十二指腸乳頭部癌である．（○）

　以上より，正解はa．e．となる．（**解答 a．e．**）

〈窪田賢輔〉

問題 14　　　　　　　　　　　　　　　　　　　　　　　　（2016年度出題）

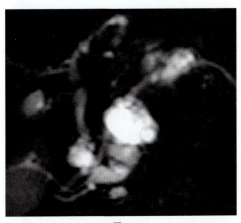

図 a

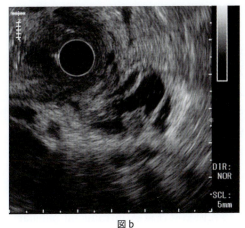

図 b

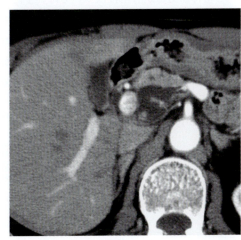

図 c

64歳の男性．繰り返す急性膵炎の精査目的に紹介された．MRCP像，EUS像，腹部造影CT横断像を示す（図a，b，c）．この症例の治療法として最も適切なのはどれか．

- a．経過観察
- b．内視鏡的膵管ドレナージ
- c．体外式衝撃波結石破砕療法（ESWL）
- d．膵頭十二指腸切除術
- e．化学療法

解説

画像所見から疾患名を問い，その後疾患に対する治療法を問う問題である．MRCP像は胆管に狭窄や拡張や結石を疑う透亮像などは認めていない．膵管は，主膵管の拡張は認めていないが膵頭部の分枝膵管の著明な拡張を認めている．膵管内乳頭粘液性腫瘍（intraductal papillary mucinous neoplasm：IPMN）の分枝型が疑われる．IPMNの治療方針を決定するうえで重要となってくるのは，2017年に改訂された『IPMN国際診療ガイドライン』で掲載されているHigh-risk stigmataの存在である．High-risk stigmataとは悪性を強く疑う所見であり①閉塞性黄疸を伴う膵頭部嚢胞性病変，②造影される嚢胞内の充実性成分，③主膵管径10 mm以上が挙げられる．EUS像で嚢胞状に拡張した分枝膵管内に壁在結節が認められ，また腹部造影CT横断像においても膵頭部に嚢胞状に拡張した分枝膵管内に濃染される壁在結節が認められる．以上の所見より膵頭部に病変を有する膵管内乳頭粘液性腺癌（intraductal papillary mucinous carcinoma：IPMC）と診断し治療法を選択肢より選択する．

▎選択肢解説

a．IPMCと診断した時点で患者背景にもよるが原則治療法は手術である．（×）
b．IPMCは，本症例のように粘液による膵管閉塞により膵管内圧が上昇し，急性膵炎をきたすことがある．一時的に治療として内視鏡的膵管ドレナージが行われることがあるが根治的な治療法とはならない．（×）
c．ESWLは膵石に対する治療方法である．本症例は，膵石を疑うような主膵管拡張や膵管内の透亮像は認めない．（×）
d．IPMCの治療は，原則手術である．病変により切除する部位は異なるが，本症例は病変が膵頭部にあり根治的治療として膵頭十二指腸切除術が行われる．（○）
e．化学療法は，切除不能のIPMCの場合には，通常の膵臓癌に準じた化学療法が治療の主となる．また切除後補助療法として用いられる場合があるが有用性についてはいまだ定まってはいない．本症例は，腹部造影CT横断像で肝臓やリンパ節などへ明らかな遠隔転移などは認めておらず，切除後に化学療法が行われる場合はあるが最初に行われる治療ではない．（×）

以上より，正解はd．となる．（**解答 d.**）

〈酒井裕司〉

問題 15 (2016年度出題)

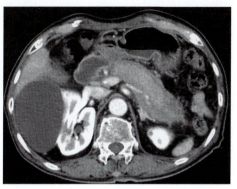
図 a

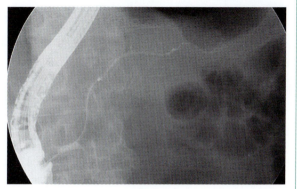
図 b

79歳の男性．グリメピリド，ボグリボースにて HbA1c 6%台で推移していたが，9%台と悪化した．膵酵素の上昇を認め，紹介された．腹部造影 CT 横断像と ERP 像を示す（図 a，b）．正しいのはどれか．

a．切除不能進行膵臓癌の可能性が高い．
b．IgG4 が正常である症例が 5 割以上存在する．
c．ステロイドが著効する．
d．糖尿病のコントロールが改善することはない．
e．後腹膜線維症を高頻度に合併する．

解説

画像所見から疾患名を問い，その後その疾患に対する知識を問う問題である．腹部造影 CT 横断像ではソーセージ様を呈する膵臓のびまん性腫大を認めている．また膵全体に被膜様構造（capsule-like rim）を認めている．ERP 像より膵尾部の主膵管にびまん性の膵管狭細像を認めている．以上の画像所見より自己免疫性膵炎（AIP）と診断しその疾患についての知識を問う．

選択肢解説

a．腹部造影 CT 横断像は自己免疫性膵炎に特徴的なソーセージ様を呈する膵臓のびまん性腫大，被膜様構造を認めており腫瘤性病変や膵臓癌に特徴的な主膵管拡張は認めていない．ERP 像においても膵臓癌に特徴的な主膵管の途絶，拡張所見は認めておらず切除不能進行膵臓癌は考えにくい．（×）

b．『自己免疫性膵炎診療ガイドライン 2020』[1]において自己免疫性膵炎では高 IgG4 血症は 68〜92％に認められると報告されている．ただし，血中 IgG4 は血清診断法の中で，単独で最も診断価値が高いが，疾患特異的ではない．（×）

c．一部の自己免疫性膵炎は自然寛解する症例の報告もあるが自己免疫性膵炎はステロイドが著効する疾患であり治療の柱はステロイドである．（○）

d．糖尿病を合併している自己免疫性膵炎の患者にステロイドを投与することで膵病変の改善とともに糖尿病のコントロールが改善する症例は存在する．（×）

e．自己免疫性膵炎には種々の膵外病変の合併が

報告されている．涙腺・唾液腺炎(14〜39％)，肺門部リンパ節腫大(67〜75％)，間質性腎炎(8〜13％)，硬化性胆管炎(60〜81％)，後腹膜線維症(7％)などが挙げられる．後腹膜線維症の合併頻度は高頻度ではない．(×)

以上より，正解は c. となる．（**解答 c.**）

文 献

1) 日本膵臓学会．厚生労働省 IgG4 関連疾患の診断基準並びに治療指針を目指す研究班：自己免疫性膵炎診療ガイドライン 2020．膵臓 35：465-550, 2020

〈酒井裕司〉

問題 16 (2017年度出題)

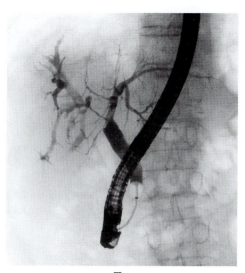

図 a

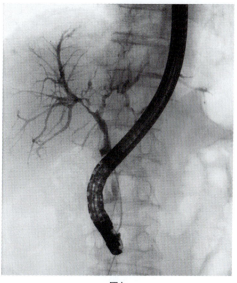

図 b

70歳の男性．検診にて肝内胆管の拡張を指摘され精査した．診断時の胆管像（図 a）と副腎皮質ステロイド治療後の胆管像（図 b）を示す．この疾患について正しいのはどれか．

a．肝右葉切除を施行するべきである．
b．病理組織学的に高度のリンパ球，形質細胞の浸潤が認められる．
c．血清 IgG が低値であることが多い．
d．胆管像では beaded appearance が特徴とされている．
e．CT 所見などで胆管壁の肥厚が認められることは少ない．

解説

胆管造影所見，治療経過から疾患を想定しその疾患についての知識を問う問題である．**図 a** の胆管造影所見は右胆管に限局したやや不整な胆管狭窄所見であり，肝門部領域胆管癌を鑑別に挙げなければならない．当然，経乳頭的胆管生検や胆汁細胞診による病理診断は必要であるが，狭窄が長いわりには上流の拡張所見が軽度であり胆管癌の典型像とは異なる．原発性硬化性胆管炎（PSC）の胆管造影所見として特徴的とされる帯状狭窄（band-like stricture），数珠状所見（beaded appearance），剪定状所見（pruned-tree appearance），憩室様突出（diverticulum-like outpouching）の所見は認められない．また本症例では副腎皮質ステロイド投与により狭窄所見の改善が得られており（**図 b**），IgG4 関連硬化性胆管炎（IgG4-SC）の病態を知っていれば診断することができる．

IgG4-SC とは，血中 IgG4 値の上昇，病変局所の線維化と IgG4 陽性形質細胞の著しい浸潤などを特徴とする原因不明の硬化性胆管炎である．その胆管造影所見は一様ではなく胆管癌，PSC との鑑別が困難な症例も多く，診断基準[1]に則って血中 IgG4 値（135 mg/dL 以上），自己免疫性膵炎などほかの IgG4 関連疾患の合併，胆管生検所見

（IgG4-SCに特徴的な花筵状線維化や閉塞性静脈炎などの病理像を得ることは難しく，IgG4染色による組織診断や癌の鑑別が中心となる），CTやEUS，IDUSにおける狭窄部以外の胆管壁の均一な壁肥厚所見などを総合して診断する必要がある．

選択肢解説

a．IgG4-SCは良性疾患であり，副腎皮質ステロイドに対して良好に反応することが一般的であるため外科的切除の適応になることはほぼない．（×）

b．IgG4-SCの診断基準[1]には病理組織学的所見として高度なリンパ球，形質細胞の浸潤と線維化が挙げられている．（○）

c．IgG4-SCの特徴として血中IgG4高値が挙げられるが，IgG値については一定の見解は得られていない．（×）

d．数珠状所見（beaded appearance）はPSCに特徴的な胆管造影所見である．（×）

e．IgG4-SC症例では上述のように，胆管狭窄部のみではなくほかの部位でも胆管壁の一様な壁肥厚所見を認めることが多い．（×）

以上より，正解はb．となる．（**解答 b.**）

文献

1）厚生労働省IgG4関連全身硬化性疾患の診断法の確立と治療方法の開発に関する研究班，厚生労働省難治性の肝胆道疾患に関する調査研究班，日本胆道学会：IgG4関連硬化性胆管炎臨床診断基準2012．胆道 26：59-63，2012

〈川嶋啓揮〉

問題 17 (2017年度出題)

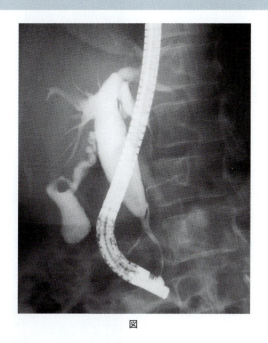

図

65歳の女性．自覚症状は認めない．検診の腹部超音波検査にて胆管拡張を指摘され来院した．ERCP像を示す（図）．正しいのはどれか．**2つ選べ**．

a．男性に多い疾患である．
b．欧米人に多い疾患である．
c．胆汁中のアミラーゼ値が高値である．
d．比較的若年で胆道癌が発症する．
e．無症状例は原則経過観察とする．

解説

　ERCP像から疾患名を問い，その後その疾患に対する知識を問う問題である．ERCP像にて拡張した胆管と長い共通管と膵管を認めている．このERCP像からこの疾患は膵・胆管合流異常と診断が可能である．膵・胆管合流異常は，先天性の形成異常であり解剖学的に膵管と胆管が十二指腸壁外で合流する疾患である．共通管が長く，十二指腸乳頭部Oddi括約筋作用が合流部に及ばない．このため膵液と胆汁が交互に逆流し，胆汁や膵液の流出障害や胆道癌など胆道ないし膵臓にさまざまな病態を引き起こす．胆管拡張を伴う先天性胆道拡張症と胆管の拡張を認めない胆管非拡張型がある．

　主な症状は，発熱，嘔吐，黄疸，腹痛が挙げられる．無症状時には多くの場合，血液検査の異常はなく，有症状のときに血中のアミラーゼや肝胆道系酵素の上昇を認める場合がある．設問は検診の腹部超音波検査で胆管拡張を指摘され，それをきっかけに精査が行われ確定診断に至った．

　膵・胆管合流異常のスクリーニング法として腹部超音波は有用である．膵・胆管合流異常の診断基準は，①直接造影（ERCP，PTCDや術中胆道造影）で異常に長い共通管が確認される．あるいは異常な形で合流する．②解剖学的に十二指腸壁

外で膵管と胆管が合流する．③補助診断として胆管あるいは胆嚢内膵酵素の異常高値が認められる．膵・胆管合流異常では膵液中のホスホリパーゼ A_2 が胆汁と混和すると強力な細胞毒性をもつリゾレシチンなどが産生される．その結果，慢性炎症に伴う胆道の粘膜上皮障害と修復が繰り返され，hyperplasia を主体とする粘膜上皮の変化や DNA の突然変異などを介して最終的に癌化するという hyperplasia-dysplasia-carcinoma sequence 説が有力視され，膵・胆管合流異常と診断した時点で膵液と胆汁の逆流を回避する必要性があり，原則手術を検討する必要がある．

図1の解説

造影所見から，長い共通管を認め十二指腸壁外で総胆管と膵管が合流しており膵・胆管合流異常と診断できる．

> 選択肢解説

a．膵・胆管合流異常症の発症頻度において性差に関して，男女比は約1：3で若年女性に多くみられる．（×）

b．人種間で罹患率に差のある疾患であり東洋人に多い．（×）

c．膵・胆管合流異常症において胆管結石の合併や膵外分泌機能が低下している症例を除いては膵液と胆汁の相互逆流により胆汁中のアミラーゼが高値を示すことが多い．（○）

d．成人における，膵・胆管合流異常症に合併する胆道癌の好発年齢は，50～65歳で，通常

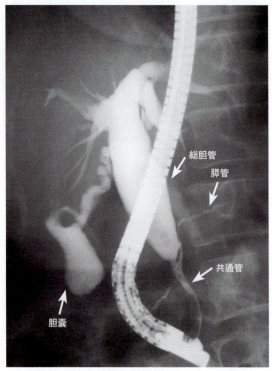

図1　ERCP 像

の癌発症年齢よりも15～20歳程度若年である．（○）

e．手術時期の明確なエビデンスはないが膵・胆管合流異常症は胆道癌の発生母地であり，若年での発症例もあるため，診断確定後は早期の手術が推奨される．よって無症状であっても原則手術が施行される．（×）

以上より，正解は c．d．となる．（**解答 c．d．**）

〈酒井裕司〉

問題 18　　　　　　　　　　　　　　　　　　　　（2017 年度出題）

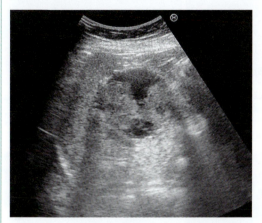

図 a

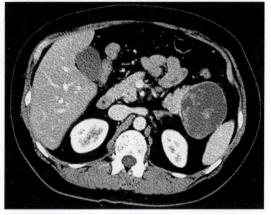

図 b

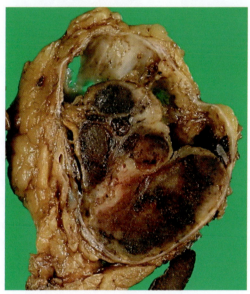

図 c

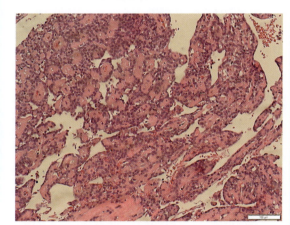

図 d

48 歳の女性．健診の腹部超音波検査で膵尾部に囊胞性病変を指摘され来院した．自覚症状は認めない．US（図 a），造影 CT 早期相（図 b），切除標本肉眼像（図 c），病理組織像（図 d）を示す．本症例および本疾患について正しいのはどれか．2 つ選べ．

a．囊胞感染をきたしやすい．
b．被膜は認めない．
c．出血や壊死を認める．
d．卵巣様間質がみられる．
e．Malignant potential を有する．

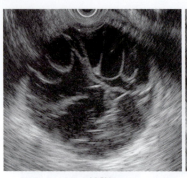
a：MCN

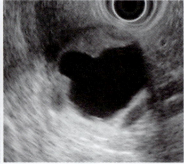
b：囊胞変性を伴う NET

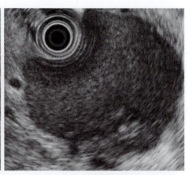
c：リンパ上皮囊胞

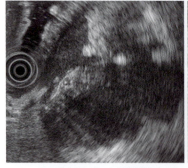
d：デブリを伴った仮性囊胞

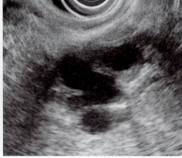
e：IPMN

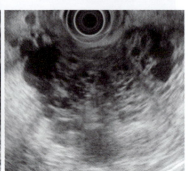
f：SCN

図1 代表的な膵疾患の EUS 像

解説

病歴，US・CT 所見，切除標本肉眼像，病理組織像から疾患名を問い，その疾患についての知識を問う問題である．病歴と US・CT 所見では，中年女性に発生した無症状の膵尾部囊胞性腫瘍で，囊胞径は約 6〜7 cm，被膜を有し，内部に弱い造影効果を有する充実性成分を伴っている．これらの所見からは，粘液性囊胞腫瘍（mucinous cystic neoplasm：MCN），充実性偽乳頭腫瘍（solid pseudopapillary neoplasm：SPN），囊胞変性を伴う神経内分泌腫瘍（neuroendocrine tumor：NET），リンパ上皮囊胞（lymphoepithelial cyst：LEC），膵内副脾に発生した epidermoid cyst，デブリを伴った仮性囊胞などが考えられる．しかし NET は被膜や充実性成分に強い造影効果がみられること，リンパ上皮囊胞は中高齢男性に好発すること，epidermoid cyst は脾臓と同程度の造影効果を有する充実性成分を認める

こと，仮性囊胞はアルコール歴のある男性に多くデブリに造影効果がみられないことから否定的である．また囊胞性腫瘍の中で頻度の高い膵管内乳頭粘液性腫瘍（intraductal papillary mucinous neoplasm：IPMN）はぶどうの房状の多房性囊胞ではないこと，漿液性囊胞腫瘍（serous cystic neoplasm：SCN）は蜂巣状構造や強い造影効果を有する充実性成分を認めないことから否定できる．

以上より本症例は，US・CT 所見からは MCN ないし SPN が考えられる．あとは切除標本肉眼像と病理組織像を読影できるかにかかっている．本症例の切除標本肉眼像では，内部に出血・壊死がみられ，病理組織像では小型腫瘍細胞が偽乳頭状に充実性増殖を呈しており，SPN と診断可能である．

SPN は従来 solid cystic tumor（SCT）と呼ばれていた膵腫瘍であるが，現在は SPN と改名されている．若中年女性に好発し，臨床症状に乏し

く，健診などで偶然発見されることが多い．充実性成分と囊胞変性部分が混在した腫瘍で，多くは線維性被膜を有し，腫瘍の造影効果はそれほど強くない．多くは良性であるが，まれに悪性化や転移の報告がみられ，手術適応とされている．

本症例は正答率が低い問題であるが，病歴と画像所見から鑑別疾患を絞り込み，病理所見の読影ができれば正解へ導くことができる設問である．膵嚢胞性疾患の鑑別は重要であり，代表疾患のEUS像を提示する（**図1**）．

> 選択肢解説

a．囊胞感染は仮性囊胞でしばしばみられる．腫瘍性囊胞ではSPNを含め囊胞感染をきたすことはまれである．（×）

b．SPNの多くは線維性被膜を認める．本症例もCTで造影効果を有する被膜を確認できる．（×）

c．SPNでは腫瘍内部に出血・壊死を認めることが特徴とされている．本症例も切除標本肉眼像で出血・壊死を確認できる．（○）

d．卵巣様間質は囊胞壁にみられる紡錘形細胞の密な増殖で，MCNに特徴的な病理組織所見である．SPNにはみられない．（×）

e．SPNの多くは良性であるが，まれに悪性化や転移の報告がみられ，malignant potentialを有する疾患と考えられている．（○）

以上より，正解はc．e．となる．（**解答 c．e．**）

〈長谷部修〉

問題 19 (2017年度出題)

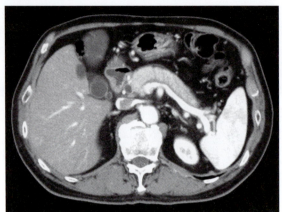

図 a

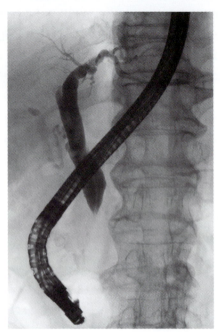

図 b

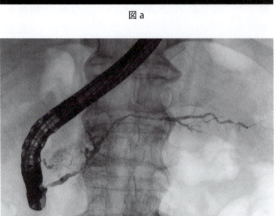

図 c

70歳の男性．閉塞性黄疸精査目的で施行した腹部造影CT像(図a)と内視鏡的逆行性膵胆管造影(ERCP)像(図b，c)を示す．この症例について正しいのはどれか．

a．診断には血清アミラーゼ値が重要である．
b．外科的手術の適応である．
c．アルコールが原因であることが多い．
d．再発することはない．
e．副腎皮質ステロイドが有効である．

解説

閉塞性黄疸の原因疾患を造影CT所見とERCP所見から診断し，その病態について答える問題である．造影CT所見(**図a**)では，膵臓が全体に軽度腫大しており，その周囲にいわゆる被膜様構造(capsule-like rim)が認められ，自己免疫性膵炎(AIP)に特徴的な所見である．胆管造影所見(**図b**)では遠位胆管のスムーズな狭窄所見を認め，膵管造影所見(**図c**)でもAIPに特徴的な主膵管のびまん性狭細所見を認める．AIPの画像所見を理解していれば診断は容易だと考える．AIP

は，その発症に自己免疫機序の関与が疑われる膵炎で，IgG4関連疾患の膵病変である．『自己免疫性膵炎臨床診断基準2018』[1]，『自己免疫性膵炎診療ガイドライン2013』[2]が膵臓学会・厚生労働省難治性膵疾患に関する調査研究班から提唱され広く一般に知られるようになった．上記以外のAIPの画像所見としては，ダイナミックCTにおける膵実質相の斑点状／点状濃染，後期相での均一かつ遅延性増強パターンや，膵管造影所見の非連続性の複数の主膵管狭細像(skip lesions)が膵癌との鑑別に有用とされている．たとえ画像所見がAIPに特徴的であっても実際の臨床では常に膵癌との鑑別に注意することが必要であり，EUS-FNAなどを施行して病理組織学的に悪性所見を認めないことを確認し，経過観察をしっかりすることが重要である．

選択肢解説

a．AIPにおける血中膵酵素の異常は36～64％と頻度が低く異常高値となることは少ないとされており診断基準に血清アミラーゼ値は含まれていない．（×）

b．膵癌を意識した選択肢である．AIPの標準治療はステロイド治療であり外科的手術の適応になることはほぼない．（×）

c．慢性膵炎を意識した選択肢である．この症例の造影CT所見上，慢性膵炎を示唆する石灰化像など認めず膵実質の萎縮も認めず慢性膵炎とは診断できない．（×）

d．AIP症例ではステロイド維持療法中でも終了後でも再発(再燃)することが多く報告されている．維持療法の期間としては3年間が1つの目安とされている．（×）

e．AIPの一部は自然軽快することもあるが，ステロイド治療がAIPの標準治療として支持されている．胆管狭窄による閉塞性黄疸例，腹痛・背部痛を有する例，膵外病変合併例などが適応になる．（○）

以上より，正解はe．となる．（**解答 e.**）

文 献

1) 日本膵臓学会，厚生労働科学研究費補助金(難治性疾患等政策研究事業)「IgG4関連疾患の診断基準並びに治療指針の確立を目指す研究」班：自己免疫性膵炎臨床診断基準2018．膵臓 33：902-913，2018
2) 日本膵臓学会，厚生労働省難治性膵疾患に関する調査研究班：自己免疫性膵炎診療ガイドライン2013．膵臓 28：717-783，2013

〈川嶋啓揮〉

問題 20
(2018年度出題)

膵管ステントについて正しいのはどれか．

- a．自然脱落型膵管ステントはプレカット後の膵炎予防に有用である．
- b．自然脱落型膵管ステントは膵IPMNのERCP後膵炎予防に有用である．
- c．7 Frプラスチック膵管ステントのステント開存期間は約1年である．
- d．慢性膵炎の膵管狭窄解除にはcovered metallic stentが第1選択である．
- e．膵管と交通性のない仮性嚢胞にも経乳頭的膵管ステント留置術は有用である．

解説

膵管ステントには，ERCP後膵炎(post-ERCP pancreatitis：PEP)の予防に用いる自然脱落型膵管ステント，慢性膵炎に伴う膵管狭窄や仮性嚢胞の治療に用いるプラスチック膵管ステントがある．いずれもERCPに引き続いて行う経乳頭的手技であり，膵管ステントの種類，適応，開存期間などはぜひ知っておく必要がある．

選択肢解説

a．PEPの予防には，wire-guided cannulation，膵管ステント留置(多くは自然脱落型)，NSAIDs投与，乳酸リンゲル大量補液が推奨されている．自然脱落型膵管ステントは，PEP予防の有用な手段として広く施行されている．膵管ステント留置が推奨されているPEP高リスク症例としては，Oddi括約筋機能不全(SOD)，PEPないし急性膵炎の既往，カニュレーション困難例，複数回の膵管挿管および膵管造影，膵管口切開，プレカット，内視鏡的乳頭バルーン拡張術，内視鏡的乳頭切除術などがある．(○)

b．自然脱落型膵管ステントは，慢性膵炎や膵癌による膵管閉塞例，膵管非造影例などPEP低リスク症例には推奨されていない．また膵IPMNは粘液によりステント閉塞をきたし，PEP発症リスクが上昇する可能性があるため有用とはされていない．(×)

c．慢性膵炎に伴う膵管狭窄解除には，5〜10 Frのプラスチックステントが使用される．ステント径は膵管狭窄の程度に応じて選択され，徐々にサイズをアップして狭窄解除を試みる場合が多い．ステント開存期間は口径にもよるが，7 Frでは3か月前後とされている．ステント閉塞による膵炎を予防するために定期的交換をすることが多い．膵管狭窄解除のためには最低1年くらいのステント留置が必要と考えられている．(×)

d．Covered metallic stentは大口径で開存期間が長いため遠位胆管狭窄症例には好んで使用されている．しかし慢性膵炎による膵管狭窄では，分枝膵管を閉塞する可能性があるため一般的には使用されていない．(×)

e．仮性嚢胞には急性膵炎発症4週以降に形成される急性仮性嚢胞と，慢性膵炎に伴う主膵管狭窄や膵石により上流膵管がうっ滞してできる慢性仮性嚢胞(貯留嚢胞)がある．経乳頭的膵管ステント留置術の適応となるのは後者であり，膵管と仮性嚢胞には交通性がみられる．膵管と交通性がない仮性嚢胞に対しては，超音波内視鏡ガイド下ドレナージが有用であり，第1選択とされる．(×)

以上より，正解はa．となる．(**解答 a.**)

〈長谷部修〉

問題 21
(2018 年度出題)

EUS-FNA の**適応とならない**のはどれか．

a．胃全摘後の膵疾患症例
b．肝 S2 の腫瘍性病変
c．肝 S8 の腫瘍性病変
d．膵鉤部の腫瘍性病変
e．腹水を有する膵腫瘍性症例

解説

超音波内視鏡下穿刺吸引法（EUS-FNA）の適応について問う問題である．『消化器内視鏡ハンドブック 改訂第 2 版』[1]には，EUS-FNA の主な適応は，①腫瘍性病変の鑑別診断，②癌の進展度診断，③治療（手術，化学／放射線療法）前の組織学的確診，の 3 点が挙げられ，重要なことは EUS-FNA が安全かつ容易に実施可能で，その後の治療方針に有用な影響を与える場合とされている．具体的には，①膵・膵周囲腫瘍性病変，②消化管粘膜下腫瘍，③後縦隔腫瘍性病変・腫大リンパ節，④消化管周囲リンパ節，⑤ EUS-FNA でしか描出されない少量の腹水，⑥消化管の上皮性腫瘍でありながら粘膜下の要素が強く内視鏡下生検では診断が困難な病変，⑦左副腎病変（褐色細胞腫以外），⑧ EUS で描出される肝臓の占居性病変，⑨経大腸的観察が可能な骨盤内腫瘤が挙げられている．逆に禁忌としては，① EUS にて病変が明瞭に描出できない場合，また，EUS-FNA により②出血などの偶発症発生，③腫瘍の播種，などが危惧される場合が挙げられている．

選択肢解説

a．胃全摘後であってもコンベックス型 EUS スコープを挙上空腸に挿入できれば膵腫瘍の描出は可能な場合がある（腫瘍の存在部位にもよる）．術後症例などでは穿孔のリスクが高いことが考慮されるが EUS-FNA の適応にはなりうる．（×）

b．肝 S2 の腫瘍は EUS で十分描出可能であり，経皮的肝生検とどちらを選択するのが患者にとって有益かを考慮して EUS-FNA の利点がある場合には適応になりうる．（×）

c．解剖学的に肝 S8 の腫瘍を消化管から EUS で描出することはほぼ不可能であると考えられる．大きな腫瘍で描出できたとしてもプローブから相当離れた部位の穿刺になることが予想される．このような理由により適応になることはないと考えられる．（○）

d．膵鉤部の膵腫瘍は描出が困難であることもあるが一般的に適応となる．（×）

e．腹水が EUS-FNA の禁忌の理由とはならず，特に手術不能の進行膵癌などの場合はいい適応になると考える．（×）

以上より，正解は c. となる．（**解答 c.**）

文 献
1) 日本消化器内視鏡学会（監修），日本消化器内視鏡学会卒後教育委員会（責任編集）：消化器内視鏡ハンドブック 改訂第 2 版．日本メディカルセンター，2017

〈川嶋啓揮〉

問題 22 (2018年度出題)

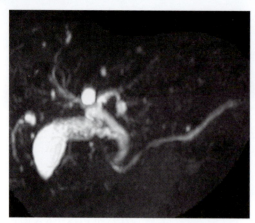
図 a

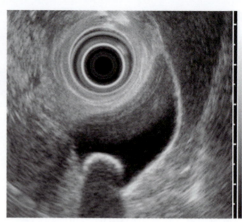
図 b

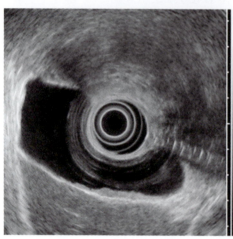
図 c

79歳の男性．健診の腹部超音波検査で胆囊病変を指摘され来院した．自覚症状は認めない．MRCP像（図 a），超音波内視鏡像（図 b, c）を示す．この症例の診断として正しいのはどれか．2つ選べ．

- a．膵胆管合流異常
- b．コレステロールポリープ
- c．胆囊結石
- d．胆囊壁のびまん性肥厚
- e．Ⅱa型胆囊癌

解説

MRCPおよび超音波内視鏡像から診断を問う問題である．MRCPでは胆囊底部に比べ，体部から頸部の内部信号が不均一であり（図 a），何らかの胆囊病変の存在が疑われるが，質的診断は困

図1 膵胆管合流異常のMRCP像（矢印は長い共通管）

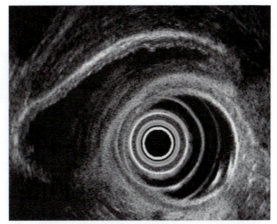

図2 膵胆管合流異常における胆嚢壁のびまん性肥厚（超音波内視鏡像）

難である．少なくとも胆嚢腺筋腫症にみられるRokitansky-Aschoff sinus（RAS）や膵胆管合流異常はみられない．超音波内視鏡像では，胆嚢内腔に音響陰影（acoustic shadow）を伴う弧状の高エコーを認め（図b），胆嚢結石と考えられる．また胆嚢体部肝床側に限局性の内側低エコー層肥厚を認め（図c），Ⅱa型の胆嚢癌が疑われる．

　胆嚢結石が胆嚢癌のリスクファクターであるとする明らかなエビデンスは今のところないが，胆嚢癌患者では胆嚢結石の合併が高率であり，胆嚢結石患者では胆嚢癌の併存に注意が必要である．一方，膵胆管合流異常（図1）は胆道癌のリスクファクターとされており，胆嚢壁のびまん性肥厚（図2）が発見契機となる場合がある．胆嚢壁内側低エコー層のびまん性肥厚は胆嚢粘膜過形成や異形成を反映する所見であり，これを背景に胆嚢癌が発生するとされている．

　本問はMRCP像から膵胆管合流異常の有無，超音波内視鏡像から胆嚢結石に合併したⅡa型早期胆嚢癌の診断ができるかを問う設問である．

選択肢解説

a．膵胆管合流異常は膵管・胆管が十二指腸壁外で合流する先天性奇形であり，MRCP・ERCPで異常に長い共通管や異常な形で合流することが特徴である．本症例のMRCPでは膵胆管合流異常の確定診断は難しいが，少なくとも長い共通管や異常な合流はみられない．また超音波内視鏡では胆嚢壁のびまん性肥厚もみられず，膵胆管合流異常は否定的である．（×）

b．コレステロールポリープは胆嚢ポリープの中で最も頻度が高く，超音波像は高輝度・桑実状で，1cm以下の多発性小ポリープを呈することが多い．本症例の超音波内視鏡像は明らかにコレステロールポリープとは異なる所見である．（×）

c．本症例は音響陰影を伴う弧状の高エコーを呈し，典型的な胆嚢結石の超音波内視鏡像である．（○）

d．胆嚢壁のびまん性肥厚は慢性胆嚢炎や膵胆管合流異常でみられる所見である．本症例の超音波内視鏡像は胆嚢体部の限局性壁肥厚である．（×）

e．本症例は胆嚢体部肝床側に内側低エコー層の限局性壁肥厚を認め，胆嚢癌が強く疑われる．また外側高エコー層の断裂や菲薄化はなく，Ⅱa型の早期胆嚢癌と診断できる．（○）

以上より，正解はc．e．となる．（**解答 c．e．**）

〈長谷部修〉

問題 23

（2018 年度出題）

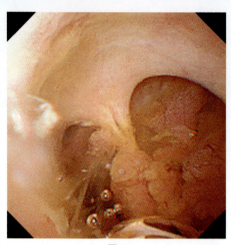

図 a

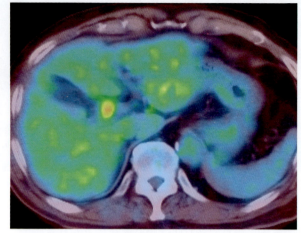

図 b

胆道系酵素上昇の精査のため，ERC に引き続き経口胆道鏡（POCS）を行った（図 a）．同時期に撮像した PET-CT 像（図 b）を示す．考えられる疾患はどれか．2 つ選べ．

a．胆管癌
b．IgG4 関連硬化性胆管炎
c．胆管内乳頭粘液性腫瘍（IPNB）
d．原発性硬化性胆管炎
e．胆道内寄生虫

解説

　胆道系酵素上昇を主訴とした症例に対し，精査として経口胆道鏡 POCS（peroral cholangioscopy）と PET-CT が施行されている．POCS は胆管内の腫瘍性病変の存在診断と，胆管腫瘍の表層進展の診断に有用であり，直視下生検も可能である．図 a では胆管内に結節型の腫瘍を認め，10 時方向に腫瘍の茎があるようにみえる．直視下で腫瘍生検を行っている．図 b は FDG-PET の所見であり，腫瘍部に一致し，陽性所見を示し腫瘍性病変が示唆される．

　胆管癌には大きく，結節浸潤型癌と平坦浸潤型癌とがある．『胆道癌診療ガイドライン 改訂第 3 版』によれば診断の step として MDCT（multidetector-row CT），MRI による病変の局在と進展度診断を推奨している．MDCT は血管浸潤および胆管長軸方向進展にも有用である．しかし，これら横断画像には限界があり，特に胆管表層のいわゆる広範囲胆管腫瘍においては，POCS や IDUS（intraductal ultrasonography）による補助診断が，切除線の診断に有用である．

　胆管内乳頭粘液性腫瘍（intraductal papillary neoplasm of the bile duct：IPNB）は胆管に発生する乳頭状腫瘍で，腫瘍が産生する粘液により胆管が拡張する．2010 年の WHO 分類では IPNB は胆管癌の前癌・早期癌病変とされて，良性から癌までの広いスペクトラムをもつ腫瘍である．通常の胆管癌の多くは CT，MRCP で診断可能であるが，表層型の一部は粘液に隠れ，しばしば画像診断が困難である．ERCP に引き続き行われる POCS，IDUS で初めて診断可能となることがあ

り，特に POCS は術前の病変の存在診断・生検診断・進展度進展診断に有用である．原因不明の胆管炎を繰り返す，特に高齢者に IPNB を認めることがある．また IPNB は，膵の IPMN（intraductal papillary mucinous neoplasm）のカウンターパートであるという考えもある．

> 選択肢解説

a．胆管癌：POCS では胆管内に腫瘍を認め，PET-CT で同部位は陽性を呈しており，悪性も示唆される．（○）
b．IgG4 関連硬化性胆管炎（IgG4-SC）：IgG4-SC ではその 90％に自己免疫性膵炎を合併する．POCS では胆管壁に血管増生や胆管粘膜の肥厚所見をみるが，病変の主座は粘膜下にあるため，胆管内に腫瘤は形成せず，粘膜構造は保たれている．このため本症例の可能性は極めて低い．（×）
c．胆管内乳頭粘液性腫瘍（IPNB）：POCS で胆管内に腫瘍を認め，PET-CT でも陽性を呈しており悪性も示唆される．（○）
d．原発性硬化性胆管炎（PSC）：胆管は全層性に炎症で破壊され，非均一な胆管壁の肥厚像を呈する．POCS では腫瘍部以外の胆管粘膜は保たれており，PSC の可能性は低い．（×）
e．胆道内寄生虫：胆道内寄生虫として回虫，肝吸虫などがある．POCS では胆管内に虫体は認めない．（×）

以上より，正解は a. c. となる．（**解答 a. c.**）

〈窪田賢輔〉

問題 24 (2018年度出題)

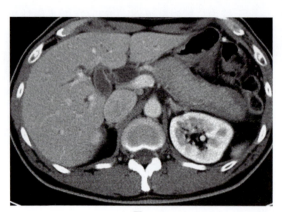

図 a

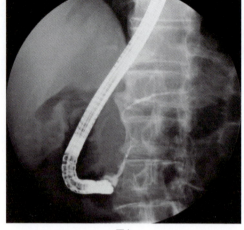

図 b

66歳の男性．両側頸部無痛性顎下腺腫大のスクリーニングで施行した腹部超音波で膵腫大を指摘され来院した．造影CT像，ERCP像を示す（図a，b）．正しいのはどれか．2つ選べ．

a．若年者に多い疾患である．
b．女性に多い疾患である．
c．糖尿病を合併することが少ない．
d．副腎皮質ステロイドが奏効する．
e．自然寛解例が存在する．

解説

造影CT像，ERCP像から疾患名を問い，その後その疾患についての知識を問う問題である．造影CTでは，びまん性の膵腫大，膵実質周囲に低吸収域である被膜様構造（capsule-like rim）を認めている．ERCPでは，膵頭部から膵体部にかけて主膵管狭細像を認めている．上記所見より自己免疫性膵炎と診断し，疾患についての知識を問う問題である．自己免疫性膵炎とは，1995年に提唱された比較的新しい疾患概念であり，その発症に自己免疫機序の関与が疑われる膵炎である．1型と2型が存在するが本邦では自己免疫性膵炎は主として1型である．現状では，びまん性の膵腫大や膵管狭細像を示す症例が中心であり，高γグロブリン血症，高IgG血症や自己抗体の存在，ステロイド治療が有効など，自己免疫機序の関与を示唆する所見を伴う膵炎である．Sjögren症候群などの自己免疫疾患を合併している症例もみられる．臨床的特徴としては，下部胆管狭窄に伴う閉塞性黄疸，上腹部不快感，糖尿病を認めることが多い．中高年の男性に多く，予後は比較的良好である．本症例の診断においては膵癌や胆管癌などの腫瘍性病変との鑑別が極めて重要であり，ステロイド投与による安易な治療的鑑別診断は避ける必要がある．

選択肢解説

a．年齢は60歳代にピークがある．（×）
b．男女比は，2：1〜5：1程度と男性に多い傾向にある．（×）
c．自己免疫性膵炎の約80％に膵外分泌機能障

害を，約70％に膵内分泌機能障害（糖尿病）を認める．（×）

d. 自己免疫性膵炎患者のうち，胆管狭窄による閉塞性黄疸症例，腹痛，背部痛を有する症例，膵外病変合併症例などがステロイド治療の適応となる．ステロイド治療例の寛解率（98％）は，ステロイド無治療例（88％）よりも明らかに高く，寛解までの期間は明らかに短く，自己免疫性膵炎のステロイド治療は有用であり標準的な治療である．（○）

e. 自己免疫性膵炎の治療はステロイドが奏効するが，ステロイド治療なしでも自然寛解する例が報告されている．（○）

以上より，正解は d. e. となる．（**解答 d. e.**）

〈酒井裕司〉

問題 25

（2018年度出題）

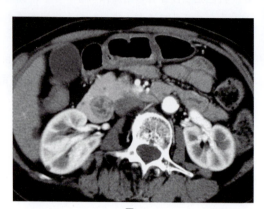

図 a

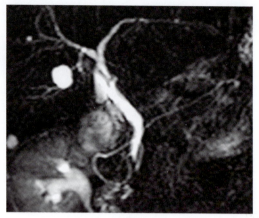

図 b

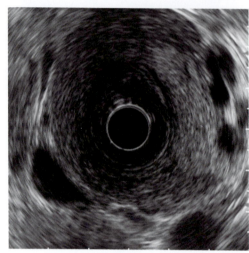

図 c

50歳の女性．卵巣癌術後のCTで膵臓の異常を指摘され受診となる．消化器症状を含めて自覚症状はない．造影CT像，MRCP像，超音波内視鏡像を示す（図a，b，c）．この疾患について正しいのはどれか．2つ選べ．

a．高頻度に反復性の急性膵炎を起こす疾患である．
b．胆道系の癌が高率に発生する．
c．新生児期に発症する時は，十二指腸狭窄症状のために緊急処置が必要となる．
d．成人で発見される時には合併奇形を伴っていることが多い．
e．成人で並存疾患がなく，無症状であれば治療の必要はない．

解説

　CT，MRCP，超音波内視鏡像から疾患名を問い，その疾患についての知識を問う問題である．造影CT像（図a）では十二指腸下行部が膵実質にほぼ全周性に取り囲まれている．MRCP像（図b）では背側膵管が総胆管と腎盂の間をループ状に走行している．十二指腸下行部からの超音波内視鏡像（ラジアル，図c）では全周性に膵実質が存在している．以上より輪状膵と診断できる．

　輪状膵は，胎生期初期に腹側膵原基が回転する際の異常とされているが，その機序は解明されていない．輪状膵が十二指腸を全周性に取り囲んでいる完全型と一部にとどまる不完全型に分類される．頻度としては成人剖検症例10万人あたり5～15人とされ，1/3～1/2で膵管癒合不全を合併している．輪状膵患者の約2/3は無症状であり，発症年齢は十二指腸狭窄の程度に依存している．十二指腸狭窄が強ければ食道閉鎖や鎖肛とともに母体の羊水過多症の原因となる．子どもの約2/3は新生児期に頻回の嘔吐，摂食不良，腹部膨満などで発症し，術前にはダウン症など異常がないかの確認が必要とされている．十二指腸狭窄は十二指腸乳頭部より口側に存在していることが多く，その場合には非胆汁性の嘔吐物となる．成人では20～50歳に発症することが多く，症状としては慢性的な腹痛，嘔気，食後の腹部膨満や嘔吐で，病因としては消化性潰瘍や膵炎，まれに閉塞性黄疸が原因となる．無症状であれば治療の必要はなく，内科的治療で効果が不十分であればバイパスなどの外科的治療が適応となる．

選択肢解説

a．急性膵炎を起こすことはあるが，頻度は高くない．（×）
b．膵胆道系の癌（十二指腸乳頭部癌＞膵癌＞胆道癌）の症例報告が散見されるが，頻度は高くない．（×）
c．新生児期に発症するときは，高度の十二指腸狭窄症を伴っているためバイパスなどの緊急処置が必要となる．（○）
d．新生児期ではダウン症，食道閉鎖や鎖肛などを伴うことが知られているが，成人例では問題にはなっていない．（×）
e．無症状であれば治療の必要はない．（○）

　以上より，正解はc．e．となる．（**解答 c．e．**）

〈八隅秀二郎〉

問題 26

(2019年度出題)

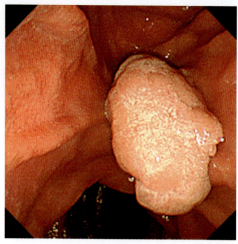

図

65歳の男性．健診で上部消化管に病変を指摘された．内視鏡像を示す（図）．この病変の対応・認識として適切なのはどれか．

a．生検で明らかな腺癌と診断された場合，内視鏡的切除を行う．
b．超音波内視鏡検査で筋層浸潤を認めた場合，内視鏡的切除を行う．
c．生検で高度異型腺腫の場合，内視鏡的切除を行う．
d．内視鏡切除を行っても，膵炎のリスクは小さいと説明する．
e．超音波内視鏡検査で胆管内進展を高度に認めた場合は，内視鏡的切除を行う．

解説

　健診で指摘された十二指腸乳頭部腫瘍の治療方針に関する問題である．本症例は，内視鏡像では露出腫瘤型で褪色調を呈し，表面に潰瘍・びらんの形成も認めない．十二指腸粘膜から発生した典型的な腺腫を疑う所見である．一方，悪性を示唆する十二指腸乳頭部腫瘍の内視鏡所見として腫瘍からの自然出血や潰瘍の存在が挙げられる．問題は腺腫内癌や腺癌は，内視鏡像や腫瘍表面からの内視鏡生検では完全に否定できないことである．このため本症例は，完全生検を目的とした内視鏡的十二指腸乳頭部切除術（endoscopic papillectomy：EP）の適応と考えられる．腺腫に対するEPを行うと，術前に腺腫と診断しても，実際は10～30%程度ががんと診断される．欧米では十二指腸乳頭部腺腫に対し，EPが推奨されている．本邦ではEPは保険収載されておらず，2021年現在，保険収載を念頭に置いてEPのガイドラインが作成中である．

　EPの術前診断では，腹部造影CTと，超音波内視鏡（EUS）を行い，腫瘍が十二指腸粘膜内に限局し，膵管・胆管内に進展していないことが必須条件となる．EUSによる診断が鍵を握るが，膵胆道専門医による技量と，慎重な判断が必要である．生検は通常の直視鏡のみならず，十二指腸鏡（側視鏡）で，腫瘍を正面視し，複数個所から行う．EP術前の内視鏡生検での，診断的中率は60～70%程度である．その際，まれに膵炎の合併が報告されている．EUS・IDUSでは腫瘍の十二指腸筋層浸潤の診断は可能であるが，Oddi括約筋浸潤の診断は極めて困難である．一方，膵管

内・胆管内進展の診断は可能であり，EP術前に行うべきである．

EPでは腫瘍切除後の出血，十二指腸穿孔，重症膵炎などの重篤な合併症のリスクがある．万一，合併症が起こっても迅速かつ適切な対応が可能な専門医療機関での施行が望まれる．

> 選択肢解説

a．内視鏡的生検でがんと診断された場合は，現状ではEPの適応ではない．Oddi括約筋までに限局した，いわゆる早期十二指腸乳頭部癌でさえリンパ節転移が10〜20％程度存在するとされている．（×）

b．超音波内視鏡検査で筋層浸潤を認めた場合，EPの適応ではない．スネアリングによるEPで，切除可能なラインは十二指腸粘膜層までである．筋層切除は穿孔のリスクと，悪性では癌遺残となる．（×）

c．生検で高度異型腺腫の場合，完全生検として内視鏡的切除を行う．（○）

d．EPの致死的合併症として膵炎があり，たとえ膵管ステントを挿入しても，重症膵炎となる可能性がある．膵炎についてはEP術前に患者・家族に十分な説明を行う．（×）

e．超音波内視鏡検査で胆管・膵管内進展を認めた場合は，EPは推奨されない．（×）

以上より，正解はc．となる．（**解答 c.**）

〈窪田賢輔〉

問題 27 (2019年度出題)

本邦における超音波内視鏡下穿刺吸引法(EUS-FNA)の適応として**誤っている**のはどれか．

- a．40 mm 大の膵嚢胞性病変内の造影効果を伴う 10 mm 大の結節
- b．40 mm 大の胃粘膜下腫瘍
- c．食道から描出可能な 40 mm 大の後縦隔腫瘍
- d．直腸から描出可能な 40 mm 大の骨盤内腫瘍
- e．胃から超音波内視鏡のみで描出可能な少量の腹水

解説

EUS-FNA の適応を問う問題である．『消化器内視鏡ハンドブック 改訂第2版』[1]によると，EUS-FNA の主な適応病変として，①膵・膵周囲腫瘍性病変，②消化管粘膜下腫瘍，③後縦隔腫瘍性病変・腫大リンパ節，④消化管周囲腫大リンパ節が挙げられ，そのほかに⑤ EUS でしか描出されない少量の腹水や胸水，⑥消化管の上皮性腫瘍でありながら粘膜下の要素が強く通常の内視鏡下生検では診断が困難な病変，⑦左副腎病変(褐色細胞腫が疑われる病変には施行しない)，⑧ EUS で描出される肝臓の占居性病変，⑨経大腸的観察が可能な骨盤内腫瘍などが挙げられている．膵嚢胞性腫瘍に関しては欧米では積極的に施行しているが，本邦では細胞診の診断精度がそれほど高くなく播種の危険性も考慮して，慎重に実施すべきという意見が多い．特に重要なことは EUS-FNA は安全かつ容易に実施可能で，治療方針決定に有用な情報が得られる場合に行うべきである．

選択肢解説

a．上述したように，膵嚢胞性病変に対する EUS-FNA については適応を慎重に判断するべきである．また，『IPMN 国際診療ガイドライン 2017 年版』[2]では造影される 5 mm 以上の結節は閉塞性黄疸，主膵管の 10 mm 以上の拡張とともに悪性病変存在の high-risk stigmata とされ，1つの所見のみで外科的切除が推奨されている．播種の危険性から安全に施行可能であるという前提からはずれ，治療方針決定にも有用な情報は得られないため EUS-FNA の適応とは考えがたい．(×)

b．消化管粘膜下腫瘍で大きさもあり，組織診断のための EUS-FNA は有用である．(○)

c．後縦隔腫瘍には良性から悪性までさまざまな病変が含まれるため，食道から描出可能で安全に穿刺可能であれば治療方針決定目的で EUS-FNA を実施するべきである．(○)

d．骨盤内腫瘍にも良性から悪性までさまざまな病変が含まれる．画像診断にて診断が困難な病変で直腸を含む大腸から描出され，安全に穿刺可能であれば治療方針決定目的に EUS-FNA を施行するべきである．(○)

e．少量の腹水を吸引して腹水性状を検査し細胞診を施行することは悪性疾患の鑑別や腹膜播種の有無の診断に有用な情報を得られる可能性があり施行するべきである．(○)

以上より，正解は a．となる．(**解答 a.**)

文献

1) 日本消化器内視鏡学会(監修)，日本消化器内視鏡学会卒後教育委員会(責任編集)：消化器内視鏡ハンドブック 改訂第2版．日本メディカルセンター，2017
2) 国際膵臓学会ワーキンググループ(著)．田中雅夫(訳)：IPMN 国際診療ガイドライン 2017 年版 日本語版．医学書院，2018

〈川嶋啓揮〉

問題 28

(2019 年度出題)

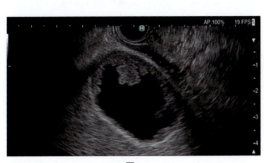
図 a

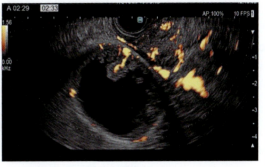
図 b

65 歳の女性．検診目的の腹部超音波検査にて異常を指摘され紹介．胆嚢の超音波内視鏡像を示す(図 a, b)．正しいのはどれか．

a．胆泥症と診断でき，経過観察を勧める．
b．多発するコレステロールポリープと診断でき，経過観察を勧める．
c．胆嚢腺筋腫症と診断でき，経過観察を勧める．
d．漿膜下層浅層までの深達度の胆嚢癌と診断でき，外科的手術の適応である．
e．漿膜外浸潤している胆嚢癌と診断でき，外科的手術の適応である．

解説

　超音波内視鏡像(Bモード・パワードプラ断層法モード)から胆嚢隆起性病変の質的診断と深達度診断を問う問題である．『消化器内視鏡ハンドブック 改訂第2版』[1)]によると胆嚢は多くの場合，胆嚢壁は内側低エコー層と外側高エコー層の2層に描出される．内側低エコー層には粘膜，粘膜固有筋層および漿膜下層の線維層(浅層)が含まれ，外側高エコー層には漿膜下層の脂肪層(深層)と漿膜が含まれるとされる．症例によって胆嚢壁は3層(高エコー層・低エコー層・高エコー層)に描出され，この場合には内腔の高エコー層に境界エコーと粘膜層が含まれるとされる．すなわち，外側高エコー層が保たれていても漿膜下層浅層以浅と診断はできるが，粘膜固有筋層までの深達度などとは診断できないので注意を要する．質的診断としては10 mm以上の広基性隆起性病変，表面が比較的平滑で，内部は低エコーを示す場合は胆嚢癌あるいは腺腫(頻度は非常に低い)と診断する．小嚢胞構造，コメット様エコーを認めた場合は胆嚢腺筋腫症と診断可能である．本症例の超音波内視鏡像を確認すると，胆嚢壁は2層に描出され，扁平な隆起性病変(広基性)の中央部に丈の高い病変が存在しており，表面は凸凹しているがコレステロールポリープに特徴的な桑実状より大きめの結節状変化が認められ，パワードプラ断層法にて血流が確認でき，外側高エコーは保たれている．これらの所見から漿膜下層浅層までの胆嚢癌(あるいは腺腫)と診断可能である．

選択肢解説

a．実臨床では本症例のような形態をとる胆泥症の症例もまれにあるので注意を要する．カラードプラ断層法・パワードプラ断層法などで血流の有無を確認する必要がある．本症例では血流が認められることより胆泥症は否定的である．（×）

b．コレステロールポリープの特徴的な所見は有茎性，全体が点状高エコー集簇像を呈し，桑実状であることである．本症例は明らかに異なる所見である．（×）

c．胆嚢腺筋腫症の特徴的な所見は肥厚した胆嚢壁内にRokitansky-Aschoff洞を反映する小嚢胞構造と，壁内結石を反映するコメットサインである．本症例はこれらの所見を認めない．（×）

d．外側高エコー層が保たれる広基性の隆起性病変であり，漿膜下層浅層までの胆嚢癌(あるいは腺腫)と診断できる．（○）

e．外側高エコー層が保たれており断裂していないことより漿膜外浸潤は否定的である．（×）

以上より，正解はd．となる．（**解答 d.**）

文　献

1) 日本消化器内視鏡学会(監修)，日本消化器内視鏡学会卒後教育委員会(責任編集)：消化器内視鏡ハンドブック 改訂第2版．日本メディカルセンター，2017

〈川嶋啓揮〉

問題 29 (2019年度出題)

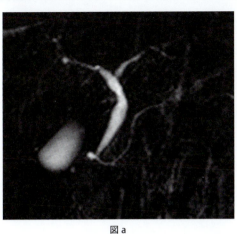
図 a

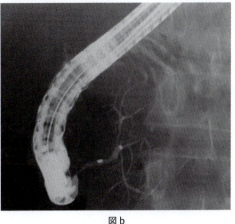
図 b

50歳の女性．繰り返す重症急性膵炎の既往がある．腹部USやCTでは胆嚢結石や膵管拡張は指摘されていない．MRCP像と主乳頭からのERP像を示す（図a, b）．この疾患について正しいのはどれか．

a．副腎皮質ステロイド治療の適応である．
b．膵頭部癌が強く疑われる．
c．遺伝性要因が強い疾患である．
d．副乳頭切開と膵管ステント留置の適応である．
e．胆嚢摘出術の適応である．

解説

膵炎の原因となる疾患を問う問題であり，画像診断の設問である．

図aはMRCP像で，主膵管は特に口径不整，途絶，拡張は認めず，膵管開口部が嚢状に拡張している．**図b**は主乳頭からのERP像で腹側膵管（Wirsung duct）が馬尾状に造影されるが，背側膵管は造影されない．よって**図a, b**より膵胆管癒合不全：膵管非癒合（complete pancreatic divisum）に副膵管嚢腫（santorinicele）を合併していると診断する．Pancreatic divisumは一般の約10%弱に認められるが，大多数では自覚症状なく偶発的に発見される．本症例は重症急性膵炎の既往があるとのことで治療介入が必要である．治療としては副乳頭切開に膵管ステント留置である．

この程度のsantoriniceleの場合，切開していてもsantoriniceleを認識できない可能性が高い．

選択肢解説

a．MRCPおよびERPでは，自己免疫性膵炎を疑う膵管狭細像は認めないので副腎皮質ステロイド投与の適応はない．（×）
b．膵頭部を含め膵癌を疑う膵管途絶，狭窄や尾側膵管の拡張などは認めない．（×）
c．特に遺伝性要因は報告されていない．（×）
d．副乳頭切開と膵管ステント留置の適応である．副乳頭切開はERCP後膵炎の危険因子とされており，ERCP後膵炎の予防のため，そして副乳頭切開後の治癒過程で副膵管開口部の再狭窄を予防するために一時的に膵管ステント留置（4〜5 Fr）が望ましい．（○）

e．腹部超音波と CT で胆嚢結石の所見は認めていない．よって胆嚢摘出術の適応はない．（×）

以上より，正解は d. となる．（**解答 d.**）

〈八隅秀二郎〉

問題 30 (2019年度出題)

ERCP時のprecutについて正しいのはどれか．

a．初学者が技術向上のために積極的に施行すべき手技である．
b．Precutにはneedle knifeを用いるものとsphincterotomeを用いるものに大別される．
c．Precutは，出血のリスクにはならない．
d．膵管ステント留置後には，precutを施行することはできない．
e．Billroth-Ⅰ法再建胃症例は，通常解剖の症例よりもprecutが施行しやすい．

解説

ERCPにおいて，いかなるエキスパートが手技を行ってもある一定の割合で胆管挿入困難例は存在する．通常のカテーテルを用いた造影法やガイドワイヤーを先進させて胆管挿入を試みるwire-guided cannulationなどを用いても胆管挿入が困難な場合には，次のアプローチ方法を考慮する必要がある．アプローチ方法にはいくつかの方法が存在するが，その中の1つにprecutが存在する．

Precutとは，十二指腸乳頭部の切開を行い，胆管開口部の露出や胆汁を流出させることで胆管挿入を成功させるために行う手技である．Precutは，大きく2つに分類され，needle knifeを用いて行うものとsphincterotomeを用いて行うものに分類される．Needle knifeを用いて行うprecutはfreehandで手技が行えるため切開を任意の方向に行うことができるという利点があるが，消化管蠕動が激しい症例の場合には，より出血や穿孔といった偶発症に注意する必要がある．Sphincterotomeを用いて行うprecutは，乳頭を固定できるという利点があるが，任意の方向に切開の困難な場合が存在する．どちらの方法を用いるかに関しては，術者の考え方や施設の状況により選択されているというのが現状である．

Precutは膵炎のリスクを上昇させるという多くの報告があり，ERCP関連手技の中でも非常に難易度の高い手技である．ERCPやESTといった手技をきちんと理解し，精通したエキスパートが行う手技であり，間違っても初学者が技術向上のために行う手技ではないことを肝に銘じる必要がある．

選択肢解説

a．初学者が技術向上のために，積極的に行う手技ではない．（×）
b．Precutにはneedle knifeを用いるものとsphincterotomeを用いるものとに大別される．（○）
c．Precutは，切開を行う手技であり出血のリスクになる．（×）
d．膵管ステントを留置後に，needle knifeを用いて胆管方向に切開を行うprecutであるneedle knife over pancreatic duct stentという手技が存在する．膵管ステントを留置してもprecutは可能である．（×）
e．Billroth-Ⅰ法再建胃症例は，通常解剖症例と異なり乳頭部が偏位している場合が多く通常解剖症例と比較し，precutが困難な場合が多い．（×）

以上より，正解はb．となる．（**解答 b.**）

〈酒井裕司〉

問題 31 （2019年度出題）

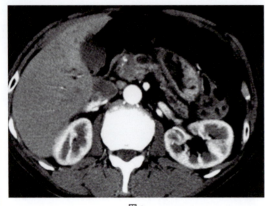

図 a

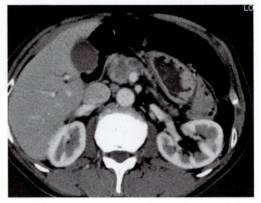

図 b

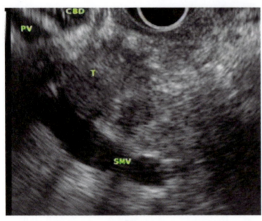

図 c

70歳の男性．体重減少を主訴に来院した．IgG4 23 mg/dL（基準値 5〜105 mg/dL）であった．初診時の造影 CT 像と超音波内視鏡像（PV：門脈，SMV：上腸間膜静脈，CBD：総胆管，T：腫瘤）を示す（図 a，b，c）．今後の方針として正しいのはどれか．

- a．経過観察
- b．副腎皮質ステロイド
- c．体外衝撃波結石破砕術（ESWL）
- d．外科切除
- e．放射線治療

解説

CT および EUS の所見から膵頭部腫瘤の診断と治療法を問う問題である．

典型的な膵癌（浸潤性膵管癌）は，造影 CT の動脈相，門脈相でいずれも辺縁不整な低吸収域を呈し，尾側膵の萎縮と尾側膵管の拡張を伴う．EUS でも辺縁不整で内部不均一な低エコーを呈する．

膵癌を疑う場合，同時に手術適応についても判

断を要する．遠隔転移を伴わない場合，『膵癌取扱い規約 第7版増補版』の切除可能性分類に従って，主要血管との関係から，切除可能（resectable：R），切除可能境界（borderline resectable：BR），切除不能局所進行（unresectable locally advanced：UR-LA）に分類する．判定の基準になる主要血管は，動脈系では腹腔動脈・総肝動脈・固有肝動脈・上腸間膜動脈，門脈系では，門脈本幹および上腸間膜静脈である．進展の有無の評価法は造影CTが標準であるが，判定困難な場合にはEUS所見が参考になることもあり，EUSの際にはこれらの血管との関係には注意を払い，所見に記載することが望ましい．

R/BR膵癌に対して，2019年の米国臨床腫瘍学会（ASCOならびにASCO-GI）において，本邦からゲムシタビン・S-1併用療法による，術前化学療法（neoadjuvant chemotherapy：NAC）の多施設共同無作為化比較試験の結果が報告され，手術先行群に対し，NAC群において，無再発生存期間ならびに全生存期間において優越性が示された．これを受け，『膵癌診療ガイドライン』も改訂がなされ，本邦においては，R/BR膵癌に対してはNACが標準治療として行われるようになっている．

R/BR膵癌に対する術前EUS-FNAは，NAC登場前の時代には，非がんに対する不要な手術の回避や術前にがんが確定することによる外科医の安心感と患者の覚悟，といったメリットと，がんだった場合の播種のリスクのバランスから，その賛否が論じられてきたが，NACが標準的に行われるようになり，NAC前確定診断として，より一般的に行われるようになってきた．一方，EUS-FNAによる播種の頻度については，現在，本邦で後ろ向きの全国調査が行われており，その結果が待たれるところであるが，内視鏡医として穿刺に携わる際は，回数を少なくするなどの工夫も重要である．

▶ 選択肢解説

a．SMVと接している腫瘍であり，このタイミングでの経過観察は切除不能となる危険が極めて高く，推奨できない．（×）
b．典型的な自己免疫性膵炎（AIP）においては，EUSで膵全体がソーセージ様に腫大するとともに低エコーを呈し，血清IgG4値が高値となる．一方，限局型のAIPは，しばしば膵癌と鑑別を要する腫瘤像を呈するため，EUS-FNAが必要となる．（×）
c．CTやEUSでは膵石はみられない．（×）
d．SMVと接する，切除可能もしくは切除可能境界癌である．外科切除適応となる．（○）
e．膵癌に対して放射線単独療法は予後の延長に寄与しない．切除可能膵癌，もしくは切除可能境界膵癌に対する術前治療についても放射線治療単独の有効性を示すデータはない．（×）

以上より，正解はd. となるが，出題後に上述のようにNACが標準治療として行われるようになっており，現時点では紛らわしい選択肢である．術前化学療法や化学療法などの選択肢があればそちらも正解となる．（**解答 d.**）

〈笹平直樹〉

索引

● 和文索引

数字

0-Ⅱc型早期胃癌　84
0-Ⅱc型未分化型早期胃癌　99
1型AIP（自己免疫性膵炎）　233, 238
2型AIP　234, 238
4型進行胃癌　35
6-メルカプトプリン　209

あ

アカラシア　24, 27
悪性黒色腫　71, 83
悪性胆道閉塞　225
悪性リンパ腫　35, 36, 127, 151, 179
アクリジンオレンジ　18
アザチオプリン　209
アダリムマブ　209
アニサキス症　24, 40, 110
アムステルダム基準Ⅱ　205
アメーバ感染症　127
アメーバ性大腸炎　157, 196
アメーバ赤痢　131
アメーバ腸炎　146
亜有茎性ポリープ　136
アルコール性慢性膵炎急性増悪　242
アルゴンガス（アルゴンプラズマ）　75, 212
アルゴンプラズマ凝固（法）　20, 29, 31, 35, 67, 75, 103

い

胃GIST　67
胃MALTリンパ腫　38, 55, 84, 99
胃悪性リンパ腫　55
　──の肉眼分類　84
胃アニサキス症　110
胃炎　24
胃潰瘍　84
胃癌　120
　──の深達度診断　120
胃穹窿部大彎　42
異型リンパ球　202
胃脂肪腫　115

胃・十二指腸潰瘍　24
胃・十二指腸内視鏡像　42
萎縮性胃炎　56, 57, 84, 99
異常小血管　45
胃静脈瘤　60, 80
　──の内視鏡診断　81
胃食道逆流症　24, 27
異所性胃粘膜
　──，食道　27
　──，十二指腸　36, 43
異所性静脈瘤　107
異所性膵　43
異所性内膜症　164
胃前庭部毛細血管拡張症　24, 28, 34, 74, 102
一次性食道運動障害　95
胃底腺ポリポーシス　173
遺伝性大腸癌　126
遺伝性非ポリポーシス大腸癌　205
胃内視鏡像　38, 44, 60, 62, 68, 74, 86, 98, 102, 104, 120, 122
胃粘膜萎縮　96
胃粘膜下腫瘍　43, 114
胃梅毒　24
胃ポリープ　24
医療訴訟　2
イレウス　160
色ずれ　19
色割れ　19
印環細胞癌　99
インジゴカルミン　7, 18, 86, 168, 171, 182
インジゴカルミン散布　136, 198
インジゴカルミン散布拡大像　171
インジゴカルミン散布像　32, 54, 56, 66, 98, 104, 137, 139, 179, 199, 210, 211
飲酒と発癌リスク　52
インゼル　105, 121
インターフェロンγ遊離試験　146
咽頭麻酔　16
インフォームドコンセント　2
インフリキシマブ　209

う・え

ウルソデオキシコール酸　233
壊疽性膿皮症　150
エタノール局注法　215
エピネフリン　213
エリスロマイシン　189
エルシニア属　127
エルシニア腸炎　128, 189, 194, 203
塩酸ナロキソン　22
塩酸リドカイン　16
炎症性筋管ポリープ　201
炎症性ポリープ　27, 82, 117, 147, 149
円柱上皮　100

お

横行結腸　168
黄色腫　117
黄連解毒湯　191
音響陰影　271
音波　12

か

回腸癌　133
改訂Atlanta分類　243
改訂ベセスダ基準　205
海綿状血管腫　107
回盲部　195
　──の内視鏡像　188, 196
潰瘍性大腸炎　127, 130, 139, 149, 157, 162, 195, 196, 208
潰瘍性大腸炎合併大腸癌　140
潰瘍性大腸炎関連大腸腫瘍　198
拡大内視鏡画像　44
拡大内視鏡観察　3
拡大内視鏡分類，大腸上皮性腫瘍の　126
過形成性ポリープ　87, 105, 136, 137, 144, 171, 180, 210
下行結腸の内視鏡像　208
過誤腫性ポリープ　79, 126, 136, 201
過誤腫性ポリポーシス　126
仮性嚢胞　264, 268
画像強調観察　2

索引

あ

画像強調内視鏡　7, 24
家族性大腸腺腫症
　　　　79, 126, 173, 201, 219
家族性地中海熱　127
下部消化管内視鏡検査　220
下部消化管内視鏡像　141, 190, 192
カプセル内視鏡　24, 64
　——, 小腸　106
加味逍遙散　191
顆粒細胞腫　71, 82, 83, 117
カルチノイド　36, 45, 105, 138
カルチノイド症候群　221
肝 MCN　248
肝移植のドナー　227
肝硬変　102
ガンシクロビル　161
間質性膵炎　258
管状腺腫　136, 137, 193, 211
感染性食道炎　88
感染性腸炎　127, 188, 203
感染に対する安全対策　3
肝内胆管の拡張　259
カンピロバクター　127, 130, 196
カンピロバクター抗原迅速診断キット　197
カンピロバクター腸炎
　　　　131, 188, 196, 203
顔面紅潮　221
肝門部領域胆管癌　259
乾酪性肉芽腫　178
乾酪性類上皮細胞肉芽腫　129

き

寄生虫・原虫感染症　127
キセノンランプ　19
偽ポリポーシス　149
偽膜性腸炎　141, 160
木村・竹本分類　97
逆流性食道炎
　　　　46, 51, 88, 92, 117, 118, 216
急性胃粘膜病変　24, 34, 62, 84
急性壊死性食道炎　24, 118
急性仮性嚢胞　268
急性出血性直腸潰瘍　175
急性食道粘膜病変　118
急性膵炎
　——, 繰り返す　255
　——, 反復性の　276
急性浮腫性小腸炎　195
急性閉塞性胆管炎・胆囊炎　224
狭帯域光観察(法)　7, 24
狭帯域内視鏡　7
虚血性大腸炎　186, 208
虚血性腸炎　127, 190
鋸歯状腺腫　136, 210
鋸歯状病変　126

緊急大腸内視鏡検査　214
緊急内視鏡　3
筋原性腫瘍　37
金属ステント　225

く

区域性大腸炎　149
空腸癌　133
偶発症　3
偶発症対策, 内視鏡治療の　14
工藤・鶴田分類　126
クラリスロマイシン　189
グリコーゲンアカントーシス　116
クリスタルバイオレット(染色)
　　　　18, 143, 168, 171, 182, 193
グリメピリド　257

け

経頸静脈的肝内門脈静脈短絡術　61
経口胆道鏡　225, 252, 272
経口胆道鏡像　251
経口的 BAE　126
経口的小腸内視鏡　132
経口内視鏡的筋層切開術　51
蛍光法　7, 18
憩室炎　157
憩室関連疾患　127
憩室様突出　259
経消化管的膵仮性囊胞ドレナージ
　　　　235
経皮的肝生検　269
経皮的胆囊ドレナージ　250
経皮的囊胞ドレナージ　243
結核　127, 151
結核菌　177
血管拡張症　24
血管腫　36, 82, 83
血性下痢　141
結石　240
血便　175
ゲムシタビン　233
ゲムシタビン・S-1 併用療法　287
原因不明の消化管出血　24
倦怠感　247
ゲンタマイシン　233
原発性硬化性胆管炎
　　　　150, 234, 259, 273
原発性小腸癌　132

こ

高 IgG4 血症　238, 257
高ガストリン血症　28, 105
硬化性胆管炎　258, 259
抗菌薬起因性腸炎　141

好酸球性食道炎　24, 92
高周波発生装置　20
好中球上皮病変　238
後天性免疫不全症候群　138
後腹膜線維症　238, 258
高分化型腺癌　45
高分化管状腺癌　171
黒色腫　36
黒色食道　118
個人用防護具　3
古典的鋸歯状腺腫　137
コメット様エコー　281
ゴリムマブ　209
コレステロール胆石　249
コレステロールポリープ
　　　　249, 271, 281
コンゴーレッド(染色)法　18, 155
コントラスト法　18
コンベックス型 EUS スコープ　269
コンベックス走査型　12, 15

さ

細菌感染症　127
細菌性大腸炎　130
細菌性腸炎　188
細径プローブ　12, 15
サイトケラチン　165
サイトメガロウイルス　145
サイトメガロウイルス感染症　127
サイトメガロウイルス腸炎
　　　　128, 161, 194, 196
サルモネラ　130, 196
サルモネラ感染症　204
サルモネラ腸炎　131, 188, 196
サンシシ　163, 191

し

ジアゼパム　5, 16, 22
シアノアクリレート系薬剤　60
シカゴ分類 v3.0　95
色素沈着, 口唇や手足の　78
色素内視鏡　3, 18, 86
色素内視鏡像　32, 66
色素反応法　18
子宮頸癌　212
子宮内膜癌　205
子宮内膜症　126
止血術　3
自己免疫性胃炎　99
自己免疫性膵炎　224, 230, 233, 257,
　　　　266, 273, 274, 287
　——のステロイド治療　275
自然脱落型膵管ステント　268
脂肪腫　15, 36, 82, 136
島状粘膜残存(遺残)　105, 121

289

若年性ポリープ　126, 136, 147
　──の病理組織像　148
若年性ポリポーシス　126, 201, 219
若年性ポリポーシス症候群　79
ジュール熱　8, 20
臭化ブチルスコポラミン　16
充実性偽乳頭腫瘍　264
重症急性膵炎　283
縦走潰瘍　186
十二指腸鏡　278
十二指腸狭窄症　277
十二指腸上皮性腫瘍　127
十二指腸腺腫　37
十二指腸乳頭部 Oddi 括約筋作用
　　　　　　261
十二指腸乳頭部腫瘍　254, 278
　──に対する内視鏡的切除術
　　　　　　225
十二指腸乳頭部の内視鏡像　253
十二指腸の内視鏡像　36
終末回腸炎　203
終末回腸の内視鏡像　203
絨毛腺腫　153
樹枝状血管網　73
主膵管狭細像　274
主膵管のびまん性狭細所見　266
数珠状所見　259
出血性腸炎　141
術後腸管内視鏡　226
術前化学療法　224, 287
腫瘍性ポリープ　147
純エタノール局注法　75
漿液性嚢胞腫瘍　264
消化管間質腫瘍　37, 76, 106
消化管出血　64
消化管ポリペクトミー　231
消化管ポリポーシス
　　　　　　79, 126, 173, 201
上行結腸　182
　──の内視鏡像　145, 177, 196
条虫症　127
小腸 GIST　107
小腸悪性リンパ腫　107
小腸カプセル内視鏡　126
小腸癌　107, 127, 132
小腸結核　178
小腸血管異形成　65
小腸血管腫　107
小腸腫瘍　127, 132
小腸静脈瘤, 色栓を伴う　107
小腸多発ポリープ　78
小腸内視鏡像　64, 76, 78
上皮性腫瘍　43, 114
上皮内腫瘍性病変　52
上皮内乳頭血管　109
上皮乳頭内ループ状毛細血管　25
上腹部痛

──, 繰り返す　240
──, 突然の　62
上部消化管潰瘍出血　25
上部消化管内視鏡（検査）
　　　　　　40, 62, 90, 96
　──の前処置　16
上部消化管内視鏡像　54, 173
静脈瘤　106
食道アカラシア　27, 46, 94
食道・胃静脈瘤　24, 80
食道炎　50
食道潰瘍　88
食道顆粒細胞腫　24, 27
食道癌　24, 30
食道カンジダ症　24, 27
食道癌ハイリスク群　52
食道狭窄　94
食道静脈瘤　58
　──の内視鏡所見　48
　──の内視鏡診断　81
食道静脈瘤硬化療法　48, 60
食道腺腫　82
食道蠕動波　94
食道中部内視鏡像　92
食道内視鏡像
　　　　　58, 72, 94, 100, 116, 118
食道乳頭腫　24, 82, 117
食道の隆起性病変　82
食道表在癌　91
食道表在扁平上皮癌　109
食道扁平上皮癌　27, 46, 183
食道リンパ管腫　83
心窩部痛　229
──, 激しい　110
神経原性腫瘍　37
神経鞘腫　83
神経性腫瘍　82
神経線維腫　83
神経内分泌細胞癌　82
神経内分泌腫瘍　105, 106, 180, 264
進行食道癌　51, 73
浸潤性膵管癌　286
人畜共通感染症　197

す

膵液細胞診　226
膵仮性嚢胞　235
膵癌　286
膵管鏡　225
膵管空腸側々吻合術　241
膵管減圧術　241
膵管ステント　231, 268
　──, 自然脱落型の　224
膵管ステント留置　283
膵管内乳頭腫瘍　224
膵管内乳頭粘液性腫瘍　247, 255, 264

膵管内乳頭粘液性腺癌　256
膵管非癒合　283
膵管癒合不全　277
膵疾患の EUS 像　264
膵腫大　233, 274
膵・消化管神経内分泌腫瘍　220
膵石　240, 256
膵体尾部　244
膵（・）胆管合流異常　261, 271
膵胆管癒合不全　283
膵頭十二指腸切除術　241, 256
膵頭部腫瘤　286
膵内分泌腫瘍　224
膵嚢胞　243
膵嚢胞性腫瘍　280
膵の慢性炎症性硬化症　233
膵尾部嚢胞性腫瘍　264
水様性下痢　188, 216
ステロイド　233
スネアリング　279

せ

性行為感染症　219
精巣セルトリ細胞腫　78
星芒状 pit　144
赤外光法　7
赤色栓　59
赤痢アメーバ　157
赤痢アメーバ抗体　145
赤痢菌　188
セルカリア　154
腺癌　82
尖圭コンジローム　137
腺腫　137, 144, 211
腺腫性ポリポーシス　126, 174
線状縦走潰瘍　216
染色法　18
前処置　2
線虫症　127
剪定状所見　259
前庭部大彎　43
先天性胆道拡張症　261
先天性網膜色素上皮肥大　174
センノシド　191

そ

早期胃癌　33, 38, 44, 67, 87
早期胃癌類似型 MALT リンパ腫　99
早期十二指腸乳頭部癌　279
早期食道癌　50, 73
早期大腸癌　199
　──の深達度診断　168
挿入法　3
側方発育型腫瘍　182
狙撃生検　140

索引

た

ソマトスタチンアナログ　233

体外衝撃波破砕術　250
帯状狭窄　259
褪色調粘膜　97
大腿骨頸部骨折　175
大腸悪性リンパ腫　163, 179
大腸癌　198
大腸憩室出血　214
大腸黒皮症　190
大腸腫瘍　14, 168, 170
大腸腫瘍性病変における pit pattern 診断　169
大腸上皮性腫瘍　126
　——の拡大内視鏡分類　126
大腸内視鏡　126, 147, 172, 177, 199, 218
大腸内視鏡像　130, 153, 157, 160, 162, 166, 173, 179, 186
大腸ポリープ　147
大腸未分化癌　152
大腸メラノーシス　191
耐熱性溶血毒　204
ダイレーターカテーテル　228
タクロリムス　209
たこいぼ胃炎　103
たこいぼ様びらん　203
多発性過誤腫症候群　78
多発ヨード不染食道　52
ダビガトラン　88
ダブルバルーン内視鏡検査　64
多房性嚢胞性病変　230
胆管拡張　261
胆管癌　272
胆管造影所見　259
胆管内乳頭状(粘液性)腫瘍　225, 247, 272
単純型家族性大腸腺腫性ポリポーシス　173
単純性潰瘍　127
胆膵の超音波内視鏡　244
胆石溶解療法　250
胆泥症　281
担鉄細胞　187
胆道癌　262, 271
胆道鏡下胆管生検組織像　247
胆道鏡像　247
胆道系酵素上昇　272
胆道結石　225
胆道・膵管ステントの適応　224
胆道ステント　224
胆道内寄生虫　273
胆嚢癌　271, 281
胆嚢結石　271
胆嚢腺筋腫症　271, 281

胆嚢の超音波内視鏡像　281
胆嚢ポリープ　271
胆嚢隆起性病変　249, 281
蛋白漏出性胃腸症　36, 79, 195

ち

チェリーレッドスポット　48, 59
地図状発赤　113
チニダゾール　159
血マメ　48, 59, 81
虫垂炎　157, 203
中枢性ベンゾジアゼピン受容体　5
中毒性巨大結腸症　150, 160
腸アニサキス症　110
腸炎関連脊椎炎　146
腸炎ビブリオ　196, 204
超音波内視鏡　12, 15, 126, 199, 229
超音波内視鏡下経胃嚢胞ドレナージ　243
超音波内視鏡下経消化管嚢胞ドレナージ　243
超音波内視鏡下穿刺(吸引法)　12, 15, 164, 181, 280
超音波内視鏡下腹腔神経叢ブロック　238
超音波内視鏡像　66, 120, 164, 220, 249, 270, 276, 286
超音波内視鏡プローブ　12
腸型腺腫　105
腸管 CMV 感染症　145
腸管(型)Behçet 病　127, 128, 151, 194
腸管感染症　160
腸管子宮内膜症　164
腸管出血性大腸炎　196
腸管出血性大腸菌　127, 204
腸管出血性大腸菌腸炎　188
腸管スピロヘータ症　162
腸管腟瘻　212
腸管嚢胞状気腫症　127
腸管膀胱瘻　212
腸間膜静脈硬化症　162
腸間膜リンパ節炎　203
腸間膜リンパ節の腫大　203
腸結核　128, 145, 177, 195
腸上皮化生　56
直腸
　——の色素内視鏡像　137
　——の内視鏡像　175
直腸 S 状部の内視鏡像　164
直腸 T1(SM)癌　184
直腸癌　185
直腸腫瘍　179
直腸神経内分泌腫瘍　126
直腸粘膜下腫瘍　179
直腸粘膜脱症候群　137, 201

直腸扁桃　179
貯留囊胞　83, 268
鎮静法　2
鎮静薬(剤)　5, 22
鎮痛薬　22

て

低エコー性腫瘤　15
低分化型癌　82
低分化型腺癌　99
デジタルファイリングシステム　10
鉄欠乏性貧血　64
電子内視鏡　2
電子媒体保存，内視鏡画像の　10

と

頭頸部癌　27
動静脈奇形　106
糖尿病　275
特発性腸間膜静脈硬化症　190
トリソミー8　194
鳥肌胃炎　24, 56
トルイジンブルー染色　183
トロンビン散布　123

な

内視鏡関連偶発症　3
内視鏡関連出血　2
内視鏡像　50, 56, 66
　——，胃癌検診での　84
　——，下部食道の　88
　——，食道胃接合部の　46
　——，食道病変の　70
内視鏡直視下ドレナージ　235
内視鏡的一括摘除　184
内視鏡的逆行性膵胆管造影　234, 266
内視鏡的筋層切開術　47
内視鏡的経乳頭的膵管ドレナージ　243
内視鏡的結紮術　214
内視鏡的硬化療法　58, 215
内視鏡的止血術(法)　3, 122, 176, 214
内視鏡的十二指腸乳頭(部)切除術　231, 278
内視鏡的静脈瘤結紮術　58
内視鏡的食道筋層切開術　94
内視鏡的膵管口切開術　243
内視鏡的膵管ドレナージ　256
内視鏡的膵石除去術　241
内視鏡的ステント挿入　225
内視鏡的塞栓療法　60
内視鏡的胆道ドレナージ　240
内視鏡的乳頭切除術　254

内視鏡的ネクロゼクトミー　243
内視鏡的粘膜下層剥離術
　　　　　　25, 31, 33, 39, 51
──, 食道癌に対する　91
内視鏡的粘膜切除術　25, 31, 51
内視鏡的バルーン拡張術　47
内視鏡的ポリープ切除　78
内視鏡乳頭切開術　254
内分泌細胞癌　82
ナロキソン　22
難治性胆道巨大結石　225

に・ぬ

日本住血吸虫症　127
日本住血吸虫卵　154
乳頭腫　83, 117
乳頭腫食道　27
乳頭腺癌　172
抜き打ち様潰瘍　194

ね

粘液産生胆管腫瘍　252
粘液性囊胞腫瘍　264
粘膜下腫瘍　87, 114, 126, 220
粘膜下層軽度浸潤癌　153
粘膜下層高度浸潤癌
　　　　　　144, 153, 193, 211
粘膜内癌
　　45, 69, 144, 153, 168, 183, 193

の

膿原性肉芽腫　107
囊胞感染　265
ノロウイルス　196

は

バイポーラ　20
肺門部リンパ節腫大　258
花筵状線維化　233, 260
バルーン（小腸）内視鏡　24, 64
バルーン小腸内視鏡像, 回腸の
　　　　　　　　　　　　128
バルーン内視鏡像, 小腸　106
バルーン閉塞下逆行性経静脈的塞栓
　法　60
ハロゲンランプ　19
パロモマイシン硫酸塩　159
バンコマイシン　161
バンコマイシン耐性腸球菌　161

ひ

ヒートプローブ法　75

非乾酪性肉芽腫　142
非乾酪性類上皮細胞肉芽腫
　　　　　　　　　　129, 187
非偽膜性抗菌薬起因性腸炎　142
非腫瘍性大腸ポリープ　180
ビスカス　16
被包化膵壊死　243
非ポリポーシス大腸癌　126
被膜様構造　257, 266, 274
びまん狭細型慢性膵炎　238
びまん性胃前庭部毛細血管拡張症
　　　　　　　　　　　28, 74
びまん性大細胞型 B 細胞リンパ腫
　　　　35, 55, 107, 152, 179, 202
びまん性発赤　99, 113
表在癌　27
標準予防策　3
表面 pit 様構造　182
びらん性胃炎　103
ビリルビンカルシウム石　249

ふ

フェノールレッド　18
副膵管囊腫　283
腹水性状　280
腹部造影 CT　229, 251
　── 横断像　255, 257
腹部超音波検査　263, 281
腐蝕性食道炎　88
腐食性食道狭窄　27
ブチルスコポラミン臭化物　16
ブデソニド　93, 209
ブラシ細胞診　226
プラスチック膵管ステント　268
プラスチックステント　225
フラッシャー　52
ブリリアントブルー　18
フルオレセイン　18
フルチカゾン　93
フルニトラゼパム　5, 16
フルマゼニル　5, 22
プレドニゾロン　131
プロトンポンプ阻害薬
　　　　50, 67, 91, 93, 100, 111, 123
プロポフォール　5, 16, 22
分化型癌　121
分化型早期癌　121
噴出性出血　123, 213
糞線虫症　127

へ

平滑筋腫　36, 70
平滑筋性腫瘍　82
平滑筋肉腫　36
閉塞性黄疸　227

── の原因疾患　266
ベセスダガイドライン　205
ペパーミントオイル　16
便潜血陽性　218
ベンゾジアゼピン系薬剤（鎮静薬）
　　　　　　　　　　　5, 22
扁平上皮癌　26, 71, 82

ほ

放射線障害　166
放射線性腸炎　127, 212
放射線性直腸炎　166
ボグリボース　257
ホスホマイシン　189
ホスホリパーゼ A_2　262
発赤所見　48, 60
ボツリヌス毒素注入療法（局注治療）
　　　　　　　　　　47, 94
哺乳障害　92
ポリープ　79, 173, 249
ポリポーシス　24

ま

マイクロサテライト不安定性検査
　　　　　　　　　　　　205
まだら食道　52
マッソン・トリクローム染色　216
慢性仮性囊胞　268
慢性膵炎　230, 240
　── に伴う膵管狭窄解除　268
慢性水様性下痢　134
慢性腸管感染症　145
マントル細胞リンパ腫　202

み

ミダゾラム　5, 16
未分化型腺癌　105
未分化型早期胃癌　85
ミミズ腫れ　48, 59, 81
ミヤイリガイ　155
ミランジウム　154

め

迷入膵　43, 115
メサラジン　209
メタリックステント　235
メチレンブルー　18
メトロニダゾール　41, 159, 161

も

毛細血管腫　107
盲腸の内視鏡像　151

網膜色素上皮肥大　174
モノポーラ　20
門脈圧亢進性胃症　24, 102

や

薬剤関連消化管疾患　127
薬剤性潰瘍　88
薬剤性消化管障害　127
薬剤性腸炎　141

ゆ

有茎性ポリープ　136
疣状胃炎　103
幽門側胃切除　75

よ

ヨード液　18
ヨード染色　52, 73

溶血性尿毒症症候群　189
羊水過多症　277

ら

ラージバルーン　225
ラジアル走査型　12, 15
ランソプラゾール　216
ランブル鞭毛虫症　127

り

リゾレシチン　262
リドカイン　16
リドカインスプレー　16
リドカインビスカス　16
リネア走査型　12
隆起型びらん性胃炎　103
隆起性病変，食道の　82
良性胆管狭窄　227
良性リンパ濾胞性ポリープ　179

両側頸部無痛性顎下腺腫大　274
旅行者下痢症　189
輪状膵　277
リンパ管拡張症　36
リンパ管腫　36, 82, 180, 218
リンパ上皮嚢胞　264
リンパ濾胞　57, 179

る・れ

類基底細胞癌　82
涙腺・唾液腺炎　258
ループス腸炎　195
レーザー内視鏡　7

ろ

ロサンゼルス分類　46
露出血管　122
濾胞性胃炎　56
濾胞性リンパ腫　36, 179

● 欧文索引

A

A 型胃炎　24, 99, 105
absent MS pattern　69
absent MV pattern　68
acoustic shadow　271
acute esophageal mucosal lesion　118
acute gastric lesion　62
acute gastric mucosal lesion　24, 34, 62, 84
acute necrotizing esophagitis　118
adenoma-carcinoma sequence　211
AEML　118
AFI　7
aggressive lymphoma　35
AGL　62
AGML　24, 34, 62, 84
───の治療　62
AIDS　138
AIP　224, 226, 233, 238, 257, 266, 287
ALDH2 欠損　52
ANE　118
antigenemia 法　131
APC　20, 29, 31, 35, 67, 75, 103
APC 遺伝子　173
APC 凝固法　166, 212
API2-MALT キメラ遺伝子　55
argon plasma coagulation　20, 29, 35, 75, 103, 166
arteriovenous malformation　106

autofluorescence imaging　7
autoimmune pancreatitis　224, 233, 238
AVM　106

B

B-RTO　60
balloon-occluded retrograde transvenous obliteration　60
band-like stricture　259
Barrett 潰瘍　88
Barrett 上皮　27
Barrett 食道　24, 100
───の NBI 拡大像　109
Barrett 食道腺癌　50, 73
beaded appearance　226, 259
Behçet 病　194
benign lymphoid polyp　179
BLI(blue laser imaging)　3, 7, 24, 126, 183
bridging fold　42, 37, 66, 114
brownish area　50, 70, 73
Brunner 腺過形成　36, 43

C

C7-HRP(法)　131, 145
CA 系薬剤　60
Cajal 介在細胞　114
Campylobacter jejuni　197

cap polyposis　201
capsule-like rim　234, 257, 266, 274
CC　134
CCD　19
CCS　126
CEAS　127
cherry red spot　48, 59, 81
CHRPE　174
classical FAP　173
Clostridioides difficile　130
Clostridioides difficile 腸炎　160
CMV 抗原検査法　131
CMV 腸炎　131, 145
colitic cancer　198
collagen band　134, 191, 216
collagenous colitis　134, 163, 191, 216
complete pancreatic divisum　283
congenital hypertrophy of the retinal pigment epithelium　174
contrast enhancement　7
convex EUS　224
covered metallic stent　268
COVID-19 感染症　3
Cowden 症候群　126
Crohn 病　127, 128, 151, 177, 187, 194, 208
Cronkhite-Canada 症候群　79, 126, 219
CRS　48, 59, 81
Curling ulcer　34
Cushing ulcer　34

cyst in cyst　230
cytomegalovirus 腸炎　131, 145

D

DAE　126
dark spots　171
DAVE　28, 74, 103
DBVs　171
demarcation line　68, 86
desmoplastic reaction　172
device-assisted enteroscopy　126
diffuse antral vascular ectasia
　　　　　　　　　28, 74, 103
diffuse large B-cell lymphoma
　　　　　　　　　152, 179
dilated and branching vessels　171
diverticular porch　226
diverticulum-like outpouching　259
DLBCL　152, 179
dysplasia　198

E

EBL　214
ECL 細胞　105
Eh　157
EHEC　196
EHL　225
EIS　58, 60, 214
electronic hydraulic lithotripsy　225
EMR　25, 51, 55, 67
ENBD　228
endoscopic mucosal resection　25
endoscopic papillary balloon dilation
　　　　　　　　　　　224
endoscopic papillary large balloon
　　dilation　225
endoscopic papillectomy　231, 278
endoscopic retrograde
　　cholangiography　224
endoscopic sphincterotomy　224
endoscopic submucosal dissection
　　　　　　　　　　　25
endoscopic ultrasonography　224
Entamoeba histolytica　157
enterochromaffin-like 細胞　105
enteropathy associated with
　　SLCO2A1 gene　127
EP　231, 254, 278
EPBD　224
epidermoid cyst　264
EPLBD　225
ERCP　224, 229, 233, 266
　──時の precut　285
ERCP 後膵炎　224, 268
ERCP 像　237, 242, 251, 253, 261

ERP 像　257, 283
ESD　25, 31, 33, 38, 51, 67, 172
ESD 術中出血　8
esophageal rosette　46
EST　224, 254
ESWL　225, 240, 256
EUS　15, 120, 126, 218, 224, 229, 287
EUS ガイド下ドレナージ　235
EUS 像　255
EUS-CD　225
EUS-CDS　225
EUS-FNA
　　12, 15, 164, 181, 224, 241, 280, 287
　──の主な適応病変　280
　──の適応　269
EUS-GBD　225
EUS-HGS　225
EVL　58
extracorporeal shock wave
　　lithotripsy　225

F

FAP　126, 173
fibromuscular hyperplasia　74
fibromuscular obliteration　137
FICE（flexible spectral imaging color
　　enhancement）　7
Forrest 分類　25, 122
Frey 手術　241

G

Gardner 症候群　174
gastric antral vascular ectasia
　　　　　　　　　28, 34, 74, 102
gastroesophageal reflux disease
　　　　　　　　　　　118
gastrointestinal stromal tumor
　　　　43, 67, 76, 82, 114, 127, 181
GAVE　28, 34, 74, 102
GEL　234, 238
GERD　24, 27, 118
GIST
　　37, 43, 76, 82, 106, 114, 127, 181
granulocytic epithelial lesion
　　　　　　　　　　234, 238
Griffith 点　187
Guillain-Barré 症候群　189, 204

H

HCS　48, 59, 81
Helicobacter pylori　63, 129
Helicobacter pylori 感染
　　　　　　24, 55, 84, 96, 98, 105
Helicobacter pylori 除菌後　112

Helicobacter pylori 除菌療法（治療）
　　　　　　　　　　38, 55
Heller-Dor 手術　47
hematocystic spot　48, 59
hereditary non-polyposis colorectal
　　cancer　205
high-risk stigmata　256
HLA-B27　146
HNPCC　205
honeycomb stomach　29
HP　137
HSE　29
HSV 食道炎　88
hyperplasia-dysplasia-carcinoma
　　sequence 説　262
hyperplastic polyp　137
hypertonic saline epinephrine　29

I

IBD unclassified　131
IC　131
IDCP（idiopathic duct-centric
　　（chronic）pancreatitis）　233, 238
IDUS　226, 252, 254, 272
IDUS 像　253
IEE　2, 24, 183
IFP　115
IgA 血管炎　195
IgG4　238
IgG4 関連硬化性唾液腺炎　238
IgG4 関連硬化性胆管炎
　　　　　　　226, 238, 259, 273
IgG4 関連疾患　233, 238, 267
IgG4 陽性形質細胞浸潤　233
IgG4-SC　259, 273
image-enhanced endoscopy　2, 24
IMP　147
indeterminate colitis　131
inflammatory myoglandular polyp
　　　　　　　　　　　147
infrared imaging　7
inside stent　228
integrated relaxation pressure　95
interventional EUS　224, 225
intraductal papillary mucinous
　　carcinoma　256
intraductal papillary mucinous
　　neoplasm　224, 255, 264, 273
intraductal papillary neoplasm of the
　　bile duct　225, 247, 252, 272
intraductal ultrasonography
　　　　　　　　　226, 254, 272
intraepithelial neoplasia　52
intrapapillary capillary loop　25, 109
IPCL　25, 109
IPMC　256

IPMN 224, 230, 247, 256, 264, 273
IPNB 225, 247, 252, 272
IRI 7
IRP 95
irregular microsurface pattern 68
irregular microvascular pattern 68
irregular MS pattern 69
irregular MV pattern 68
i-scan 7

J

JES 分類 25
JNET 分類 126, 171, 182
juvenile polyp 136

K

Kaposi 肉腫 138
Kerckring 襞 128

L

LBC 所見 69
LC 134
LCI 3, 24, 126
LEC 264
light blue crest 所見 69
linear mucosal defect 216
linked color imaging 3, 24, 126
long segment Barrett 食道 100
LPSP 233, 238
LST 182
lymphocytic colitis 134
lymphoepithelial cyst 264
lymphoepithelial lesion 55
lymphoplasmacytic sclerosing pancreatitis 233, 238
Lynch 症候群 126, 205

M

M-NBI 68
magnifying narrow band imaging 68
malignant potential 265
Mallory-Weiss 症候群 24
MALT リンパ腫 35, 45, 85, 87, 99, 179, 202
MAP 126
McCormack 分類 103
MCN 224, 230, 264
MDCT 272
microsatellite instability 検査 205
microscopic colitis 134
mixed polyp 137
Mosaic pattern 103

MRCP 像 251, 255, 270, 276, 283
MS pattern 68
MSI 205
mucinous cystic neoplasm 224, 264
mucosal tears 163
mucosa-associated lymphoid tissue リンパ腫 179
multi-stent 挿入 225
multiple lymphomatous polyposis 127
MUTYH 関連大腸腺腫症（ポリポーシス） 79, 126
MV pattern 68

N

NAC 287
NBI（narrow band imaging） 3, 7, 24, 68, 70, 72, 126, 183
NBI 拡大内視鏡像 86, 144
——, 食道の 108
NBI 拡大内視鏡分類 126
NBI 弱拡大画像 45
NBI 併用拡大内視鏡像 30, 50, 73, 153
needle knife over pancreatic duct stent 285
neoadjuvant chemotherapy 224, 287
NET（neuroendocrine tumor） 105, 180, 220, 264
non-lifting sign 172, 199
nonsteroidal anti-inflammatory drug 起因性腸症 177
NSAIDs 216
NSAIDs 潰瘍 128
NSAID 起因性腸症 177

O

O157LPS 抗体 145
O157 病原性大腸炎 145
obscure gastrointestinal bleeding 24
Oddi 括約筋 231
Oddi 括約筋機能不全 268
Oddi 筋浸潤 254
OGIB 24
optical biopsy 199

P

P-J 型ポリープ 79, 126, 147
P-J 症候群 201
pancreatic neuroendocrine tumor 224
PAS 染色 162

PC sign 52
PCI 218
PEP 268
peroral cholangioscopy 224, 272
peroral pancreatoscopy 224
personal protective equipment 3
per-oral endoscopic myotomy 51, 94
Peutz-Jeghers 型ポリープ 79, 126, 147
Peutz-Jeghers 症候群 78, 126, 201, 219
PHG 102
pink color sign 52
pit pattern 144, 171
pit pattern 診断 168
——, 大腸腫瘍性病変における 169
POCS 225, 252, 272
POEM 47, 51, 94
POPS 225
portal hypertensive gastropathy 102
post-ERCP pancreatitis 268
PPE 3
PPI 100, 216
precut 285
primary sclerosing cholangitis 226
pruned-tree appearance 259
PS 225
PSC 226, 234, 259, 273
punched-out ulcer 194
pyogenic granuloma 70

Q・R

QOL（quality of life） 2
RAC 97
radial EUS 224
RAS 271
RC 48
rectal tonsil 179
red color sign 48, 59
red plug 59
red wale marking 48, 59
regular arrangement of collecting venules 97
regular MS pattern 69
regular MV pattern 68
Rindi 分類 105
Rokitansky-Aschoff 洞 271, 282
RWM 48, 59, 81

S

S 状結腸 136, 147, 170
—— の色素内視鏡像 210
—— の内視鏡像 149, 154, 194, 210

S状結腸内視鏡検査　201
S状結腸ポリープ　135
SA　210
Salmonella bongori　204
Salmonella enterica　204
santorinicele　283
SCC　183
Schönlein-Henoch 紫斑病　195
SCN　224, 264
SCT　264
SEMS（self expandatory metallic stent）　225
serous cystic neoplasm　224, 264
serrated adenoma　210
sessile serrated lesion
　　　　　137, 171, 193, 210
sexual transmitted disease　158
Sherman 分類　166
Sjögren 症候群　274
skip lesions　267
SM 高度浸潤癌　144, 171
SM 浸潤癌　121
snakeskin appearance　103
SOD　268
solid cystic tumor　264
solid pseudopapillary neoplasm
　　　　　　　　　　224, 264
SPN　224, 264
SSL　126, 137, 171, 193, 210
　──の内視鏡所見　126

SSL with cytological dysplasia　137
standard precaution　3
STD　158
STK11/LKB1 遺伝子　79
storiform fibrosis　233
Sudeck 点　187
surface enhancement　7
surface pattern　171, 182

T

T 細胞リンパ腫　179
T1b 食道癌　51
target biopsy　140
TIPS　61
Tokyo ガイドライン　224
Toyonaga 分類　103
traditional serrated adenoma　137
transjugular intrahepatic portosystemic shunt　61
transverse ridging　164
tree like appearance　69
TSA　137
Turcot 症候群　174
Type B 血管　30

U

UC　139, 157
UC 関連大腸腫瘍　198

uncovered metallic stent　228

V

vancomycin-resistant enterococci
　　　　　　　　　　　　161
vanishing tumor　110
varicose microvascular vessel　171
vessel pattern　171, 182
VMV　171
VRE　161
VS classification system　68

W

walled-off necrosis　243
Warthin-Starry 鍍銀染色　162
watermelon stomach　29, 35, 74, 103
wire-guided cannulation　268
Wirsung duct　283
WON　243

Y・Z

Yersinia enterocolitica　203
Yersinia pseudotuberculosis　203
Zollinger-Ellison 症候群　105